MOTRICITÉ

Approche psychophysiologique

MOTRICITÉ

Approche psychophysiologique

par

Robert Rigal, René Paoletti, Michel Portmann

1974
LES PRESSES DE L'UNIVERSITÉ DU QUÉBEC
C. P. 250, Succursale N, Montréal, H2X 3M4, Canada

La conception graphique de la couverture
est de *Serge April*

ISBN 0-7770-0135-7

Dépôt légal — 4e trimestre 1974
Bibliothèque nationale du Québec

TABLE DES MATIÈRES

Troisième partie

L'ORGANISATION PERCEPTIVE

INTRODUCTION GÉNÉRALE

Les spécialistes en psychologie génétique s'accordent pour donner à l'activité motrice du nouveau-né et du jeune enfant un rôle important dans son développement cognitif. Les conclusions de leurs recherches ont, depuis quelques années, conduit certains pédagogues à élaborer de nombreux programmes de motricité propres à développer les aspects perceptivo-moteurs de la connaissance chez l'enfant. Cependant dans la présentation de ces programmes, les auteurs n'abordent que trop superficiellement les fondements théoriques qui permettraient de comprendre les raisons justifiant le choix d'un exercice plutôt qu'un autre. La connaissance de tels fondements fournirait à l'éducateur la possibilité d'ajuster son action pédagogique, d'individualiser son enseignement, bref, de répondre aux besoins spécifiques de chacun de ses élèves.

Dans l'ensemble des activités de la vie de relation humaine, l'acte moteur intentionnel représente la forme la plus évoluée, la plus féconde mais aussi la plus complexe du comportement, caractérisant la conduite adaptative, créative et autonome. L'adéquation du mouvement volontaire à une situation problématique donnée dépend des caractéristiques physiologiques et de l'évolution ontogénétique des processus de connaissance, d'intégration et d'adaptation motrice. L'étude de l'acte moteur intentionnel devrait ainsi tenir compte

a) des processus d'élaboration des informations sensorielles conduisant à l'appréciation des rapports spatio-temporels de la situation;

b) de l'interaction des structures nerveuses, décisionnelles et régulatrices, et des structures musculaires effectrices ;

c) du degré d'évolution des processus internes de maturation nerveuse et des modifications anatomo-physiologiques qui se produisent au cours de la croissance ;

d) de la richesse des situations motrices qui ont été expérimentées à des moments particuliers de la vie.

De plus, pour composer un programme d'éducation psychomotrice adapté à un ou plusieurs enfants, l'éducateur devrait pouvoir déterminer et caractériser aussi précisément que possible le niveau de leur développement perceptivo-moteur par l'utilisation des moyens d'évaluation appropriés.

Aussi, conçu comme une synthèse des différents travaux relatifs aux composantes fondamentales de la motricité, le présent ouvrage, tout en sollicitant la réflexion, a pour but d'apporter des éléments de réponse aux questions que se pose l'enseignant au cours de son intervention pédagogique.

René Paoletti
Robert Rigal

Première partie

L'ACTE MOTEUR

Chapitre 1

ÉLÉMENTS D'ANATOMIE ET DE PHYSIOLOGIE DU SYSTÈME NERVEUX DE LA VIE DE RELATION

René Paoletti

PLAN

Le système nerveux cérébro-spinal ou *névraxe* a pour fonctions principales d'assurer

a) *la vie végétative*, c'est-à-dire tout ce qui se rapporte au maintien de l'équilibre du "milieu intérieur", et à la vie interne des organes responsables, par exemple, des fonctions de respiration, circulation, digestion, etc. ;

b) *la vie de relation*, c'est-à-dire tout ce qui concerne la prise de contact et l'action de l'individu sur le monde extérieur, et se traduit par des activités motrices de comportement.

La vie végétative et la vie de relation reposent sur l'interaction de fonctions plus spécifiques de sensibilité et de motricité.

La fonction de sensibilité correspond à la prise d'informations périphériques et à leur transmission vers le *système nerveux central*[1] (S.N.C.) ; le transport de ces informations sous forme d'*influx nerveux* (I.N.) engendré par les récepteurs sensitifs vers le S.N.C. est encore désigné par le terme d'*afférence*.

La fonction de motricité consiste en la création d'une impulsion nerveuse au niveau du S.N.C., sa transmission aux muscles effecteurs et la mise en activité de ces derniers; la propagation de cet ordre moteur vers les organes effecteurs correspond à l'*efférence*, et l'exécution proprement dite est dénommée *effection*.

Les physiologistes différencient les fonctions de sensibilité et de motricité caractéristiques de la vie végétative de celles qui sont spécifiques à la vie de relation : les premières sont assurées par le *système nerveux autonome*, et les secondes, par le *système*

---

1. Le système nerveux central est constitué par toutes les parties du système nerveux situées à l'intérieur de la boîte crânienne et du canal vertébral.

nerveux de la vie de relation. Ce clivage du S.N.C. en deux sous-systèmes ne correspond pas à une division anatomique de la substance nerveuse, mais constitue une différenciation fonctionnelle commode pour l'analyse en neurophysiologie.

Ce volume traitera essentiellement du système nerveux de la vie de relation.

1 - UNITÉ FONCTIONNELLE DU SYSTÈME NERVEUX : LE NEURONE

Le *neurone* ou *cellule nerveuse* représente l'élément fonctionnel et constitutif de base du système nerveux. Selon leur localisation et leur fonction, les neurones se présentent sous plusieurs formes : neurones multipolaires, bipolaires et unipolaires. Cette distinction vient du nombre d'expansions du corps cellulaire (Fig. 1).

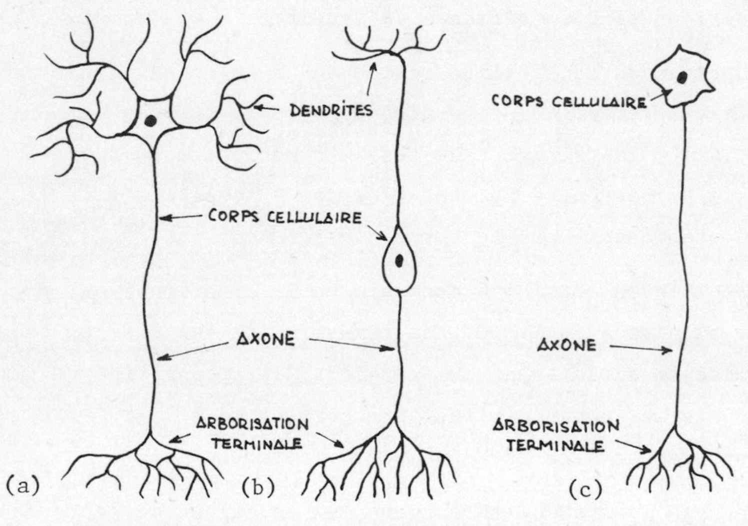

Fig. 1 - Types de neurones : multipolaire (a), bipolaire (b), unipolaire (c).

Chaque sorte de neurone se compose d'un *corps cellulaire* contenant un noyau entouré de cytoplasme et de ramifications courtes, les *dendrites*, et d'une longue expansion l'*axone*. L'axone, aussi appelé *cylindraxe* ou *fibre nerveuse*, est généralement entouré d'une gaine de *myéline* qui agit comme isolant et facilite la transmission de l'influx nerveux en augmentant sa vitesse. La *myélinisation* ou *myélogénèse* qui correspond au processus de recouvrement progressif des axones par la myéline, représente un facteur essentiel de la maturation fonctionnelle du système nerveux et se poursuit pendant plusieurs années après la naissance. De plus, les axones qui composent les nerfs rachidiens sont protégés par la gaine de Schwann (Fig. 2).

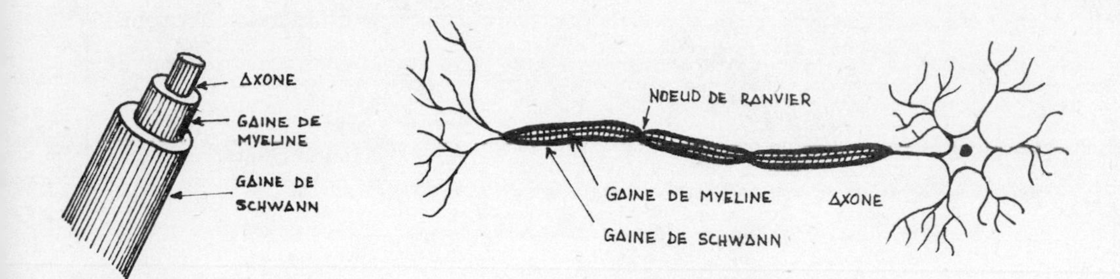

Fig. 2 - Constitution d'un neurone

Les corps cellulaires des neurones entrent dans la composition de la *substance grise* du cerveau, du cervelet et de la moelle épinière, tandis que les axones composent la *substance blanche* et les *nerfs*[2] (Fig. 3). Ces derniers peuvent regrouper soit des fibres nerveuses motrices, soit des fibres nerveuses sensibles, soit les deux.

Le neurone a pour fonction d'engendrer ou de transmettre l'influx nerveux ; les neurones des voies afférentes sont dits sensitifs, ceux des voies efférentes sont moteurs (motoneurones). L'influx nerveux correspond au changement électro-chimique qui se propage le long de la fibre, de proche en proche, lors d'une stimulation[3], comme le montre la figure 4. En effet, à l'état de repos, la fibre nerveuse

2. Il existe 31 paires de nerfs rachidiens et 12 nerfs crâniens.
3. La figure 4 représente la propagation la plus simple des phénomènes complexes de migrations ioniques, lesquels ne seront pas abordés dans le cadre de cette étude.

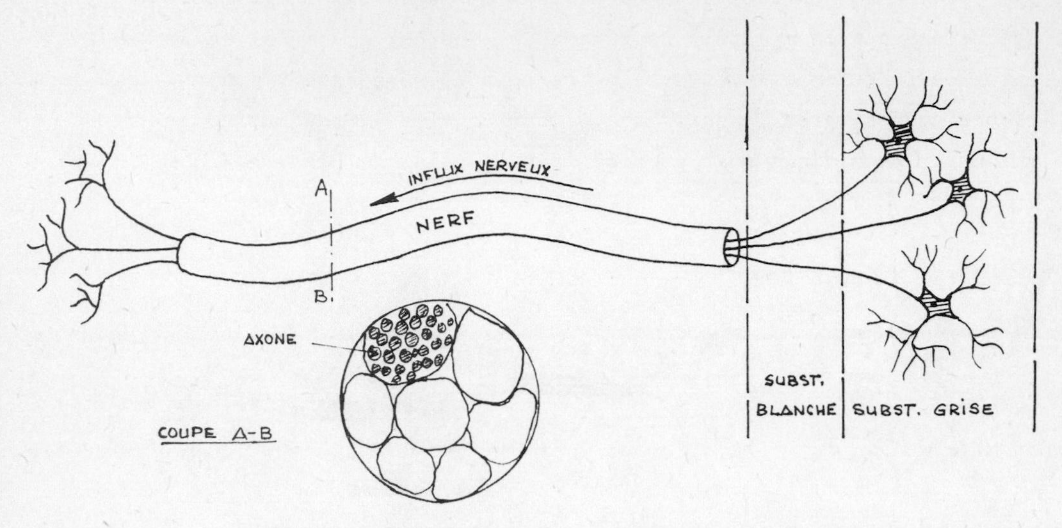

Fig. 3 - Constitution et coupe d'un nerf

possède une charge électrique positive à l'extérieur et négative à l'intérieur (Fig. 4a). Une stimulation des dendrites provoque une dépolarisation de proche en proche, se traduisant par une inversion des charges électriques (Fig. 4b). Immédiatement après cette dépolarisation ou passage de l'influx nerveux, le segment de la fibre nerveuse concerné retourne à son état initial et il est de nouveau prêt à transmettre une autre impulsion nerveuse ; le temps de récupération de l'état initial est de 1/1000e de seconde pour certaines fibres (Fig. 4c).

La transmission de l'influx nerveux d'un neurone A à un neurone B se fait dans le sens suivant : corps cellulaire de A $\longrightarrow$ axone et arborisation terminale de A $\longrightarrow$ dendrites, puis corps cellulaire de B, etc. La liaison entre l'arborisation terminale de A et les dendrites de B est appelée une *synapse* (Fig. 5).

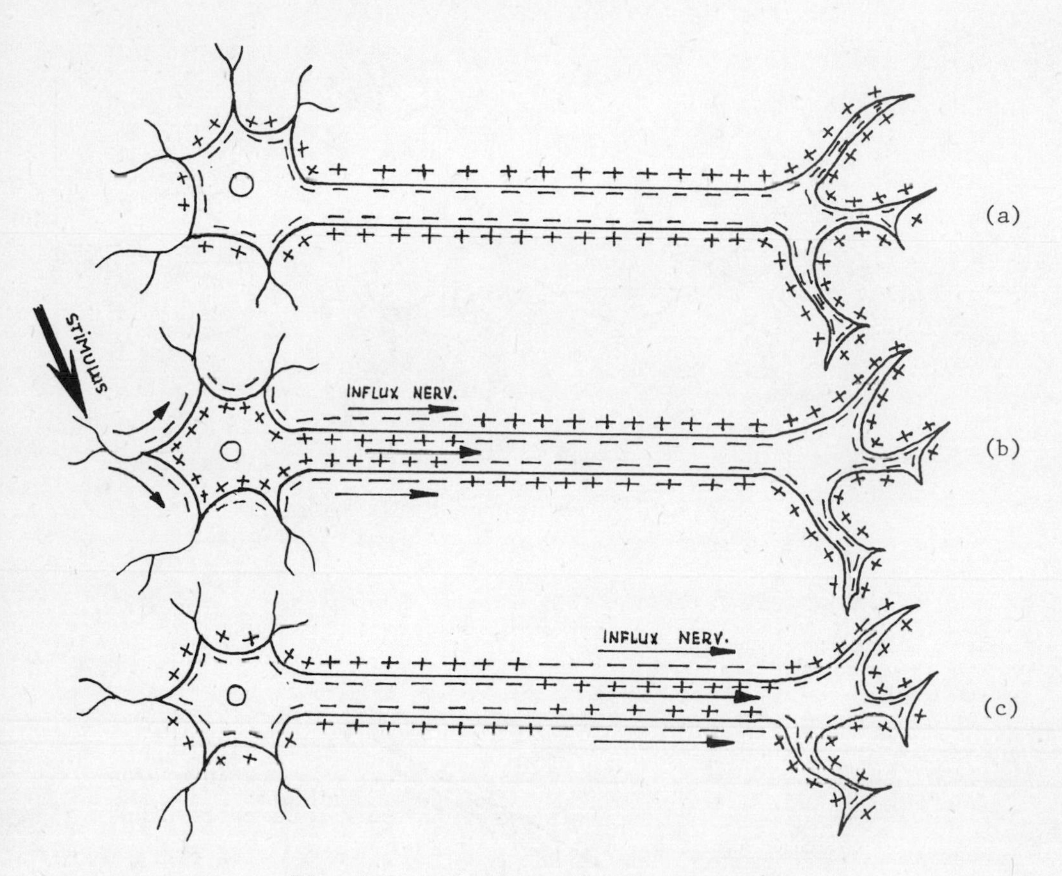

Fig. 4 - Passage de l'influx nerveux

L'influx nerveux moteur aboutit au muscle ; la jonction fibre nerveuse/fibre musculaire se fait au niveau d'une zone granuleuse, la *plaque motrice* (Fig. 6).

2 - DESCRIPTION ANATOMIQUE DU SYSTÈME NERVEUX CENTRAL

2.1 *Le cerveau proprement dit*

2.1.1 Hémisphères cérébraux

La surface de chaque hémisphère est creusée de sillons irréguliers ; les plus profonds, appelés *scissures* délimitent quatre *lobes*

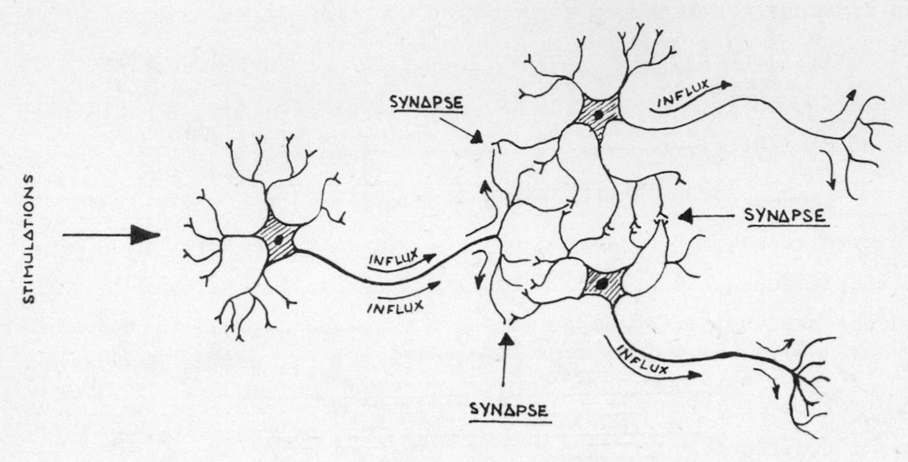

Fig. 5 - Liaisons entre neurones multipolaires

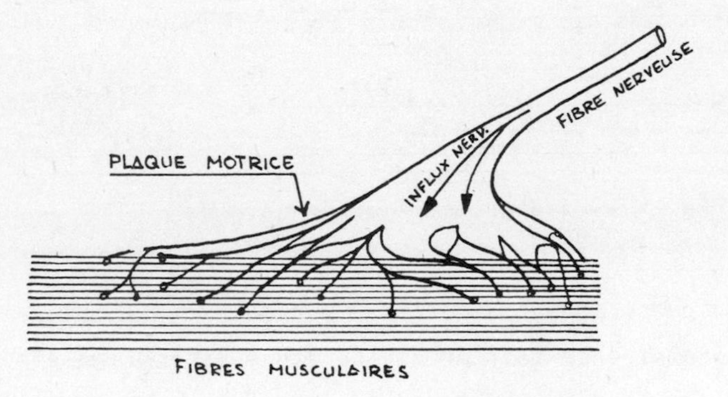

Fig. 6 - Liaison entre fibres nerveuses et fibres musculaires

principaux : frontal, pariétal, occipital et temporal ; les moins marqués divisent ces lobes en *circonvolutions* (Fig. 7).

Les deux hémisphères sont constitués de substance grise à leur périphérie, ou *cortex cérébral* (0,5 cm d'épaisseur), et de substance blanche à l'intérieur.

Le cortex peut être divisé en plusieurs *aires* relativement bien localisées qui correspondent à des fonctions sensibles et motrices spécifiques. Ainsi, les aires 1, 2, 3, localisées dans la circonvolution pariétale ascendante sont des aires sensitives ou somesthésiques ; les aires 4 et 6, dans le lobe frontal, sont dites respectivement motrice et prémotrice. De même, il existe des aires pour la vision, l'audition, etc. (Fig. 8).

2.1.2 Noyaux gris centraux ou corps opto-striés

Dans la région inférieure et centrale des deux hémisphères cérébraux se trouve un ensemble de noyaux de substance grise, les *corps opto-striés*. Ces structures sous-corticales sont composées :

- du *thalamus* ou *couches optiques*,
- de l'*hypothalamus*,
- des *corps striés* ou *noyaux gris de la base* qui comprennent le noyau caudé, le noyau lenticulaire (putamen, pallidum), le corps de Luys, le locus niger, le noyau rouge et les formations réticulées mésencéphaliques.

Le *striatum* se compose du noyau caudé et du putamen (Fig. 9).

2.2 *Le tronc cérébral*

Il représente la partie intermédiaire entre les noyaux gris centraux et la moelle épinière et comprend les pédoncules cérébraux, la protubérance annulaire et le bulbe rachidien. Le tissu nerveux, situé au centre du tronc cérébral, constitue la *formation réticulée*.

2.3 *Le cervelet*

Situé à la face dorsale du tronc cérébral, le cervelet représente un organe de contrôle (placé en dérivation) entre l'encéphale et la moelle épinière.

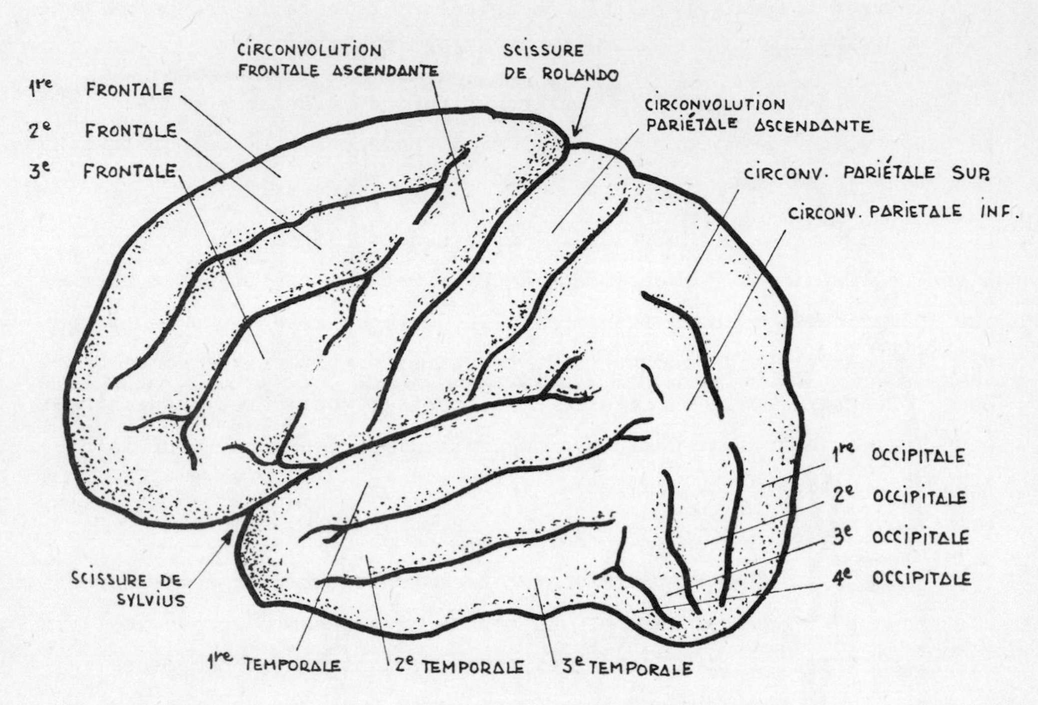

Fig. 7 – Configuration externe d'un hémisphère cérébral

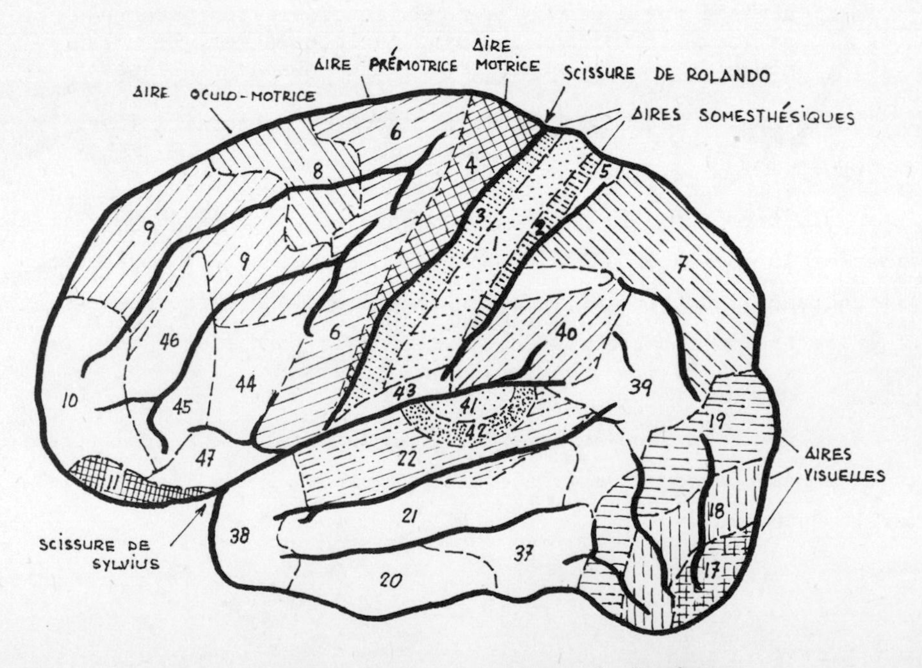

Fig. 8 – Localisation des aires de Brodmann

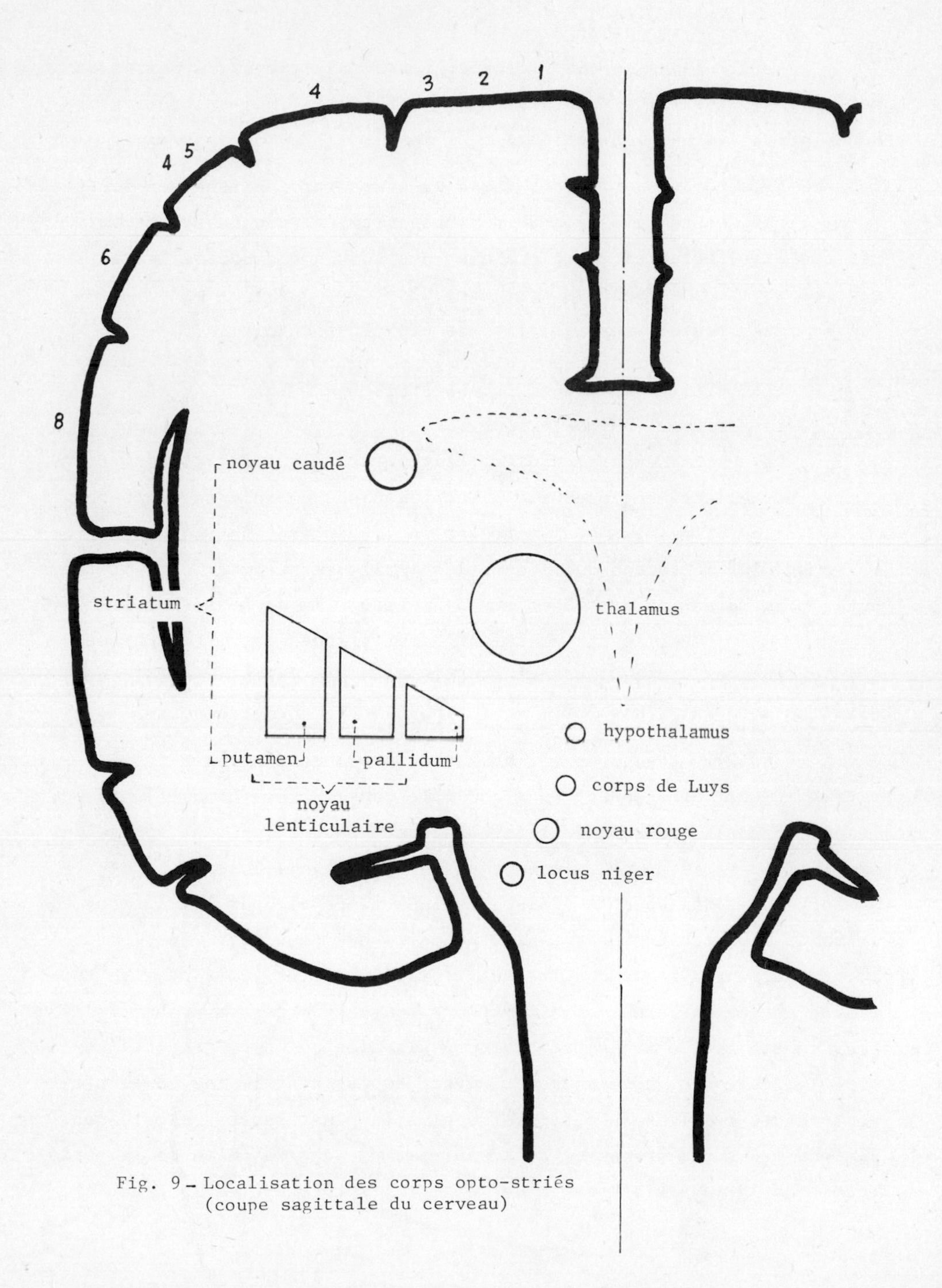

Fig. 9 - Localisation des corps opto-striés
(coupe sagittale du cerveau)

2.4 *La moelle épinière*

Elle se situe dans le canal vertébral et émet 31 paires de nerfs rachidiens (fibres afférentes et efférentes) qui se prolongent dans toutes les parties du corps.

Excepté les nerfs rachidiens et leurs terminaisons sensibles et motrices, toute la substance nerveuse est contenue dans les cavités osseuses protectrices du crâne et des vertèbres, dont elle est séparée par deux enveloppes fibreuses, les *méninges*, délimitant un espace interstitiel rempli de liquide céphalo-rachidien.

3 - DIFFÉRENCIATION FONCTIONNELLE DU SYSTÈME NERVEUX

3.1 *Le cortex (écorce cérébrale)*

Le cortex cérébral est à l'origine de la vie de relation consciente et délibérément produite. Les fonctions conscientes concernent la réception, l'analyse et l'intégration (ou interprétation) des informations ; les fonctions décisionnelles impliquent la motricité et toute autre forme d'action contrôlée sur le milieu. En ce sens, Luria (1970) propose d'envisager le cortex suivant deux grandes parties séparées par les scissures de Rolando et de Sylvius : les lobes pariétal, occipital et temporal d'une part, et le lobe frontal d'autre part.

3.1.1 Les lobes pariétal, occipital et temporal

Ces lobes jouent un grand rôle dans la réception, l'analyse, le codage et le stockage de l'information. Chaque lobe est spécialisé (le lobe pariétal pour le tact et la kinesthésie essentiellement, le lobe occipital pour la vision, le lobe temporal pour l'audition) et organisé hiérarchiquement en aire primaire qui reçoit et enregistre l'information, aire secondaire qui l'organise et la code, et aire tertiaire où les différentes informations sont associées et synthétisées pour constituer le fondement de l'organisation du comportement. Luria (1970) ajoute que des lésions au niveau de ces différentes zones provoquent des troubles spécifiques de plus en plus graves. Ainsi, des lésions aux aires primaires se traduisent par des déficits ou la perte totale de la sensation proprement dite ; l'altération de la fonction d'analyse et de codage des sensations des aires secondaires se manifeste par la désorganisation des comportements qui normalement répondent à ces stimulations ; enfin des lésions des aires tertiaires, lieux de synthèse des données des divers champs sensoriels, affectent gravement la compréhension de problèmes complexes : par exemple, des lésions des aires tertiaires pariéto-occipitales entraînent l'impossibilité d'établir des relations spatiales et la confusion de la gauche et de la droite. On reconnaît facilement les aires tertiaires sur le schéma des localisations corticales de Kleist (Fig. 10).

3.1.2 le lobe frontal

Le lobe frontal est le siège de la formation d'intentions, de l'attention et, surtout, de la programmation, de l'initiation et du contrôle volontaire des comportements moteurs intentionnels. Ainsi, des lésions au niveau du lobe frontal peuvent s'accompagner de déficits de la mémoire et de l'attention, de la perte de l'initiative et de la faculté d'organisation motrice, de troubles dans le langage articulé, l'écriture et la marche (Ajuriaguerra et Hécaen, 1964). Des précisions sur le rôle spécifique de certaines aires du cortex frontal seront apportées plus loin.

3.2 *Les noyaux gris centraux*

La division des corps opto-striés en couches optiques ou thalamus d'une part, et corps striés ou noyaux gris de la base d'autre part, correspond à deux fonctions distinctes de sensibilité et de motricité.

3.2.1 Le thalamus

Par le thalamus passent les voies nerveuses afférentes, si bien que "la destruction d'une des deux couches optiques a pour conséquence la suppression des différentes formes de la sensibilité du côté opposé du corps" (Bresse, 1968, p. 437). Etant un relais obligatoire, le thalamus joue aussi un rôle important dans la sélection des informations en relation avec le phénomène de l'attention ; il est impliqué, en outre, dans la reconnaissance du caractère agréable ou désagréable de certaines stimulations.

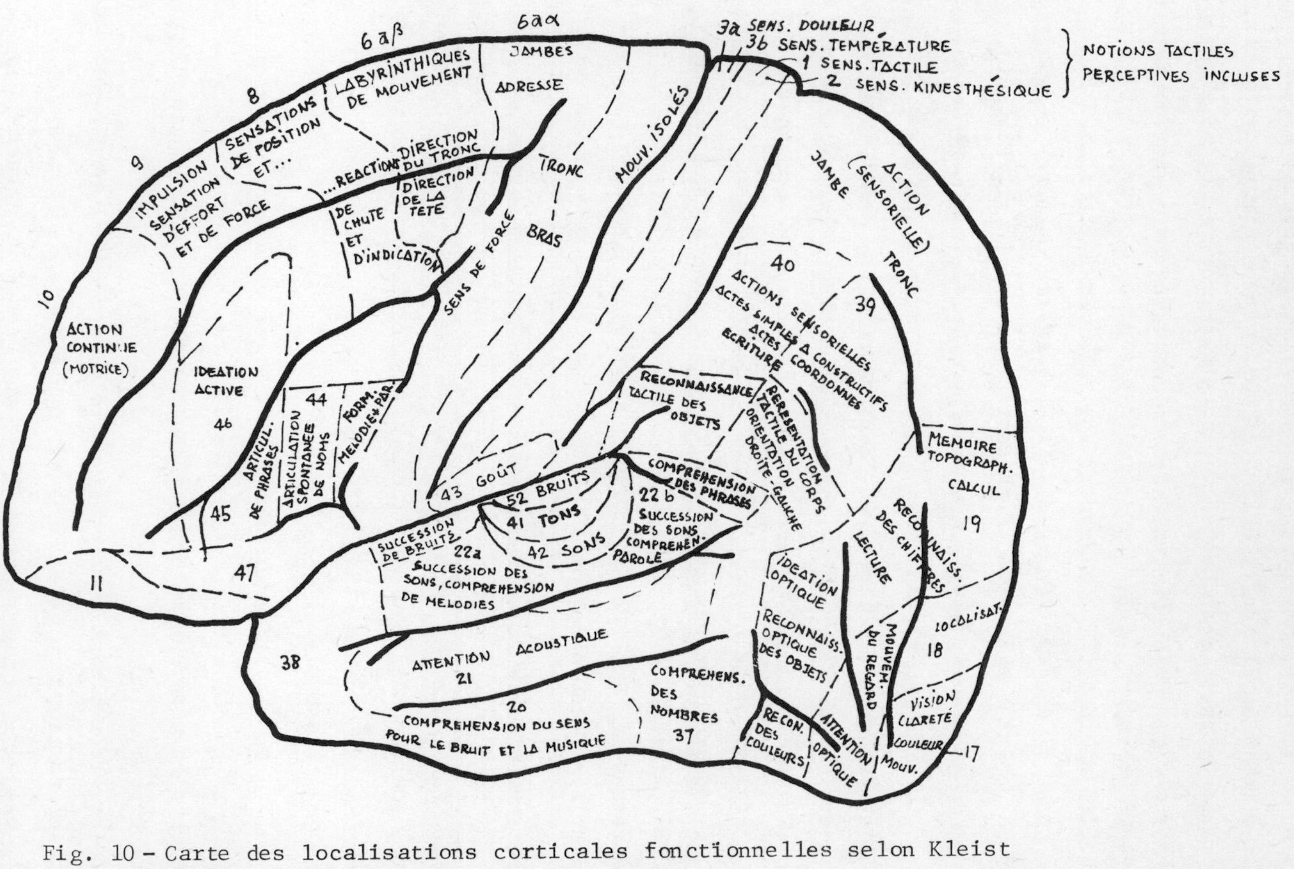

Fig. 10 - Carte des localisations corticales fonctionnelles selon Kleist (d'après Ajuriaguerra et Hécaen, 1960, p. 4)

3.2.2 Les corps striés

Associés à d'autres aires corticales dans un ensemble fonctionnel plus grand appelé système moteur extra-pyramidal, les noyaux gris de la base assurent la coordination de mouvements généralisés à l'ensemble du corps, favorisent l'exécution de mouvements volontaires spécialisés en assurant le maintien approprié des différentes parties du corps, et seraient le lieu de certains schémas moteurs et d'automatismes en relation avec les praxies (cf. chapitre 2). Ces noyaux jouent aussi un rôle inhibiteur de l'activité tonique ; selon Davson et Eggleton (1968), des atteintes de cette région entraînent soit une hyperactivité motrice se traduisant par des mouvements involontaires, rapides et désordonnés (chorée ou danse de Saint-Guy, ballisme, athétose), soit, au contraire, une rigidité musculaire et une immobilité relative (maladie de Parkinson).

3.3 *Le tronc cérébral*

Les noyaux de cette région contiennent un grand nombre de centres de régulation de la vie végétative (régulations cardiaque, circulatoire, respiratoire...).

Cependant la formation réticulée assure d'autres fonctions : d'une part, elle agit comme activateur des centres supérieurs en augmentant l'état de vigilance ; d'autre part, elle représente le centre dynamogénique de l'activité gamma (γ) qui est à l'origine du tonus de base. L'action de la formation réticulée sur le tonus reste sous le contrôle du cervelet.

3.4 *Le cervelet*

Trois grandes fonctions sont généralement attribuées au cervelet :

a) il contrôle et règle le tonus musculaire, via la formation réticulée ;

b) il contrôle la statique et l'équilibration dans la station debout et la marche ;

c) il permet, grâce à ses liaisons avec le cortex, l'exécution des mouvements volontaires et automatiques, en réglant la coordination des synergies musculaires.

3.5 *La moelle épinière*

Elle sert à la conduction des influx nerveux afférents et efférents, et elle est le siège de la motricité réflexe. La corne antérieure de la substance grise contient des motoneurones α (alpha) toniques, responsables des activités tonique et de maintien, et les motoneurones α phasiques, responsables de l'activité musculaire cinétique autant dans la motricité réflexe que dans les motricités volontaire et automatique ; mais les corps cellulaires des neurones sensibles sont situés dans les ganglions des racines postérieures des nerfs rachidiens.

4 - L'ACTIVITÉ MUSCULAIRE

Selon Scherrer (1967), l'activité musculaire représente le résultat de la transformation d'une impulsion nerveuse en énergie mécanique qui se traduit soit par une force, soit par un mouvement, tant dans la vie végétative que dans la vie de relation d'un organisme. Les muscles impliqués dans la vie de relation sont les muscles striés ; ils sont composés de *fibres musculaires*, elles-mêmes constituées de nombreuses myofibrilles. Chaque fibre musculaire reçoit une des multiples ramifications d'une fibre nerveuse au niveau de la plaque motrice. L'ensemble constitué par le corps cellulaire du neurone moteur médullaire ou motoneurone α, son axone et les fibres musculaires qu'il commande est dénommé l'*unité motrice* ; plus l'effort requis est intense, plus le nombre d'unités motrices qui entrent en jeu augmente. Une impulsion nerveuse unique engendrée par le motoneurone médullaire provoque un accroissement rapide de la tension du muscle (phase de contraction), puis un retour progressif à l'état de repos initial (phase de décontraction qui dure de 3 à 5 fois plus longtemps que la contraction proprement dite).

Lorsque l'intensité de la contraction musculaire est égale à la force qui s'oppose à cette contraction (pesanteur ou inertie), la longueur du muscle ne change pas et la tension manifestée correspond à l'*activité musculaire statique*. On peut remarquer une telle activité, dans la vie courante, à travers le tonus et le maintien des attitudes équilibrées. Les muscles responsables de ces fonctions de soutien sont généralement des muscles rouges, pauvres en myofibrilles, à contraction lente et qui sont sous le contrôle des *motoneurones α toniques*. La contraction tonique correspond à une dépense énergétique minimale, donc à une grande économie, parce que les unités motrices travaillent alternativement, sans synchronisation et à fréquence basse.

Lorsque l'intensité de la contraction musculaire est supérieure à la force s'opposant à cette contraction, le muscle se raccourcit et entraîne l'ouverture ou la fermeture de l'angle formé par les deux segments osseux sur lesquels il s'insère. Dans ce cas, l'activité musculaire est dite *dynamique* ou *cinétique*, puisqu'elle engendre le *mouvement* proprement dit, qu'il soit *réflexe, volontaire* ou *automatique*. Les muscles responsables de la motricité sont des muscles plus pâles, riches en myofibrilles, et à contraction rapide ; ils sont commandés par les *motoneurones α phasiques*. Par opposition à la contraction tonique, dans la contraction phasique, les différentes unités motrices requises travaillent ensemble, de façon synchrone, c'est-à-dire "en phase" ; dans le cas d'effort plus violent, le nombre des unités motrices mises en jeu ainsi que la fréquence de leurs contractions augmentent considérablement.

4.1 *Activité musculaire statique*

4.1.1 Tonus de repos

Tel qu'il est défini par Fabre et Rougier (1965), "le tonus est un état basal et variable de contraction musculaire permanente et involontaire de nature réflexe[4]" (p. 621).

---

4. Il est important de distinguer un réflexe (voir p. 25) d'un fonctionnement, ou régulation d'un organe de nature réflexe. Dans le second cas, le qualitatif réflexe désigne le cheminement de l'influx nerveux. "La mise en jeu réflexe est le résultat d'une excitation sensible ou sensorielle qui, après être remontée vers un centre nerveux, détermine l'activité de celui-ci qui se traduit par une réponse au niveau des organes que commande le centre sollicité." (Fabre et Rougier, 1968, p. 591).

En effet, le muscle est constitué par des fibres musculaires et des *fuseaux neuro-musculaires*. Le fuseau neuro-musculaire représente l'élément qui, par sa tension, assure le degré de sensibilité du muscle à l'étirement ; le réglage de sensibilité est décidé par le motoneurone γ (gamma), et le motoneurone α tonique se charge de contracter les fibres musculaires à la longueur correspondante. L'activité du motoneurone γ est sous la dépendance de la formation réticulée, elle-même réglée en grande partie par le cervelet (facilitation ou inhibition) et, dans une moindre mesure, par certains noyaux gris de la base (inhibition).

Le tonus permet d'amortir les mouvements brusques, de fixer les articulations (ligaments actifs), d'entretenir la thermogenèse et, lorsqu'il augmente sous l'action de la formation réticulée, de déterminer "une mise en alerte de la musculature et une certaine aptitude à réagir" (LeBoulch, 1971, p. 131).

Dans le cas de mauvais fonctionnement de ces systèmes régulateurs, il se produit soit des cas d'atonie, ou hypotonie, soit des cas d'hypertonie.

4.1.2 Maintien de l'attitude équilibrée

L'attitude équilibrée (posture assise ou debout) est assurée par un ensemble de *réactions posturales* qui tendent à maintenir, redresser et stabiliser le corps soumis à l'action de la pesanteur et, parfois, à d'autres forces étrangères perturbatrices. Pour tout individu, l'attitude équilibrée est le résultat de la fixation de son centre de gravité à l'intérieur du polygone de sustentation (surface déterminée par les points extrêmes de ses appuis au sol). Bouisset (1967), citant Paillard, distingue trois sortes de réactions posturales :

- *les réactions de maintien* qui sont "celles grâce auxquelles le corps adopte et conserve l'attitude fondamentale de l'espèce, dès lors que la mise en position sur la surface d'appui est convenable" (p. 73) ;

- *les réactions de redressement* qui, dans le cas de déséquilibre, "permettent la récupération de l'attitude fondamentale à partir d'une position quelconque" (p. 73). Selon Malméjac (1966), ces réactions sont essentiellement d'origine labyrinthique (la tête est redressée la première) et d'origine nucale (le corps vient se replacer en position normale par rapport à la tête) ;
- *les réactions de stabilisation* qui permettent de neutraliser des forces perturbatrices étrangères s'ajoutant à celle de la pesanteur, comme dans le port d'un fardeau à bout de bras...

Le maintien de l'attitude équilibrée est le résultat de la mise en jeu d'un mécanisme nerveux complexe soit de manière réflexe, soit par activité volontaire. Les stimuli réflexogènes viennent de la pression des téguments sur le sol (extéroceptivité), des étirements ligamentaire et musculaire, de la position de la tête et donc du labyrinthe vestibulaire (proprioceptivité), et, dans une moindre mesure, de la vue (extéroceptivité). Si le maintien de l'équilibre est imputable pour une très grande part au cervelet, le cortex intervient aussi.

> Primitivement volontaire, le maintien des attitudes se transforme peu à peu, par répétition, en un *acte automatique*... Ce qui montre bien, chez l'homme et les primates supérieurs, cette participation du cortex cérébral et l'existence de réflexes corticaux, ce sont les troubles de l'équilibre qui apparaissent après lésion de la corticalité cérébrale. (Fabre et Rougier, 1965, p. 625).

Delmas-Marsalet (1961) précise encore que les mouvements intéressant le rachis et correspondant à la station debout sont réglés dans les aires 6 et 8 en relation avec les correspondances labyrinthiques et cérébelleuses. Cet auteur y voit une des raisons pour lesquelles le lobe frontal de l'homme et celui des singes anthropoïdes sont énormément plus développés que celui des autres espèces animales.

L'attitude, "bonne" ou "mauvaise", d'un individu est la conséquence de sa morphologie et des circonstances physiques de sa vie (jeunesse, profession, etc.).

4.2 *Activité musculaire cinétique*

> Le mouvement, ou activité musculaire cinétique, est le résultat de la mobilisation des segments osseux par suite du raccourcissement des muscles. Ces déplacements, simples ou complexes, aboutissent à des mouvements segmentaires ou à des déplacements de l'ensemble du corps. (Fabre et Rougier, 1965, p. 627).

Les mouvements, quels qu'ils soient, ont toujours pour toile de fond l'activité musculaire statique se manifestant dans le tonus, le maintien de l'attitude et l'équilibration ; de plus, ils requièrent la mise en jeu d'un ensemble de coordinations plus ou moins complexes, qui sont réglées soit volontairement (contrôle continu de la direction, de la vitesse et de l'intensité), soit automatiquement (maintien des attitudes équilibrées), soit de manière réflexe (réglage du couple agoniste-antagoniste[5]).

L'étude comparée des comportements moteurs de l'homme et des animaux est à l'origine de la classification des mouvements en deux grandes catégories :

- les mouvements réflexes (ou encore qualifiés d'instinctifs primaires, innés, absolus, inconditionnels), c'est-à-dire inscrits dans le patrimoine phylogénétique, et constituant le fondement du comportement des espèces animales inférieures ;
- les mouvements volontaires et automatiques qui se définissent comme le résultat d'un apprentissage et qui caractérisent la motricité humaine.

---

5. Pour tout muscle qui permet un mouvement donné de flexion ou d'adduction, il existe un autre muscle qui exerce une action contraire d'extension ou d'abduction, et il est nécessaire pour que l'un travaille, que l'autre soit relâché ; cette coordination agoniste-antagoniste, qui est la plus élémentaire dans l'exécution d'un mouvement, obéit au principe de l'innervation réciproque de Sherrington et elle est réglée au niveau médullaire.

En résumé, plus on s'élève dans l'échelle animale, plus le comportement moteur s'apparente à une conquête de possibilités d'adaptation et de création de plus en plus riches et différenciées, et moins la motricité réflexe a d'importance[6].

4.2.1 Mouvement réflexe

Dans la vie de relation, les réflexes représentent des réactions plutôt simples, souvent rapides, répondant à des stimuli, et qui demeurent hors du contrôle de la volonté. Ils correspondent à la forme la plus simple de la motricité requérant la coordination minimale du couple agoniste-antagoniste et se produisant toujours chez le sujet normal. On parle d'"arc réflexe" pour désigner le cheminement suivant de l'influx nerveux : récepteur sensible → neurone sensitif (médullaire) → neurone moteur (médullaire) → organe effecteur.

Les centres des réflexes sont situés dans la moelle épinière (réflexe médullaire) et le tronc cérébral (réflexes bulbo-protubérantiels) ; l'exécution proprement dite de ces mouvements n'est donc pas consciente.

On distingue plusieurs types de réflexes ; seuls ceux qui concernent la vie de relation seront retenus ici. Il s'agit

- *des réflexes médullaires extéroceptifs* : réaction de retrait après une excitation nociceptive cutanée, réflexe plantaire, réflexe abdominal ;
- *des réflexes bulbo-protubérantiels* : vomissement, toux, éternuement, etc. ;
- *des réflexes médullaires proprioceptifs*, ou *réflexes myotatiques* [7] : réflexes achilléen et rotulien (Fig. 11).

---

6. Les mouvements volontaires et automatiques seront étudiés de façon plus complète dans le chapitre 2.

7. Le réflexe myotatique est à l'origine même du maintien de la station droite : sous l'action de la pesanteur, les jambes ont tendance à fléchir, les muscles extenseurs sont étirés et, en réaction, l'extension des jambes se produit.

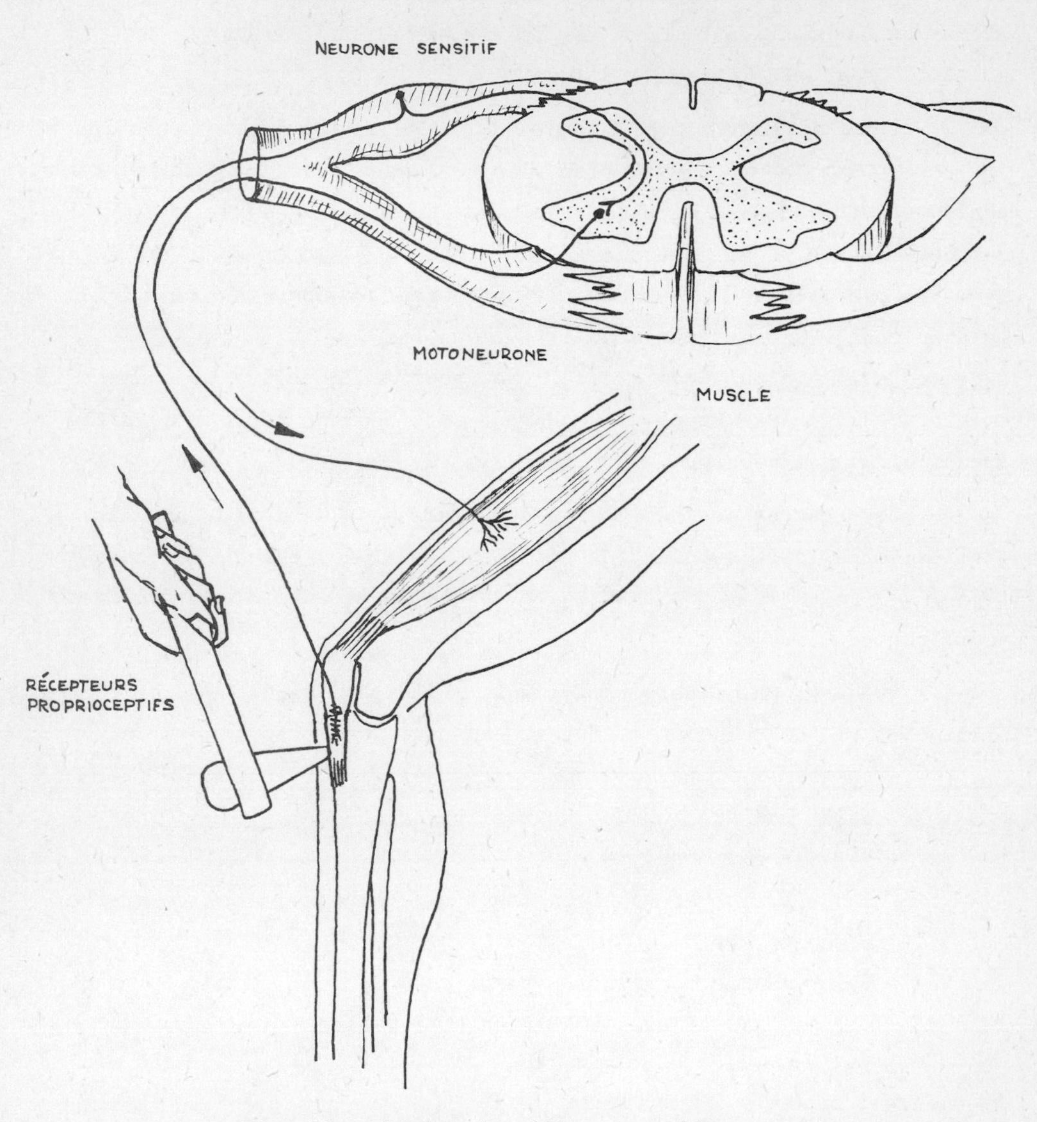

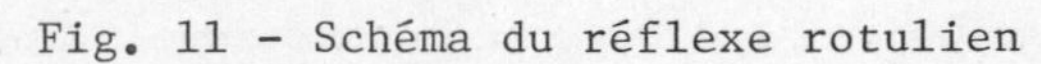

Fig. 11 - Schéma du réflexe rotulien

"Cette contraction réflexe d'un muscle provoquée par son propre étirement est appelée réflexe myotatique ou réflexe d'étirement ou réflexe musculo-musculaire." (Bresse, 1968, p. 409.)

4.2.2 Mouvement volontaire, mouvement automatique

Le mouvement volontaire résulte de la mise en jeu consciente et du contrôle continu d'un ensemble de coordinations musculaires plus ou moins complexes, suivant un plan d'organisation ou image motrice, en vue d'un but à atteindre ; il concerne donc l'activité du cortex cérébral, et plus particulièrement du système moteur pyramidal[8].

Le mouvement automatique résulte de la transformation par sa répétition d'une activité primitivement volontaire en une activité de mieux en mieux coordonnée ne nécessitant pas dans son déroulement l'intervention de la conscience et de l'attention. Cependant, le début et la cessation d'un mouvement automatique sont volontaires[9].

Les mouvements automatiques sont réglés en grande partie par le système extra-pyramidal[10].

---

8. Ce sujet fera l'objet du chapitre 2.

9. Il est important de retenir que ce que l'on appelle "réflexe conditionné" correspond, en fait, à un automatisme. Dans la littérature nord-américaine, on parle de "stimulus conditionnel" et de "réponse conditionnelle" ; l'utilisation de ces termes est préférable car ils évitent des confusions avec le réflexe proprement dit.

10. Voir chapitre 2.

BIBLIOGRAPHIE

AJURIAGUERRA, J. et H. HÉCAEN, *le Cortex cérébral*, Paris, Masson, 1960.

BOUISSET, S., "Postures et mouvements", dans *Physiologie du travail*, Paris, Masson, 1967, t. I.

BRESSE, Georges, *Morphologie et physiologie animales*, Paris, Larousse, 1968.

DAVSON, H. et M. G. EGGLETON, *Principles of Human Physiology*, Philadelphie, Lea & Febiger, 1968.

DELMAS-MARSALET, P., *Précis de bio-psychologie*, Paris, Maloine, 1961.

FABRE, R. et G. ROUGIER, *Physiologie médicale*, 5e éd., Paris, Maloine, 1965.

LEBOULCH, Jean, *Vers une science du mouvement humain*, Paris, Éditions sociales françaises, 1971.

LURIA, A. R., "The Functional Organization of the Brain", *Scientific American Off Prints*, 1970, vol. 222, n° 3, p. 66-78.

MALMÉJAC, J., *Éléments de physiologie*, Paris, Flammarion, "Éditions médicales", 1966.

SHERRER, J., "Physiologie musculaire", dans *Physiologie du travail*, Paris, Masson, 1967, t. I.

Chapitre 2

PROCESSUS D'ADAPTATION DE L'ACTE MOTEUR ET ÉTUDE DES PRAXIES

René Paoletti

PLAN

Ainsi que les études sur le développement moteur humain le montreront, l'évolution de la motricité chez l'enfant se fait dans le sens d'une augmentation du contrôle du mouvement volontairement produit, de l'acquisition d'un nombre croissant d'automatismes et, en conséquence, d'une complexification des possibilités de création et de modifications motrices. Parmi toutes les formes motrices qui se manifestent dans la vie de relation d'un adulte, la motricité automatique est, de loin, la plus fréquemment observée. En effet, l'automatisme est efficace parce qu'il est, par essence, adapté au but spécifique pour lequel il a été développé, et il est rentable et économique parce qu'il ne nécessite pas, dans son déroulement, de concentration continue, et qu'il permet de "libérer" la conscience.

Aussi, du point de vue de la motricité, l'éducation, qu'elle qu'en soit sa forme, consiste en l'acquisition d'automatismes permettant à l'enfant d'accéder à des formes d'un comportement moteur autonome et plastique : plus son bagage d'automatismes est important, plus l'être a de choix, et plus riches seront ses possibilités d'adaptation et de création[1].

L'interaction initiation, contrôle volontaire - automatisme est à l'origine de mouvements plus ou moins complexes adaptés à un but spécifique : on parlera alors de *praxies*.

Le contenu de ce chapitre devrait apporter un certain nombre d'éléments de réponse aux questions suivantes :

---

1. C'est en ce sens que l'automatisme se distingue du comportement stéréotypé ; le stéréotype est un automatisme à la fois extrêmement accusé (prégnant), rigide et immuable, et résultant généralement d'un renforcement particulièrement marqué.

- Comment, dans la réalisation d'une praxie, se différencient les diverses composantes cinétiques (autres que réflexes) du point de vue de la physiologie nerveuse ?

- Comment se déroule une praxie depuis le moment où un sujet, placé devant une situation problématique, a conçu l'idée de l'action adéquate qu'il doit entreprendre jusqu'à la fin supposée de cette action ?

- Comment se forment les automatismes ? Où se localisent-ils ? Comment interviennent-ils ?

- Sous quelles formes apparaissent les praxies dans la motricité humaine quotidienne ?

1 - SYSTÈMES MOTEURS PYRAMIDAL ET EXTRA-PYRAMIDAL

1.1 *Considérations préliminaires*

En physiologie nerveuse, on attribue généralement au système pyramidal la responsabilité de la motricité volontaire, et au système extra-pyramidal celle de la motricité automatique.

Les systèmes pyramidal et extra-pyramidal représentent deux grands regroupements de fibres nerveuses originaires de certaines régions du système nerveux central et aboutissant aux neurones effecteurs médullaires. Grossman (1967), Leukel (1968), Milner (1970), Viaud *et al.* (1963) s'accordent pour affirmer qu'anatomiquement la distinction entre système moteur pyramidal et système moteur extra-pyramidal n'est pas fondée, mais que fonctionnellement, elle rend des services dans les recherches cliniques. Grossman (1967) précise que l'expression "système moteur extra-pyramidal" a été avancée par les chercheurs du XIXe siècle pour expliquer la persistance de l'activité musculaire après l'ablation totale des voies "pyramidales", c'est-à-dire des voies issues des cellules pyramidales géantes de Betz qui étaient localisées, pensait-on à l'époque, exclusivement au niveau de l'aire 4. Ainsi, la dénomination d'"extra-pyramidal", établie à partir de critères "négatifs", a confiné ce système à un rôle secondaire, complémentaire tout à fait erroné. Il faut se rappeler, souligne l'auteur, que le système pyramidal est phylogénétiquement jeune chez l'homme, qu'il n'est pas proprement indispensable (il n'existe pas chez les espèces animales inférieures) et qu'il possède moins de connexions avec toutes les parties du cerveau que le système extra-pyramidal.

1.2 *Composition anatomique*

1.2.1 Le système moteur pyramidal (S.M.P.)

Selon Leukel (1968), S.M.P. est constitué de 31% de fibres venant de l'aire frontale 4, 29% de l'aire frontale 6 et 40% des aires pariétales 1-2-3-5-7 (Fig. 1).

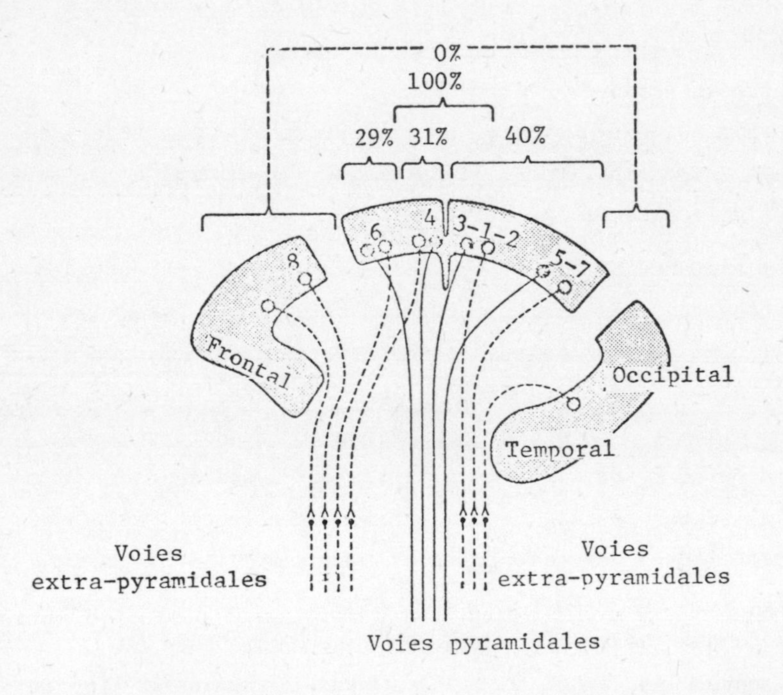

Fig. 1 - Origines corticales des voies pyramidales et extra-pyramidales. (D'après Leukel, 1968.)

Selon Milner (1970), 40% des axones seulement viennent du cortex moteur, 20% de la zone somesthésique[2] et le reste vient d'autres régions du cerveau[3]. Il n'y a pas encore d'accord parfait entre les auteurs quant aux chiffres. "Donc toutes les cellules de Betz sont loin de suffire à fournir des axones à la voie pyramidale et toute la voie pyramidale ne part pas seulement des cellules de Betz." (LeBoulch, 1971, p. 122). Cela entraîne que les cellules de l'aire 4 n'appartiennent pas exclusivement au S.M.P.

1.2.2 Le système moteur extra-pyramidal (S.M.E.P.)

On désigne généralement par ce vocable l'ensemble fonctionnel qui regroupe les aires frontales 6 et 8 de Brodmann, l'aire 5 pariétale supérieure, l'aire temporale 22, certains points des aires sensibles 1-2-3[4] et les noyaux gris de la base.

1.3 *Fonction*

Bien que toutes les régions du S.N.C., impliquées dans les S.M.P. et S.M.E.P. feront l'objet d'une attention particulière dans le paragraphe 2, on peut d'ores et déjà définir les rôles assumés par le S.M.P. et le S.M.E.P.

1.3.1 Le système moteur pyramidal

Si on sectionne les voies cortico-spinales du S.M.P. d'un hémisphère, les mouvements fins (*fine and discrete movements*) du côté opposé du corps disparaissent, mais il demeure les contractions posturales et les mouvements de coordination dynamique générale selon Guyton (1971). Milner (1970) précise que les conséquences de telles

---

2. Le partage des neurones moteurs et sensibles de part et d'autre de la scissure de Rolando n'est pas rigoureux (Fig. 2).

3. Milner ajoute que S.M.P. et S.M.E.P. totalisent un million de fibres par hémisphère, dont 3% seulement sont larges et tout à fait myélinisées, et que l'on croit que les grosses fibres appartiennent aux cellules de Betz. Pour Lassek et Rasmussen (cités par LeBoulch, 1971), S.M.P. comporte un million de fibres dont 61% sont myélinisées.

4. Le partage des neurones moteurs et sensibles de part et d'autre de la scissure de Rolando n'est pas rigoureux (Fig. 2).

sections sont d'autant plus importantes que l'espèce animale est évoluée ; chez les rats et les chats, on constate une paralysie des segments correspondant à la lésion, puis, quelques jours plus tard, les mouvements réapparaissent. Chez le singe, la restauration des mouvements n'est pas complète : les doigts ne peuvent bouger indépendamment l'un de l'autre (Lawrence et Kuypers, cité par Milner 1970). Chez l'homme, la paralysie est sévère et s'étend sur 1 à 2 semaines ; les parties proximales des membres comme épaule et hanche, retrouvent leur activité, puis les parties distales, mais les doigts qui ont été atteints ne retrouvent jamais leur dextérité première. Ainsi "la motilité pyramidale serait directrice des mouvements précis et rapides tels que les mouvements de la main et des doigts" (LeBoulch, 1971, p. 124).

1.3.2 Le système moteur extra-pyramidal

"Le système extra-pyramidal phylogénétiquement plus ancien assure la motricité automatique de base chez l'animal et chez l'enfant avant la myélinisation de son faisceau pyramidal" (LeBoulch, 1971, p. 124). Leukel (1968) parle de *gross background movements* et de posture, et Viaud *et al.* (1963) précisent encore :

> Hess a préféré désigner la motilité extra-pyramidale par le nom de *motilité éréismatique* (de ερεισμα = support), motilité qu'il oppose à la motilité téléocinétique ou intentionnelle. Cette distinction a l'avantage de ne plus prendre un terme négatif ou d'exclusion (extra-pyramidal) ; de plus, ces désignations montrent que les deux motilités se complètent et ne s'excluent pas. Il n'y a pas de doute que la nomenclature de Hess est plus rationnelle que celle résultant de constatations cliniques. (Viaud *et al.*, p. 199)

L'idée d'antériorité du S.M.E.P. sur le S.M.P. incite Milner (1970) à penser que, chez les mammifères, le striatum est responsable de l'initiation de l'activité motrice et que les composantes corticales du S.M.E.P., si elles ne dominent pas ce système, ajoutent peut-être à sa flexibilité en rendant possible l'acquisition de nouveaux comportements moteurs.

2 - ÉTUDE DES PRINCIPALES RÉGIONS DU SYSTÈME NERVEUX CENTRAL INTERVENANT DANS LA MOTRICITÉ VOLONTAIRE ET LA MOTRICITÉ AUTOMATIQUE

Dans les paragraphes qui suivent il ne sera pas fait de distinction entre le S.M.P. et le S.M.E.P.

2.1 *Étage cortical cérébral*

2.1.1 Aire motrice 4 de Brodmann ou aire motrice primaire

Cette aire représente le lieu de projection corticale d'une grande partie, mais non de la totalité, de la motilité pyramidale (cf. Fig. 1 et 2). Elle contient, entre autres neurones, des cellules géantes de Betz qui contrôleraient la plupart des possibilités motrices du corps, excepté les mouvements conjugués des yeux et la rotation axiale du rachis, selon Delmas-Marsalet (1961). Les différentes parties du corps sont représentées dans l'aire 4 à la façon d'une carte particulière ou homunculus moteur (Fig. 3). La surface corticale réservée à un segment ne correspond pas à la surface réelle corporelle de ce segment, mais elle est proportionnelle à l'importance fonctionnelle de ce segment, c'est-à-dire au caractère fin et différencié des mouvements qu'il permet. Il faut noter, enfin, que chaque aire motrice primaire contrôle l'hémicorps opposé, et que parmi toutes les autres aires corticales, l'aire 4 est la plus excitable.

En cas de lésion de l'aire 4 d'un hémisphère, on observe une hémiplégie croisée (ou paralysie de la moitié du corps opposée) pour ce qui concerne la motilité volontaire ou consciente. Cette paralysie affecte surtout le membre supérieur, et plus particulièrement sa partie distale, les extrêmités, mais peu le cou et le rachis (Delmas-Marsalet, 1961). Glees et Cole (cités par Milner, 1970) détruisent la partie de l'aire 4 contrôlant le pouce d'un singe ; dix jours après, le singe réussit une tâche avec récompense impliquant l'intervention du pouce. Les auteurs stimulent la périphérie de la portion corticale qui a été enlevée et obtiennent des mouvements du pouce qu'ils n'obtenaient pas avant l'ablation. Ils enlèvent ensuite cette périphérie, les mouvements du pouce disparaissent pour se restaurer quelques jours

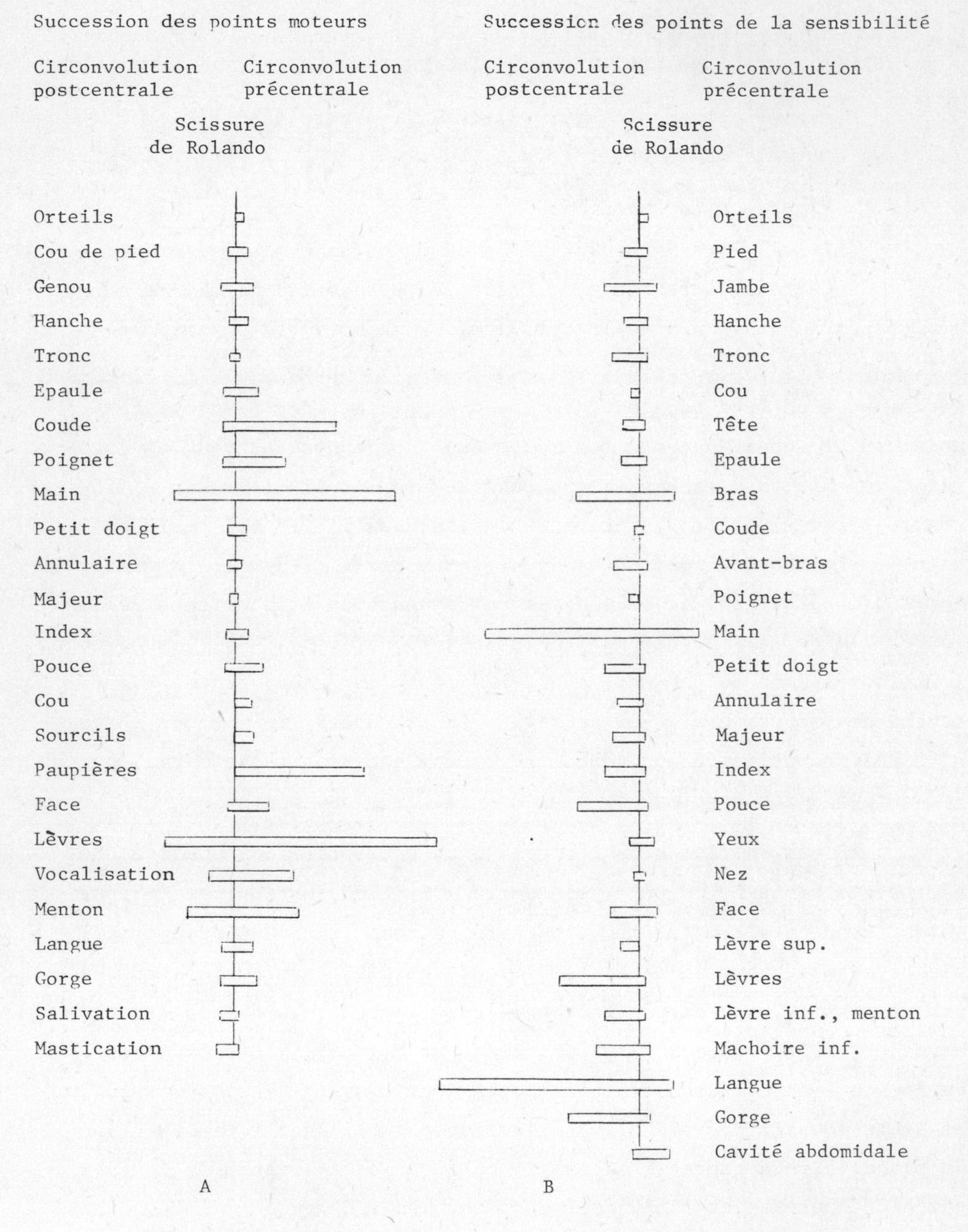

Fig. 2 - Répartition de la motilité et de la sensibilité par rapport à la scissure de Rolando. A : Projection corticale de la motilité pyramidale. B : Sensibilité somatique. (Extrait de Viaud *et al.*, 1963, p. 187.)

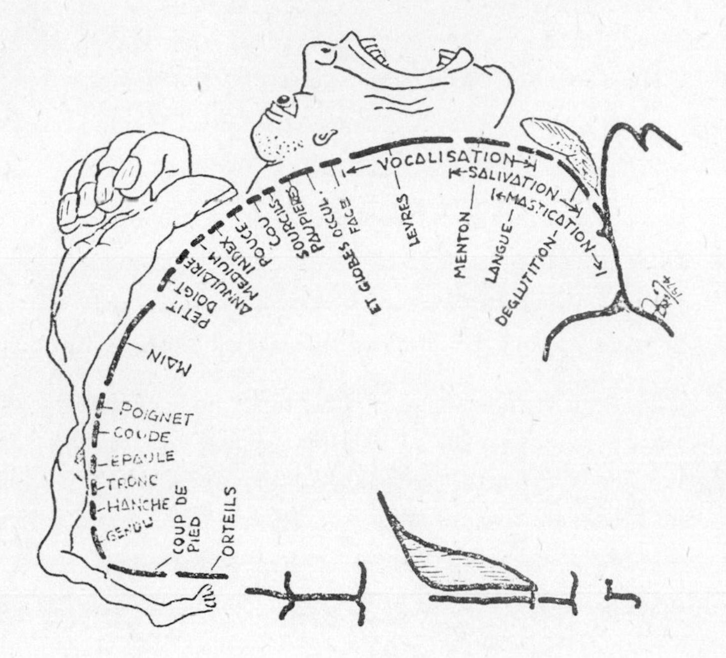

Fig. 3 - Homunculus moteur
(d'après Penfield et Rasmussen, 1950, p. 57)

plus tard. Donc, il existerait des connexions diffuses qui permettent à certaines parties corticales de restaurer la fonction d'une partie lésée : cette hypothèse est vraisemblable mais, d'après Milner (1970), ne peut encore expliquer pourquoi la restauration prend tant de temps, ni comment, si on enlève de grandes parties du cortex ou même toute la voie pyramidale, les fonctions disparues se restaurent ; il semble qu'il y ait un phénomène évolutif régénérateur dans les connexions neurales ou une intervention du système extra-pyramidal. La question reste à explorer.

Selon Delmas-Marsalet (1961), il ne faudrait cependant pas confondre le mouvement volontaire avec les phénomènes excito-moteurs propres à l'aire 4 ; par exemple, l'excitation de l'aire 4 peut, d'une part, provoquer le mouvement d'un muscle isolé que l'on ne peut produire volontairement, et, d'autre part, "déterminer chez le sujet éveillé... la sensation d'une activité irrésistible que sa volonté ne peut empêcher" (p. 132).

L'aire 4 reçoit des afférences des aires pariétales 3, 2, 1 et 5, des aires temporales 21 et 22 et des aires frontales 6, 8, 9 et 10 (Grossman, 1967). Des fibres d'association relient l'aire 4 aux aires 1, 5, 6 et 7.

Résumé : "L'aire 4 apparaît comme un clavier fait de touches distinctes dont chacune actionne un muscle dans le côté opposé du corps, à l'exception des muscles qui ne jouent jamais isolément mais en synergie avec ceux du côté opposé." (Delmas-Marsalet, 1961, p. 119.)

2.1.2 Aire 6 de Brodmann, dite prémotrice ou psychomotrice

Cette aire est associée à la fois au S.M.P. par les fibres issues de sa partie postérieure (voisine de 4), et au S.M.E.P. par les fibres issues de sa partie antérieure (voisine de 8). Cette double appartenance apparaît aussi dans les résultats des expériences d'excitation et d'ablation qui peuvent être regroupés de la manière qui suit.

L'excitation de la partie la plus antérieure provoque des mouvements de déviation des yeux du côté opposé, d'inclinaison et de rotation de la tête et du tronc du côté opposé (Delmas-Marsalet, 1961, Grossman, 1967).

L'excitation de la partie médiane et postérieure entraîne : (a) des mouvements de muscles isolés du côté opposé, comparables à ceux que donne l'aire 4, mais ayant un temps de latence plus long, nécessitant des excitations plus fortes et disparaissant après section verticale entre 6 et 4 ; (b) des mouvements segmentaires grossiers, "réalisant des figures motrices simples" (flexion, extension) ou des *patterns* plus complexes, rappelant la marche par exemple, et qui persistent après section verticale entre 6 et 4 (Delmas-Marsalet, 1961, Grossman 1967). On peut dire que l'excitation de l'aire 6 provoque généralement des mouvements plus complexes que l'excitation de l'aire 4.

Les conséquences des lésions confirment ces résultats en apportant quelques précisions supplémentaires. Guyton (1970) rapporte en ce sens que, quand l'aire 4 est lésée et que l'on excite l'aire 6, les mouvements tels que ceux de rotation de la tête, du tronc, de fixation des parties supérieures des bras et jambes, de posture, et même le mouvement du bras entier persistent. L'auteur précise encore que si on enlève des petites surfaces de l'aire 6, la coordination des mouvements spécialisés, précis (*skilled*) est altérée ; les possibilités des mouvements fins des mains demeurent, mais les mouvements organisés nécessaires à l'accomplissement d'actes construits en vue d'une performance ne peuvent être exécutés. En outre, cette aire 6 serait le siège des mouvements complexes de fixation des yeux, des mouvements du larynx et de la bouche dans la formation des mots.

Beaucoup d'auteurs tiennent l'aire 6 pour être le siège des praxies dont il sera question plus loin. En effet, selon Delmas-Marsalet (1961), la praxie du langage se situerait dans la région de l'aire 6, vis-à-vis des régions de l'aire 4 destinées à la bouche, la langue, le pharynx. Il en va de même pour la praxie graphique, impliquant les doigts, et la praxie de la marche, les jambes.

Résumé : L'aire 6 exerce son action motrice soit directement, soit indirectement en passant par l'aire 4. Dans son action directe, l'aire 6 est responsable de la rotation de la tête et du tronc, de la fixation des yeux, de la fixation des parties proximales des membres nécessaires à l'accomplissement des mouvements fins, d'une forme de motricité globale de ces membres, et des mouvements du larynx et de la bouche dans le langage articulé. Agissant par l'intermédiaire de l'aire 4, l'aire 6 semble responsable de l'organisation (ou coordination) séquentielle des multiples actions musculaires, impliquées dans l'accomplissement de mouvements spécialisés. Elle serait donc le siège de la programmation de l'action, et pour cette raison, certains auteurs qualifient cette aire de prémotrice ou psychomotrice.

2.1.3 Synthèse du rôle conjugué des aires 4 et 6

Ce rôle s'exerce sur toute la motricité volontaire. Cependant il est important de préciser que l'ablation de l'aire 4 et celle de l'aire 6 ont pour résultat la disparition de tous mouvements fins : seule l'activité musculaire globale assurant la posture et la fixation des parties du corps demeurent. Si à ces deux ablations, s'ajoute celle du noyau caudé, on obtient une paralysie permanente : ainsi se dessinent les rôles des noyaux gris de la base et du cervelet dont l'étude fait l'objet des paragraphes suivants.

2.2 *Étage sous-cortical : les noyaux gris de la base*

Ils sont constitués par le noyau lenticulaire qui comprend le putamen et le pallidum, le noyau caudé, le corps de Luys, le noyau rouge et le locus niger. Les noyaux caudé et lenticulaire sont particulièrement impliqués dans la motricité. Tous ces noyaux ont des connexions nerveuses importantes avec, d'une part, le cortex via le pallidum, et, d'autre part, le tronc cérébral et le cervelet.

La destruction de cette région entraîne une rigidité généralisée du corps. En effet, ces noyaux exerceraient un double effet inhibiteur l'un sur le tonus musculaire, en agissant comme frein sur la formation bulboréticulaire qui elle aurait tendance à augmenter le tonus (Guyton, 1971), et l'autre, sur les mécanismes corticaux de la motricité volontaire (Grossman, 1967). L'excitation de certains points de cette région provoquerait l'apparition de mouvements à "modèles complexes".

Étant donné l'extrême complexité de l'agencement et du mode de fonctionnement de tous ces noyaux, on ne peut encore aujourd'hui présenter une synthèse élaborée et sans faille sur le rôle de cette région. On retiendra seulement qu'elle représente le siège de certains automatismes globaux ou de coordination dynamique générale, ce qui, dans les textes anglais, est désigné par *gross motor function,* par opposition à *fine motor function.* Des précisions à ce sujet seront apportées plus loin.

2.2.1 Le striatum (noyau caudé + putamen)

Le striatum reçoit des afférences de toutes les parties du cortex et toutes ses efférences passent par le pallidum (Milner, 1970, et Guyton, 1971). Son action sur la motricité s'exerce soit directement, soit indirectement. Dans l'action directe, l'influx nerveux, émis à partir du pallidum, se dirige vers la formation réticulée, puis la moelle épinière. Dans l'action indirecte, l'impulsion émise à partir du pallidum passe au thalamus, puis au cortex et de là se fond dans les efférences corticales qui empruntent soit la voie cortico-spinale, soit la voie extra-pyramidale (dans ce dernier cas, l'influx nerveux revient donc au point de départ et se propage vers le bas comme dans l'action directe). Le striatum serait l'initiateur et le régulateur des mouvements globaux du corps : "En résumé, les corps striés aident à contrôler les mouvements intentionnels de coordination générale qui normalement sont accomplis inconsciemment." (Guyton, 1971, p. 479.) [Traduction de R. P.]

2.2.2 Le pallidum

En plus d'être le lieu obligatoire de passage des voies efférentes du striatum, le pallidum a ses propres connexions qui sont, du reste, semblables à celles du striatum. Si on détruit le pallidum, on fait du même coup disparaître la tonicité de fond nécessaire à l'accomplissement des mouvements engendrés par le cortex ou le striatum. Si on stimule le pallidum d'un animal qui est en train d'accomplir un mouvement de coordination générale, on obtient un arrêt de ce mouvement pendant tout le temps que dure l'excitation. A partir de ces deux faits, on suppose que le pallidum correspond à un système de servo-contrôle moteur, capable de fixer les différentes parties du corps en des positions spécifiques lors de mouvements coordonnés qu'ils soient fins ou plus globaux.

2.3 *Le cervelet*

Cet organe, n'appartenant pas au S.M.P. ni au S.M.E.P., joue cependant un rôle déterminant dans la motricité volontaire et automatique, et nécessite une étude approfondie.

2.3.1 Mode d'intervention et fonctions du cervelet dans la motricité volontaire

Le cervelet reçoit des informations du cortex moteur, des

noyaux gris de la base, de la substance réticulée, de tous les récepteurs proprioceptifs (organes de Golgi en particulier) et des fibres sensitives des fuseaux neuro-musculaires. Il émet des impulsions vers le cortex via le thalamus, les noyaux gris de la base et la formation réticulée (Fig. 4).

Quand le cortex moteur envoie des impulsions aux muscles, le cervelet en est informé soit immédiatement, par des collatérales de la voie cortico-spinale, soit par feedback, par les informations des propriocepteurs excités par le déclenchement et le déroulement du mouvement.

Ces deux types d'informations aboutissent au cervelet antérieur, qui peut intégrer certains messages et envoyer des impulsions correctrices au cortex qui agit ensuite par les voies cortico-spinales. C'est pourquoi selon Guyton (1971), on compare le cervelet à un servomécanisme de contrôle d'erreur. Pour Grossman (1967), le cervelet constitue un exemple de *input-informed feedback circuit* (voir p. 60-61).

> Ainsi, si le cortex a transmis un signal commandant à un segment de se déplacer vers un point particulier et que ce segment commence à agir trop vite et va au-delà de l'intention initiale, le cervelet peut freiner le mouvement et l'arrêter tel que prévu. (Guyton, *ibidem*, p. 482.) [Traduction de R. P.]

En effet selon Guyton, il semble que le cervelet soit capable d'apprécier la vitesse du mouvement d'un segment et d'en prévoir la portée, de sorte qu'en relation avec le cortex, il peut émettre des impulsions activatrices des muscles antagonistes quand le segment approche de la cible visée pour freiner l'action de l'agoniste.

Entre autres fonctions d'intégration, le cervelet posséderait celle de prédiction. Il est, cependant, important de comprendre et de bien limiter cette fonction : il existe une constante dans la motricité, qui veut que les parties du corps mises en mouvement vont toujours au-delà du point d'intention initiale, et ce contrôle défaillant de la distance du mouvement s'appelle la dysmétrie. Le cervelet corri-

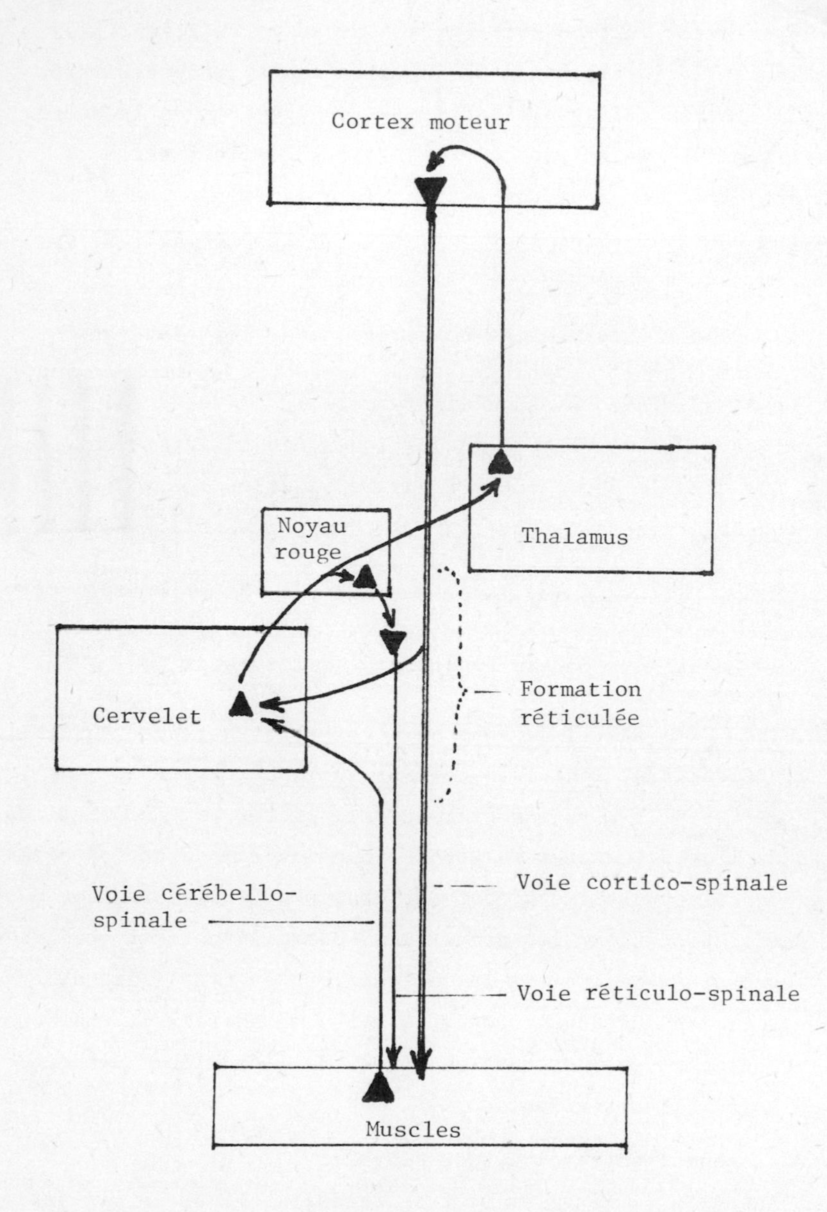

Fig. 4 - Voies nerveuses pour le contrôle cérébelleux d'erreur sur les mouvements volontaires. (Extrait de Guyton, 1971, p. 482.)

gerait cette dysmétrie. Guyton attribue encore au cervelet un rôle de prédiction dans l'interprétation de la vitesse d'arrivée des informations visuelles et auditives : à partir des changements de la scène visuelle, par exemple, un individu peut prévoir à quelle vitesse il approche d'un objet[5]. En effet, on a constaté qu'un singe qui a une lésion au niveau du paléocervelet et qui, à un certain moment, se déplace vers un mur, ne s'arrête pas et le heurte.

2.3.2 Mode d'intervention et fonctions du cervelet dans la motricité automatique

Grâce à son riche réseau d'afférences, le cervelet est informé du déroulement des mouvements automatiques, où il intervient de la même façon que dans le mouvement volontaire. Seules les voies nerveuses empruntées diffèrent : les influx voyagent vers les noyaux gris de la base, le tronc cérébral et la moelle, ce qui représente les voies extra-pyramidales.

2.3.3 Précisions sur la fonction d'équilibre du cervelet

En plus des rôles précédemment décrits, on attribue au cervelet un rôle prépondérant dans l'équilibre, qu'il est important de bien cerner. Le cervelet serait capable d'interpréter les informations recueillies dans l'oreille interne : cette fonction d'intégration cérébelleuse s'exercerait surtout à propos des changements de direction tels qu'ils sont détectés par les canaux semi-circulaires de l'oreille interne, et permettrait de prédire le déséquilibre éventuel lors de mouvements de rotation du corps. Donc, le cervelet exercerait une fonction d'équilibration plus importante au niveau de l'équilibre dynamique qu'à celui de l'équilibre statique.

2.3.4 Anomalies cliniques du cervelet

Une anomalie du cervelet peut se traduire par de la *dysmétrie* qui correspond donc à la portée excessive du mouvement par rapport à

---

5. Cette fonction ne relève pas de la motricité mais plutôt de la perception.

l'intention, et de l'*ataxie* qui caractérise les mouvements incoordonnés résultant de la dysmétrie. L'ataxie est aussi observée dans les cas de lésion des voies cérébello-spinales (Guyton, 1971).

Un autre symptôme de l'anomalie du cervelet est l'*adriadococinésie* qui est l'impossibilité de répéter rapidement des mouvements alternés de flexion-extension comme le pianotage (Malméjac, 1966) ; dans ce cas, en effet, le cortex ne peut prévoir et se "rendre compte" seul des différentes positions prises très rapidement par les différents segments, et c'est le cervelet qui compléterait cette fonction.

La *dysarthrie*, autre conséquence de lésion du cervelet, obéit au même processus. La formation des mots dépend, en effet, de la succession rapide et ordonnée des mouvements des muscles du larynx. Si le cervelet est enlevé, la coordination des mouvements des muscles phonateurs disparaît, puisque l'individu ne peut prédire l'intensité du son ni la durée des sons successifs ; la vocalisation devient brouillée, donc inintelligible.

La perte du cervelet entraîne aussi le "tremblement d'intention" qui se manifeste au moment où un individu tentant de commencer un acte volontaire, produit des mouvements saccadés. Enfin, certaines atteintes du cervelet se traduisent par la perte de l'équilibre chez le sujet qui, par exemple, tente d'accomplir des mouvements rapides.

2.4 *Étage médullaire*

Dans la corne antérieure de la substance grise de la moelle épinière se situent les derniers neurones moteurs qui, par leurs axones, vont atteindre les fibres musculaires. Ces motoneurones α constituent donc l'ultime relais des voies motrices pyramidales et extrapyramidales, et permettent l'intervention musculaire tant dans le maintien et la fixation des parties du corps concernées par le mouvement (motoneurones α toniques), que dans le mouvement lui-même (motoneurones α phasiques)[6].

---

6. Se reporter aux paragraphes 3.5 et 4 du chapitre 1.

TABLEAU SYNTHÈSE

S.M.P.	Composition:	F4, F6, P1, P2, P3, P5 et P7.
	Fonction:	cf. F4 et F6 (proche de F4); généralement, assure les mouvements fins des extrémités segmentaires.
S.M.E.P.	Composition:	F6, F8, P5, T22, P1, P2, P3 et noyaux gris de la base.
	Fonction:	cf. F6 (proche de F8) et noyaux gris de la base; généralement, assure les mouvements de coordination dynamique générale (c.d.g.).
Aire 4 de Brodmann ou F4 (aire motrice primaire)	Fonction:	actionne chaque muscle: clavier moteur (homunculus moteur).
Aire 6 de Brodmann ou F6 (aire prémotrice ou psychomotrice)		
1) partie proche de F4	Fonction:	coordination des séquences des mouvements spécialisés.
2) partie proche de F8	Fonction:	rotation tronc et tête; fixation yeux, motricité grossière segmentaire; langage articulé.
Noyaux gris de la base	Fonction:	mouvements à modèles complexes; mouvements type c.d.g.; inhibition du tonus.
1) striatum (noyau caudé + putamen)	Fonction:	initiation et contrôle des mouvements type c.d.g.
2) pallidum (seul)	Fonction:	en plus d'être un relais entre striatum et cortex, fixe les différentes parties du corps en préparation des mouvements fins ou de type c.d.g.
Cervelet	Fonction:	intégration des messages proprioceptifs sur la vitesse du mouvement; prédiction de la portée du mouvement (correction de la dysmétrie); prédiction du déséquilibre dynamique; coordination de la succession rapide de mouvements.

3 - DU MOUVEMENT VOLONTAIRE AU MOUVEMENT AUTOMATIQUE : ENGRAMMES SENSORIELS ET MOTEURS

3.1 *Le mouvement intentionnel adapté*

Soit la situation problématique suivante : après avoir placé les deux pieds sur une ligne, un sujet doit lancer successivement d'une main

A1 : une balle ; B1 : sur une cible située à 6 m (20 pi) ;
C1 : directement ;

A2 : un bâton ; B2 : sur une cible située à 15m (50 pi) ;
C2 : au-dessus d'un filet de volley-ball.

Les diverses combinaisons donnent huit possibilités différentes.

Du point de vue de l'activité cinétique observable de l'extérieur, on remarque :

- le maintien de la position équilibrée debout (tête, cou, tronc, bassin, membres inférieurs) ;
- le maintien ou la prise des projectiles dans la main;
- l'oscillation du tronc d'arrière en avant avec une légère rotation ;
- le mouvement du bras, avant-bras, poignet, doigts ;
- la fixation des parties du corps soutenant l'action du lancer.

Au cours des divers lancers, la vitesse, l'intensité et la direction du mouvement du bras changent, mais l'ordre des séquences de la mise en action des segments du bras lanceur reste le même. Ce qui change vient du caractère nouveau de chaque situation : il faut s'adapter et contrôler le projectile, la distance, la trajectoire, ce qui suppose une action attentive voulue en fonction de l'objectif imposé. Ce qui demeure constant, c'est le schéma ou modèle de ce type de lancer appris dont le déroulement se fait sans intervention de l'attention.

Dans l'ensemble de l'activité motrice que nous déployons quotidiennement se retrouvent une part de contrôle volontaire et une part importante d'automatismes et ce, même dans les activités les plus spécialisées et les plus nouvelles. Dès que l'acte à accomplir est décidé et que le mouvement est déclenché, les circuits de feedback reliant les organes des sensibilités extéroceptive et proprioceptive aux centres nerveux interviennent d'une part, au niveau de l'initiation et du contrôle volontaire et, d'autre part, au niveau du déroulement ou régulation automatique.

Ceci incite à penser qu'il n'existe pas chez l'adulte de mouvement volontaire "pur", c'est-à-dire ne faisant appel à aucun automatisme du début à la fin de son exécution. L'image du nourrisson qui, pour la première fois, tente de saisir un cube placé sous sa main illustrerait l'idée du mouvement volontaire "pur", de même que dans une certaine mesure, le technicien qui, pour la première fois, manipule à distance un objet avec des pinces articulées.

3.2 *Description du déroulement d'un mouvement volontaire*

Le déroulement des mouvements volontaires peut être assez fidèlement décrit, si l'on se réfère au fonctionnement du S.M.P. étudié dans les pages précédentes. Dans les paragraphes qui suivent, l'analyse descriptive portera sur la préhension telle que le nourrisson essaie de la réaliser quand, sa main étant placée au-dessus d'un cube, il cherche à s'en saisir. Selon Guyton (1971), le modèle théorique de la genèse de l'acte volontaire, serait le suivant :

a) origine de la pensée de l'acte moteur à accomplir (l'idée serait engendrée dans une région corticale s'étendant de la partie postérieure de la 1re circonvolution temporale à la circonvolution pariétale inférieure, dans l'hémisphère dominant) ;

b) détermination des séquences de mouvements nécessaires à l'exécution de l'acte ;

c) contrôle des mouvements.

Il sera question ici d'examiner les points b et c, c'est-à-dire de suivre comment la pensée de l'acte à accomplir, a, devient acte moteur volontaire.

Selon les données qui précèdent, c'est au niveau de l'aire 6, que se définiraient la programmation de l'action et l'agencement de la mise en action des muscles, suivant des séquences temporelles déterminées : ici, action simultanée des doigts en flexion palmaire.

Au niveau de l'aire 4, l'impulsion motrice est lancée : les protoneurones correspondant aux muscles fléchisseurs des doigts engendrent au moment voulu (conformément à la programmation de l'aire 6) l'influx nerveux efférent.

Cet I.N. efférent circule dans les voies cortico-spinales du S.M.P. et se rend jusqu'aux neurones moteurs médullaires ou motoneurones alpha (α phasiques dans l'exemple choisi), responsables de la flexion des doigts de la main : ces motoneurones sont situés au niveau de la 7e vertèbre cervicale - 1re vertèbre dorsale et leurs axones constituent le nerf radial. À ce même niveau médullaire, selon le schéma de l'innervation réciproque, la commande de flexion des motoneurones α fléchisseurs entraîne une inhibition des motoneurones α extenseurs, et il se produit un relâchement synchrone des muscles antagonistes.

Parti de chacun des motoneurones α, l'I.N. parcourt la longueur du nerf radial et atteint les plaques motrices des fibres musculaires correspondantes : les myofibrilles se contractent, et la flexion des doigts commence.

Dès que le mouvement est déclenché, il se produit à la fois un étirement actif des tendons des fléchisseurs (rapprochement des extrémités), et un étirement passif des muscles antagonistes (extenseurs) en état de relâchement. Ces étirements excitent les récepteurs sensoriels proprioceptifs prévus à cet effet : des I.N. afférents sont engendrés qui vont informer le S.N.C. du déroulement de la contraction.

Il faut noter que d'autres organes sensoriels, tels que l'oeil et les récepteurs tactiles de la main, sont requis dans l'acte de préhension. Toutes ces informations "nouvelles" (puisque l'on parle de tentative de préhension du nourrisson) sont mises en relation, enregistrées essai après essai, de telle sorte que, progressivement, va s'établir une correspondance entre la cause ou production du mouvement, et l'effet ou les sensations proprioceptives et extéroceptives engendrées par ce mouvement et, en particulier, une correspondance ou adéquation des données spatiales d'ordre visuel et kinesthésique.

Quand la paume et les doigts entrent en contact avec l'objet (résistance de la matière), les récepteurs sensibles à la pression émettent des trains d'I.N. afférents qui rendent compte du contact et de l'arrêt de l'action cinétique des fléchisseurs. L'enfant expérimente visuellement et tactilement que, s'il relâche cette action, l'objet n'est pas "saisi", et ainsi se précise l'effort de maintenir l'intensité musculaire, même quand le déplacement des doigts ne peut plus se faire ; très vite, le maintien de la pression sur l'objet sera automatisé, d'autant plus que le schéma de l'agrippement n'est pas nouveau (cf. réflexe d'agrippement, 2e partie, chap. 2).

Ainsi, par répétition, le nourrisson va "apprendre à saisir" ou, en d'autres termes, va développer une habitude de flexion simultanée des doigts : on parlera alors d'automatisme ou encore de schéma de préhension, et finalement de praxie dans son sens large.

Le passage du mouvement volontaire au mouvement automatique soulève de nombreuses questions, certaines relatives à la rétention ou mise en mémoire des effets positifs ou négatifs d'une action motrice intentionnelle, d'autres concernant la façon dont l'automatisme intervient et se développe dans des actes moteurs complexes d'adaptation.

LeBoulch (1971) a proposé un modèle d'hypothèse explicative sur le passage du mouvement volontaire à l'automatisme. Il se réfère à certaines distinctions fonctionnelles entre S.M.P. et S.M.E.P.

Selon cet auteur, l'aspect contrôle continu du mouvement volontaire est fondé sur des afférences qui passent par le thalamus "spécifique" et qui, une fois interprétées dans le cortex associatif, induisent la correction intentionnelle de l'acte ; le qualificatif de spécifique est utilisé pour signifier que le rôle du thalamus, au début, serait de transmettre au cortex sensible l'information dans son intégralité. Puis, avec la répétition de l'acte, le thalamus acquerrait un rôle d'intégration, c'est-à-dire d'interprétation des données sensorielles, et deviendrait donc "aspécifique" en ce sens qu'il permettrait aux structures sous-corticales de déclencher presque immédiatement une réponse globale d'adaptation. Ainsi, en se référant à la figure 5, il apparaîtrait que le striatum soit capable d'agir à la manière de l'aire 6 qui, dans le mouvement volontaire, détient le schéma d'action intériorisé, et de commander à l'aire 4 la mise en jeu coordonnée des différents muscles, même si, par la suite, cette action doit être corrigée consciemment (par le cortex) ou inconsciemment (par d'autres structures sous-corticales). En schématisant, l'argumentation de l'auteur revient à réaffirmer finalement la position bien connue d'autres physiologistes dont Bresse (1968), Fabre et Rougier (1965) qui tiennent les corps opto-striés comme siège des automatismes. L'étude de Guyton (1971) apporte cependant un éclairage différent sur ce sujet, en introduisant les concepts d'"engrammes sensoriels" et d'"engrammes moteurs".

3.3 *Engramme sensoriel*

Selon Guyton (1971), les engrammes sensoriels représentent l'enregistrement dans la mémoire de différents modèles (*patterns*) de mouvements. Quand nous voulons accomplir un acte moteur précis, nous faisons appel à l'engramme sensoriel de cet acte, qui déclenche la mise en action des aires motrices en vue de produire l'acte voulu.

Ainsi, si une personne apprend à se servir de ciseaux, les mouvements impliqués dans le processus du découpage sont enregistrés dans les aires somesthésiques sous forme d'un modèle séquentiel d'in-

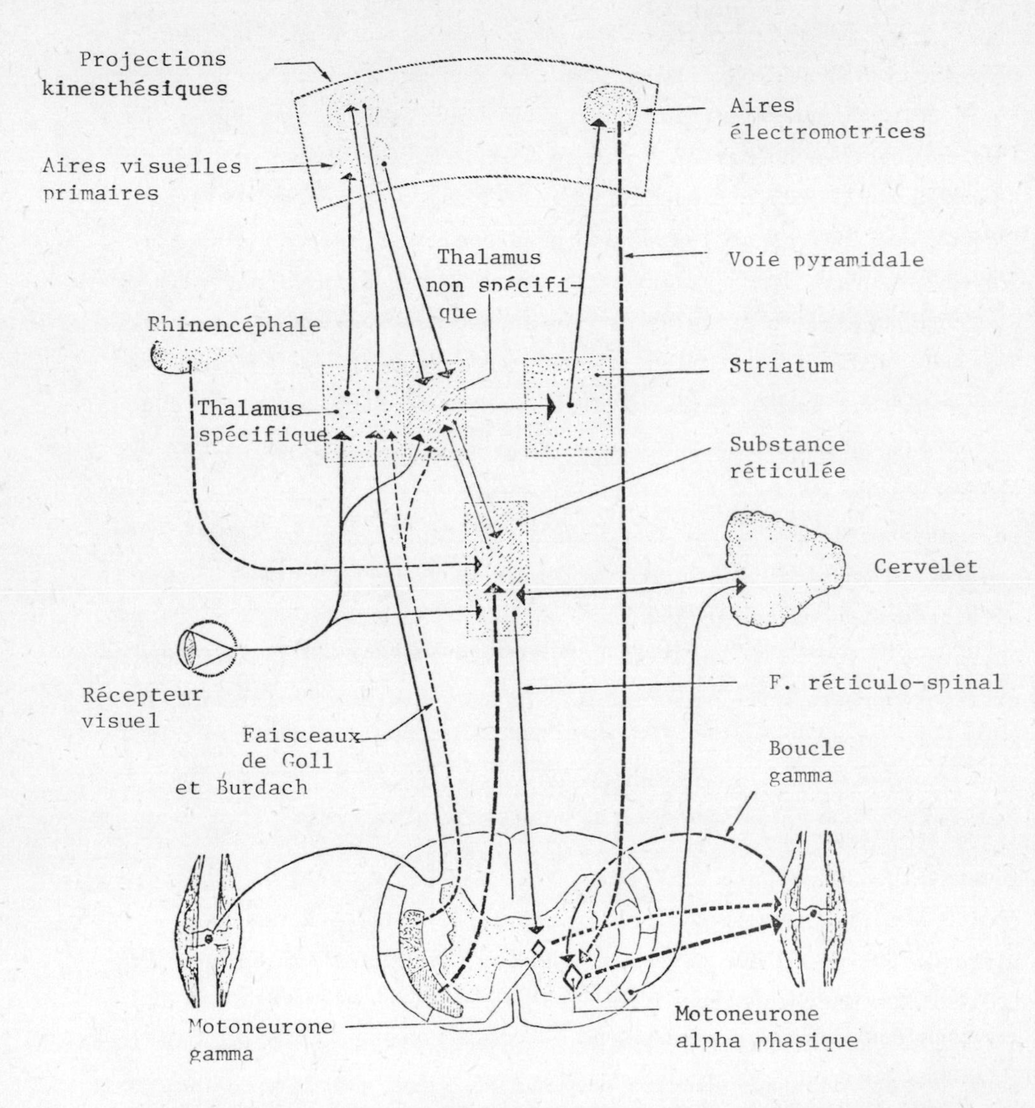

Fig. 5 - Schéma d'une réponse automatique consécutive à une stimulation visuelle. La voie pyramidale est mise en jeu par l'intermédiaire des structures sous-corticales. (Extrait de LeBoulch, 1971, p. 166.)

formations proprioceptives particulier : le modèle est "appris", c'est-à-dire enregistré dans le cortex sensoriel. Chaque fois que la personne voudra découper avec des ciseaux, l'engramme sensoriel sera utilisé pour contrôler le système moteur responsable de l'acte et de ses différentes séquences. Pour accomplir le découpage, un servomécanisme de feedback proprioceptif entre en jeu de la manière suivante : dès que le mouvement est déclenché, les récepteurs proprioceptifs émettent des informations qui sont comparées aux "instructions" de l'engramme. S'il existe une différence entre les deux, l'"erreur", suppose-t-on, met en jeu des signaux moteurs additionnels qui font intervenir, automatiquement, des muscles qui corrigeront l'action des doigts, mains, bras...[7].

On suppose que chaque partie de l'engramme est délivrée au cortex moteur suivant des séquences temporelles ; le système moteur se contenterait de suivre les instructions point par point pour concrétiser l'engramme sensoriel de l'acte moteur. Le cortex moteur ne serait donc qu'un servomécanisme en ce sens que ce n'est pas lui qui élaborerait le modèle du mouvement qui est accompli ; cependant, cette affirmation sera nuancée et précisée dans le paragraphe relatif aux engrammes moteurs.

Une expérience étonnante, toujours citée par Guyton (1971), illustre l'importance de l'engramme sensoriel dans le contrôle des mouvements. On entraîne un singe à accomplir une activité précise (*motor skill*), puis on lui enlève certaines parties du cortex. D'abord, on lui enlève de petites parties du cortex moteur qui contrôlent les muscles nécessaires à l'activité, on observe que cela n'empêche pas le singe de reproduire l'activité... ; il utilise "automatiquement" d'autres muscles que ceux qui sont paralysés. Par contre

---

7. Pour la posture, ce serait le cervelet qui agirait comme "comparateur" entre l'attitude de maintien, envisagée théoriquement par l'engramme, et celle qui est prise effectivement : cette hypothèse est avancée par Grossman (1967) comme exemple d'intervention de ce qu'il appelle "*input or output-informed circuits*" (cf. p. 60).

si l'on lui enlève la partie corticale somesthésique correspondante et que le cortex moteur reste intact, le singe perd toute habileté à accomplir l'activité. Cette expérience démontre bien, selon Guyton, l'importance du cortex somesthésique, celle du modèle ou engramme sensoriel, et le rôle du cortex moteur comme servomécanisme.

On se doit, cependant, de limiter la portée de l'affirmation de Guyton, dans la mesure où l'auteur ne fait pas de distinction entre modèles innés et modèles appris[8] : dans l'expérience citée, l'engramme sensoriel concerne strictement un *pattern* acquis. Aussi la question de savoir si l'engramme sensoriel s'applique aussi aux *patterns* innés ou, en d'autres termes, si les *patterns* innés siègent dans le cortex somesthésique doit être envisagée.

Des séries d'exemples pourraient apporter des éléments de réponse. Weiss (1952) greffe la patte droite d'une salamandre, juste au-dessous de la patte gauche, et observe des mouvements "en miroir" qui s'opposent à la progression. En outre, quand les pattes antérieures droite et gauche sont inversées, les "nouveaux" mouvements des pattes greffées s'opposent à ceux des pattes arrières, et l'animal n'arrive pas à progresser. Sperry (1951) croise les nerfs de la hanche du rat : le rat lève la patte quand il devrait la baisser et *vice-versa*. Anokhin (cité par Luria, 1963) procédant à la même expérience mais avec des chats qui constituent une espèce plus évoluée que les rats, a observé qu'après une période de tâtonnement, il se produisait une restauration du mouvement correct. Chez les singes, la restauration est encore plus rapide et mieux faite, selon Milner (1970). Ainsi, chez les animaux inférieurs (salamandre) les mouvements de locomotion seraient immuables, se déroulant suivant un plan d'organisation ou schéma inné, mais chez les espèces plus évoluées (chat, singe), le caractère ajusté ou mal ajusté des actes moteurs peut entraîner des modifications importantes du comportement. En se

8. À rapprocher de ce que LeBoulch (1971) appelle coordinations acquises ou coordinations innées.

référant à l'exemple du singe (p. 57), on pourrait donc penser que les afférences sensibles (donc, le cortex somesthésique) sont à l'origine de l'adaptabilité du comportement moteur. Les schémas innés qui, chez l'homme, correspondent aux réflexes plus ou moins complexes (déglutition) seraient donc localisés ailleurs que dans le cortex sensoriel (cf. chap. 1, 4.2).

3.4 *Engramme moteur*

Si l'hypothèse de l'existence de l'engramme sensoriel semble être satisfaisante pour certaines formes de mouvements acquis, elle ne peut cependant pas tout expliquer. Ainsi Guyton affirme que dans le cas de mouvements rapides, il n'y a pas assez de temps pour que les signaux du feedback sensoriel puissent servir de contrôle : quand une dactylo tape à la machine, les mouvements de ses doigts sont trop rapides pour qu'il y ait comparaison entre les feedbacks sensoriels et l'engramme sensoriel, puis correction de chaque frappe digitale, s'il y a lieu. Lashley (1951) avait déjà développé cet argument en rejetant le "processus de Markov*", théorie d'après laquelle chaque mouvement produit un feedback qui engendre le mouvement suivant à la manière d'un réflexe conditionné. Guyton pense que les modèles de contrôle de ces mouvements coordonnés rapides sont inscrits dans les zones motrices du lobe frontal, et emploie le terme d'"engrammes moteurs" pour les distinguer des précédents, auxquels ils sont cependant reliés. En effet, une activité motrice hautement spécialisée (AMHS) peut être accomplie dès la première fois, à condition qu'elle le soit extrêmement lentement, de façon que le feedback sensoriel serve de guide pour chaque étape. Cependant, pour être utile, l'AMHS doit, le plus souvent, être rapide. Aussi, par répétition, un engramme moteur se développe dans les aires motrices en même temps que, dans les aires sensibles, l'engramme sensoriel s'affirme. Cet engramme moteur est à l'origine de la mise en action de groupes musculaires en vue de la réalisation d'une activité spécialisée, et Guyton

---

* "*Markov chaining*".

parle de "*pattern of skilled motor function*" (p. 485). L'AMHS se fait rapidement sans le contrôle du feedback sensoriel ; cependant, celui-ci agit rétrospectivement si l'acte n'est pas tout à fait adapté, et dans les répétitions ultérieures, il y a, suppose-t-on, réajustement. Ces engrammes sont enregistrés dans les deux hémisphères à la fois.

4 - PRAXIES ET APRAXIES

4.1 *La notion de praxie*

Lorsque les engrammes, que l'on peut appeler schémas, *patterns* ou modèles théoriques, sont traduits, point par point, sous forme de mouvements, on parle d'automatismes. Si bien que, dès que l'idée de la réponse motrice a été conçue, l'engramme (qui coïncide le mieux, s'il existe) intervient dans la programmation, et l'automatisme se manifeste dans le déroulement de la réponse motrice. Le concept de praxie recouvre les aspects idéomoteur et moteur de la réponse motrice et fait appel à la fois à l'espect conscient de l'initiation et du contrôle volontaire (si nécessaire) et à l'aspect automatique du déroulement de l'acte ; les praxies représentent des "systèmes de mouvements coordonnés en fonction d'un résultat ou d'une intention qui sont le résultat d'une expérience individuelle de comportement qui s'opposent aux coordinations innées" (LeBoulch, 1971, p. 55). En ce sens, l'apprentissage moteur consistera en un perfectionnement de plus en plus fin de tous les types de feedback centraux et locaux qui permettent le déroulement de l'acte avec le minimum d'intervention de la conscience. Grossman (1967) affirme, en effet, qu'il existe un ensemble de circuits de feedback permettant de contrôler le mouvement et, dans une large mesure, de libérer les centres supérieurs corticaux après que ceux-ci eussent fait débuter le mouvement. Ces servomécanismes seraient de deux types : les premiers *output-informed feedback circuits* concerneraient l'efférence et impliqueraient les noyaux gris de la base, le cervelet, le bulbe rachidien et la moelle épinière, et les seconds, *input-informed feedback circuits*, agiraient au niveau des afférences cérébello-thalamo-corticales. La figure ci-dessous illustre ces dispositifs.

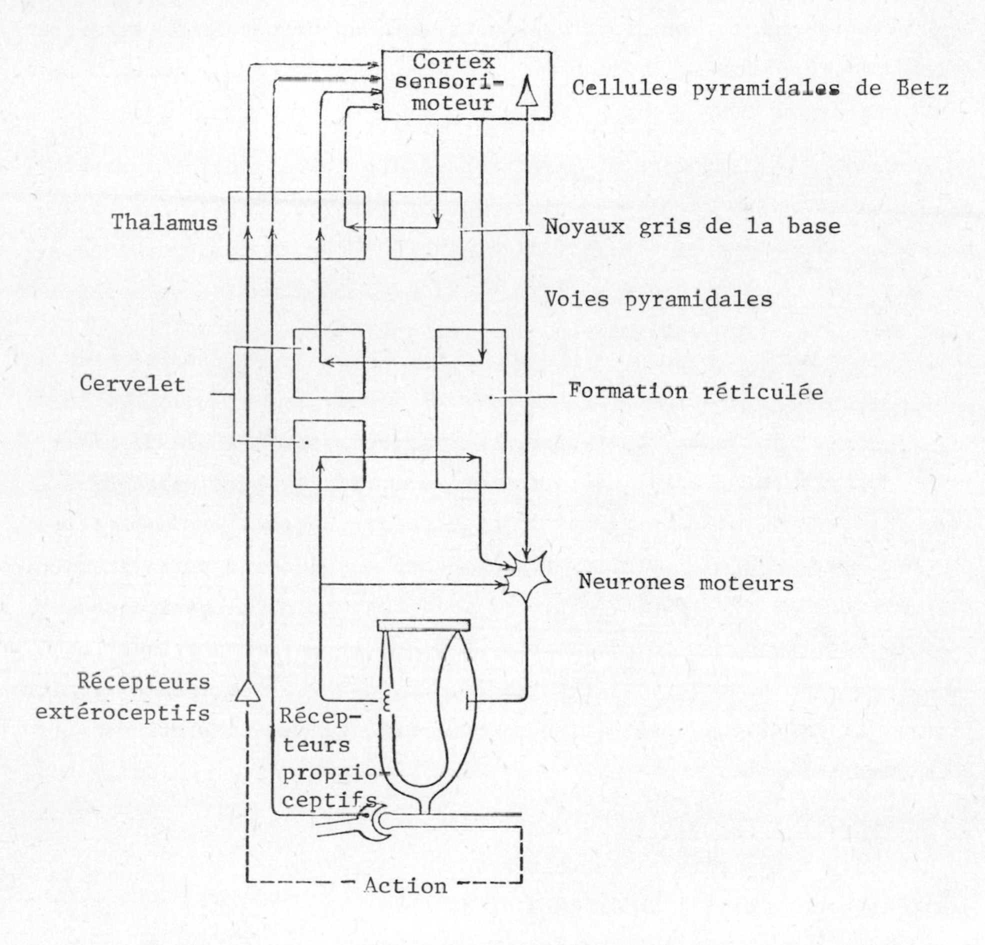

Fig. 6 - Exemples de *output and input-informed feedback circuits*. (Extrait de Grossman, 1967).

Ainsi, à titre d'exemple, les ajustements posturaux appartiennent au premier groupe de circuits, et mettent en jeu les systèmes cérébello-réticulo-spinal et cérébello-vestibulo-spinal et les muscles, par le double intermédiaire des réflexes myotatiques et de la boucle γ. Les boucles thalamo-cortico-striatale et cérébello-thalamo-cortico-réticulaire illustrent le second groupe de circuits. La coordination des mouvements volontaires et automatiques impliquent, selon leur degré de complexité, l'intervention coordonnée de tous ces circuits.

Pour de nombreux apprentissages moteurs, au début, le feedback visuel, contemporain de la concentration et de l'effort, serait prépondérant puis, de plus en plus, serait remplacé par le feedback kinesthésique qui peut être assimilé aux circuits de feedback locaux. Ce transfert de contrôle peut être considéré comme un indice intéressant de degré d'automatisation d'une activité motrice.

4.2 *Classification des praxies*

Pour Ajuriaguerra et Hécaen (1964), classer les praxies revient à regrouper toutes les formes de la motricité humaine acquise qui nécessitent obligatoirement la mise en jeu de coordinations simples ou complexes. Ainsi les auteurs considèrent-ils, d'une part, la motricité intransitive que l'on pourrait définir comme l'ensemble des possibilités humaines de mouvements "à vide" ou encore n'entraînant pas de modification du milieu physique, et, d'autre part, la motricité transitive relative à une action à visée utilitaire qui s'exerce sur le milieu physique.

Mouvements intransitifs

a) Mouvements élémentaires de la face (fermer les yeux, gonfler les joues, etc.), de la tête et du tronc (oscillation, rotation, etc.), des membres supérieurs et inférieurs (flexion, extension, abduction, adduction... des bras, des cuisses, des doigts, etc.).

b) Mouvements expressifs (menacer, implorer, etc.).

c) Mouvements descriptifs (geste de sonner, planter un clou, etc.).

d) Mouvements faisant appel à la symbolique conventionnelle (signe de croix, salut militaire, etc.).

Mouvements transitifs

a) Actes transitifs intentionnels (allumer une bougie avec une allumette, verser de l'eau dans un verre, etc.).

b) Actes transitifs réfléchis (se gratter le cuir chevelu, souffler sur ses doigts, etc.).

Dans l'activité quotidienne, les praxies transitives intentionnelles sont extrêmement nombreuses et diversifiées puisqu'elles recouvrent non seulement les activités sportives et athlétiques, mais encore tous les gestes techniques professionneles qui supposent la manipulation d'instruments divers. Aussi le pédagogue comprendra que c'est précisément la motricité transitive intentionnelle qui présente le plus d'intérêt dans l'action éducative.

4.3 *La notion d'apraxie*

Les troubles des praxies font l'objet, depuis un peu plus d'un siècle des travaux de nombreux chercheurs, médecins, psycho et orthopédagogues, intéressés notamment aux cas d'anarthrie (qui représente le trouble moteur de l'aphasie) et d'agraphie (trouble de l'écriture). Les apraxies, spécialisées ou non, représentent, de façon générale, "des troubles de l'activité gestuelle apparaissant chez un sujet dont les appareils d'exécution de l'action sont intacts... et possédant la pleine connaissance de l'acte à accomplir" (Ajuriaguerra et Hécaen, 1965, p. 260). L'étude clinique faite par ces auteurs contribue à mieux comprendre la notion de praxie.

4.4 *Étude clinique des praxies*

La synthèse qui suit a été établie à partir des écrits d'Ajuriaguerra et Hécaen (1965).

Apraxie idéatoire (trouble psychique)

Elle porte sur des actes moteurs complexes intentionnels, c'est-à-dire composés de plusieurs actes partiels et qui nécessitent un plan d'organisation. Les troubles affectent l'oganisation séquentielle des actes partiels alors que, pris isolément, chacun de ces actes partiels est bien exécuté. Les actes automatiques sont conservés.

> Exemple : "Ces malades sont incapables d'allumer une bougie avec une allumette ; on les voit, par exemple, gratter l'allumette sur le mauvais côté de la boîte, ou bien frotter la bougie elle-même sur la boîte, ou encore présenter l'allumette non enflammée à la bougie..." (p. 265.)

Apraxie idéomotrice (trouble psychomoteur)

Elle concerne des actes moteurs simples intransitifs qui impliquent une moitié du corps. Le malade peut décrire l'acte demandé mais ne peut l'exécuter à l'aide de l'hémicorps affecté. Les actes automatiques et réflexes sont conservés.

> Exemple : "Prié d'exécuter un acte aussi simple que de montrer son nez avec la main droite, le malade de Liepmann se redresse, fait signe de la tête et accomplit des révérences répétées ; par contre, l'ordre est exécuté parfaitement et immédiatement avec la main gauche." (p. 263.)

Apraxie mélo-kinétique ou innervatoire de Kleist (trouble moteur pur)

Elle porte sur des actes moteurs intentionnels simples ou complexes qui font intervenir soit une moitié du corps, soit un groupement musculaire localisé (lésion au niveau de l'aire 4 et peut-être de l'aire 6). Les actes automatiques sont altérés. Les gestes sont "ébauchés, grossiers, informes" (p. 262).

Apraxie constructive de Kleist et Krauss (trouble optico-kinesthésique)

Elle se traduit par des troubles de l'harmonie des activités visuelle et psychomotrice, qui sont dus à des lésions pariéto-occipitales des hémisphères gauche ou droit.

> "Les malades sont incapables de dessiner spontanément ou d'après modèle, de construire avec des cubes, des pièces de bois, de réaliser des puzzles, ou de modeler avec quelque matière plastique..." (p. 267.)

4.5 *Classification de certaines apraxies spécialisées*

	Apraxie idéatoire	Apraxie idéo-motrice	Apraxie mélo-kinétique	Apraxie constructive
Apraxie de la marche			XX	
Apraxie de l'habillage			XX	XX
Anarthrie		XX	XX	
Agraphie		XX		XX

CONCLUSION

L'adaption de l'acte moteur à un but spécifique s'identifie à la réalisation d'une praxie. De toutes les formes de praxies, le mouvement transitif intentionnel apparaît comme la plus riche et la plus représentative de la vie de relation humaine.

La motricité intentionnelle correspond à un processus psycho-physiologique complexe impliquent : a) une programmation, une initiation volontaire et un contrôle cortical conscient, plus ou moins continu, fondé sur l'élaboration des informations des différentes sensibilités concernées à partir de processus généraux de feedback ; b) la mise en jeu d'automatismes fondés sur des circuits de feedback centraux et locaux qui permettent un déroulement économique de l'acte moteur.

Les automatismes correspondent à des modèles d'activités motrices acquises, intégralement volontaires à l'origine, affinées par répétition et impliquant une organisation séquentielle définie des divers actes partiels constitutifs. La localisation de ces modèles ou schémas varierait suivant la nature et la complexité du mouvement concerné. Dans le cas d'activités motrices fines, précises et hautement spécialisées, ils seraient enregistrés dans le cortex cérébral sous la forme d'engrammes sensoriels et moteurs. Dans le cas de mouvements de coordination dynamique générale ou d'activités musculaires assurant le maintien de la posture équilibrée et la fixation des pièces osseuses impliquées dans le mouvement, ils se situeraient dans les structures nerveuses sous-corticales (striatum spécialement) et cérébelleuses.

BIBLIOGRAPHIE

AJURIAGUERRA, J. et H. HECAEN, *le Cortex cérébral*, Paris, Masson, 1960.

BRESSE, Georges, *Morphologie et physiologie animales*, Paris, Larousse, 1968.

DELMAS-MARSALET, P., *Précis de bio-psychologie*, Paris, Maloine, 1961.

FABRE, R. et G. ROUGIER, *Physiologie médicale*, Paris, Maloine, 1965.

GROSSMAN, Sebastian Peter, *A Textbook of Physiological Psychology*, New York, John Wiley, 1967.

GUYTON, A.C., *Basic Human Physiology : Normal Function and Mechanisms of Disease*, Philadelphie, Saunders, 1971.

LASHLEY, K. S., "The Problem of Serial Order in Behavior", dans L. A. Jeffress (édit.), *Cerebral Mechanisms in Behavior*, New York, John Wiley, 1951, p. 112-136.

LEBOULCH, J., *Vers une science du mouvement humain*, Paris, Editions sociales françaises, 1971.

LEUKEL, Francis, *Introduction to Physiological Psychology*, Saint-Louis, Mosby, 1968.

LURIA, A. R., *Restoration of Function after Brain Injury*, New York, Macmillan, 1963.

MALMEJAC, J., *Eléments de Physiologie*, Paris, Flammarion, "Editions médicales", 1966.

MILNER, Peter M., *Physiological Psychology*, Montréal, Holt, Rinehart & Winston, 1970.

PENFIELD, W. et T. RASMUSSEN, *The Cerebral Cortex of Man*, New York, Macmillan, 1950.

SPERRY, R. W., *Mechanisms of Neural Maturation*, dans S. S. Stevens (édit.), New York, John Wiley, 1951, p. 236-280.

VIAUD, G., Ch. KAYSER, M. KLEIN et J. MEDIONI, *Traité de psycho-physiologie*, Paris, PUF, 1963, t. I.

WEISS, P., "Central versus Peripheral Factors in the Development of Coordination", *Research Publications of the Association for Research in Nervous and Mental Disease*, 1952, vol. 30, p. 3-23.

Deuxième partie

LE DÉVELOPPEMENT MOTEUR DE L'ENFANT

Chapitre 1

ORGANISATION BIOLOGIQUE DU PROCESSUS DE CROISSANCE

Robert Rigal

PLAN

1. LA CROISSANCE : MESURES BIOMÉTRIQUES
    1.1 *Généralités*
    1.2 *Croissance staturale*
    1.3 *Croissance pondérale*

2. LES DIFFÉRENTS ÂGES

3. LES LOIS DE LA CROISSANCE
    3.1 *La loi de progression et d'amortissement*
    3.2 *La loi de dissociation*
    3.3 *La loi d'alternance*

4. FACTEURS AFFECTANT LA CROISSANCE
    4.1 *Facteurs internes*
        4.1.1 Les gènes
        4.1.2 Le sexe
        4.1.3 Les hormones
        4.1.4 Les désordres psychologiques
        4.1.5 Les maladies
    4.2 *Facteurs externes*
        4.2.1 La nutrition
        4.2.2 Les maladies de la mère
        4.2.3 Les radiations
        4.2.4 Les drogues
        4.2.5 La race et le climat
        4.2.6 Les saisons
        4.2.7 Les classes sociales
        4.2.8 Évolution de l'espèce

5. INFLUENCE DE LA CROISSANCE SUR LES APPRENTISSAGES SCOLAIRES

6. CONCLUSION

BIBLIOGRAPHIE

Entre la naissance et l'âge adulte de profondes modifications se produisent au sein de l'organisme humain. La croissance représente certaines de ces modifications, dont la taille et les changements de proportions qui constituent des aspects objectivement mesurables de l'évolution.

Des études diachroniques ou synchroniques de larges échantillons de la population ont fait apparaître certaines constantes dans le développement de l'être humain : disparition des dents de lait, poussée staturale à l'adolescence, etc. De ces constantes ont été déduites des lois qui s'appliquent de façon assez exacte aux processus biologiques de la croissance.

La simple observation des enfants d'une même classe où ils sont généralement groupés, — du moins au début, — selon l'âge, nous montre qu'il existe entre eux de profondes différences. Ainsi, si tous les enfants passent par les mêmes étapes, ils n'y passent pas tous de la même façon, et plusieurs facteurs peuvent donc influencer et affecter le rythme de la croissance.

Affirmer que l'enfant n'est pas un petit homme en miniature est devenu un lieu commun. Toutefois et jusqu'à des époques relativement récentes, les efforts demandés à l'enfant ne tenaient pas compte de façon rigoureuse de ces différences et se fondaient beaucoup plus sur une psychologie de l'adulte adaptée à l'enfant que sur la connaissance de l'enfant lui-même. Les modes d'acquisition du savoir ne reposent pas sur les mêmes bases. La prise en considération de certaines des conséquences tributaires de la connaissance de la croissance de l'enfant devrait conduire à l'amélioration des conduites pédagogiques.

Chacun de ces problèmes retiendra notre attention et fera l'objet d'un approfondissement détaillé.

1 - LA CROISSANCE : MESURES BIOMÉTRIQUES

1.1 *Généralités*

De façon générale, il existe deux manières de recueillir des données sur la croissance : on peut prendre des mesures sur les mêmes sujets à intervalles de temps réguliers ce qui constitue des données longitudinales, ou effectuer des mesures sur un grand nombre de personnes ayant le même âge chronologique, ce qui fournit des données transversales. Ce dernier procédé facilite les recherches mais conduit à des résultats beaucoup moins précis et intéressants que les premiers, car il ne peut fournir que des moyennes qui aplanissent les différences interindividuelles ; il ne permet pas, non plus, de connaître les facteurs agissant sur l'évolution de la croissance.

En travaillant sur des données longitudinales, il est possible de cerner de façon plus exacte les problèmes de la croissance et de leur relations avec d'autres aspects du comportement. L'exploitation de ces données peut conduite à deux types de courbes. La première (Fig. 1) va simplement montrer l'accroissement d'une donnée évaluée (taille, poids, largeur des épaules) chaque année. La deuxième courbe (Fig. 2) va mettre en évidence la vitesse de cet accroissement, en tenant compte uniquement de la valeur absolue de l'accroissement, et exprimer le pourcentage de croissance par an en faisant ressortir en particulier la poussée pubertaire.

Lorsque l'on désire savoir si la croissance d'un enfant s'effectue normalement, il faut la comparer à celle d'enfants du même âge, donc à des données transversales.

Les croissances staturales et pondérales (taille et poids) sont celles qui ont donné lieu au plus grand nombre de recherches. Ces deux aspects importants de la morphologie sont eux-mêmes composés de tout un ensemble de sous-structures qui n'évoluent pas toutes selon

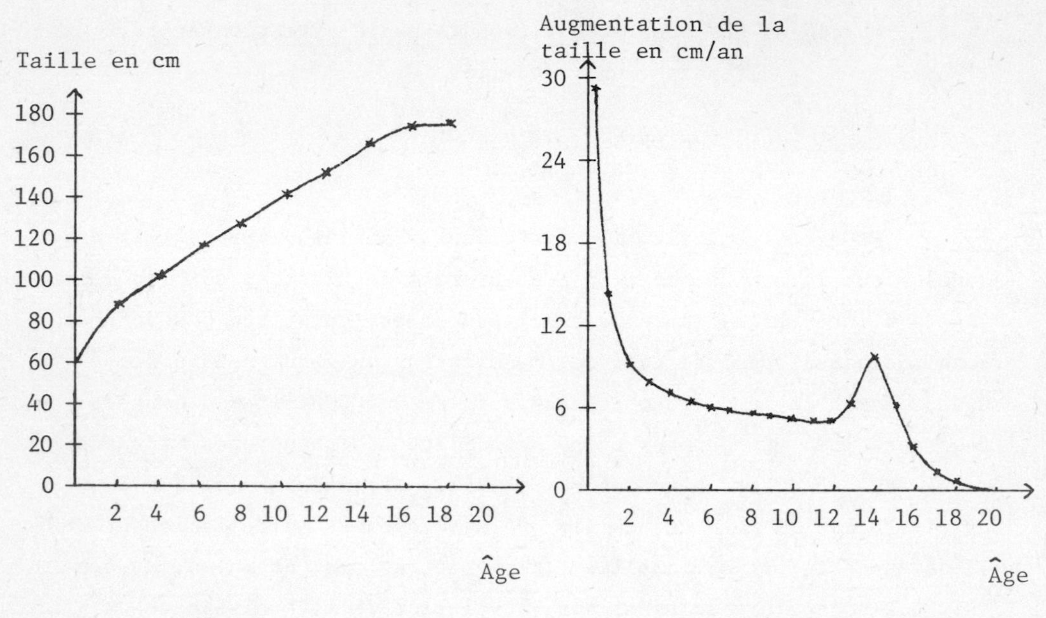

Fig. 1

Courbe longitudinale représentant les tailles successives d'une personne entre 0 et 20 ans (Tanner, 1964, p. 14).

Fig. 2

Courbe représentant la vitesse de croissance de la personne de la figure 1 (Tanner, 1964, p. 14).

le même rythme, comme en témoignent la figure 3 et les prochains paragraphes.

La tête atteint très rapidement sa taille adulte alors que les organes impliqués dans la reproduction subissent une maturation très rapide au moment de la puberté. Les dimensions corporelles externes ainsi que les organes respiratoires, circulatoires et digestifs ont une croissance rapide après la naissance et au moment de la puberté, avec un palier entre les deux, ce qui se traduit par une courbe à double inflexion. Seuls les organes lymphoïdiques (ganglions lymphatiques, amygdales, thymus, rate) dépassent à un moment donné l'importance qu'ils auront à l'état adulte ; ils régressent ensuite rapidement sous l'action des hormones sexuelles.

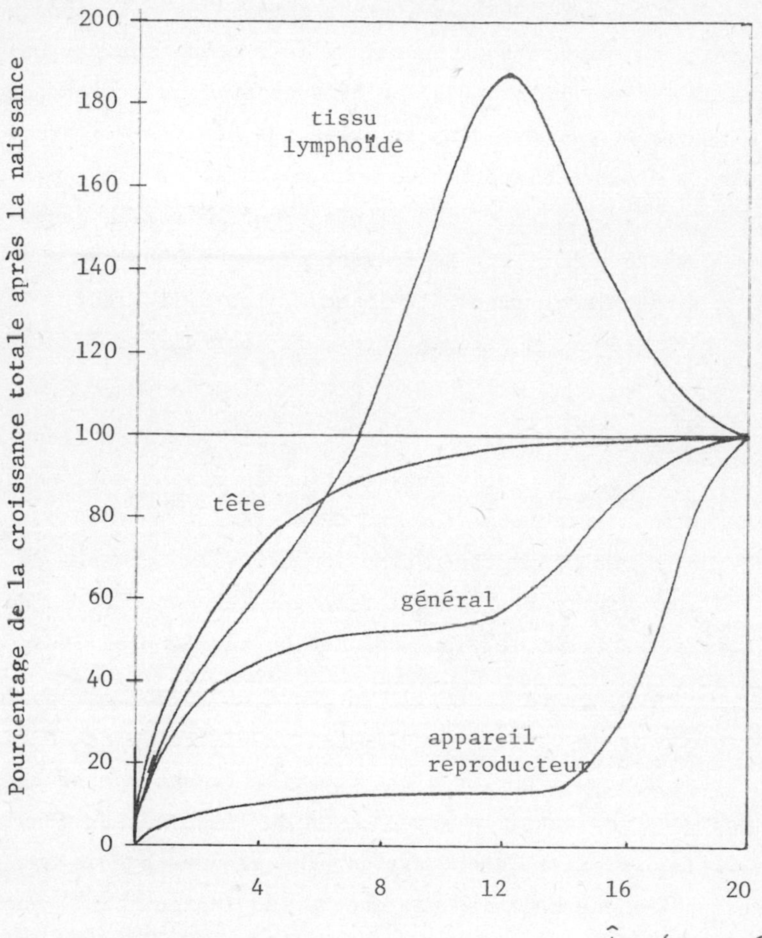

Fig. 3 - Courbes types de croissance de différents tissus ou parties du corps (tiré de Tanner, 1964, p. 22).

1.2 *Croissance staturale*

En général, la taille adulte est 3,5 fois plus grande que celle de la naissance. La courbe de la taille suit très nettement le type "général" de la figure 3 et montre une décélération croissante sauf au moment de la puberté (Fig. 2). Cette poussée pubertaire est une donnée constante de la croissance humaine. Elle se produit plus tôt chez les filles que chez les garçons, avec un décalage de deux années.

Selon Tanner (1963) et contrairement à des opinions assez répandues, l'augmentation de la taille ne procède pas par bonds pas plus que la croissance staturale n'alterne avec la croissance pondérale. Une grande rigueur dans la prise des mesures éviterait souvent l'apparition d'erreurs semblables. En moyenne, il n'y a pas de différence entre les filles et les garçons pour la taille jusqu'à 8-10 ans. La poussée pubertaire se faisant plus tôt chez les filles (10-14 ans) que chez les garçons (12-15 ans), les filles entre 11 et 15 ans sont plus grandes que les garçons, le contraire s'établissant ensuite (Fig. 4).

Le rythme d'augmentation de la taille varie de façon assez considérable selon les individus, surtout au moment de l'adolescence, certains enfants ayant pratiquement déjà atteint leur taille adulte alors que d'autres n'ont pas encore commencé leur poussée de croissance. Il en résulte des différences dans le comportement des enfants, que ce soit sur le plan scolaire ou sur le plan ludique.

La prévision de la taille adulte d'un enfant est parfois nécessaire (écoles de ballet) et elle peut se faire de façon relativement précise (± 5 cm) à partir d'une équation tenant compte de l'âge chronologique, de la taille actuelle et de l'âge osseux (Bayley, 1952). L'impossibilité d'obtenir de plus grandes précisions provient du fait que l'on ne maîtrise pas encore les facteurs influençant la poussée de croissance qui est quasi indépendante de la croissance antérieure.

Il existe des enfants qui grandissent plus vite que d'autres, mais le fait d'être plus petit que la moyenne à un âge donné ne signifie pas que la taille adulte sera également inférieure à la moyenne. Les enfants qui grandissent lentement ont, en général, un temps de croissance plus long, ce qui leur permet d'atteindre une taille relativement normale.

La vitesse de la croissance, à tout âge, résulte de l'interaction de facteurs génétiques et mésologiques. L'enfant hérite de

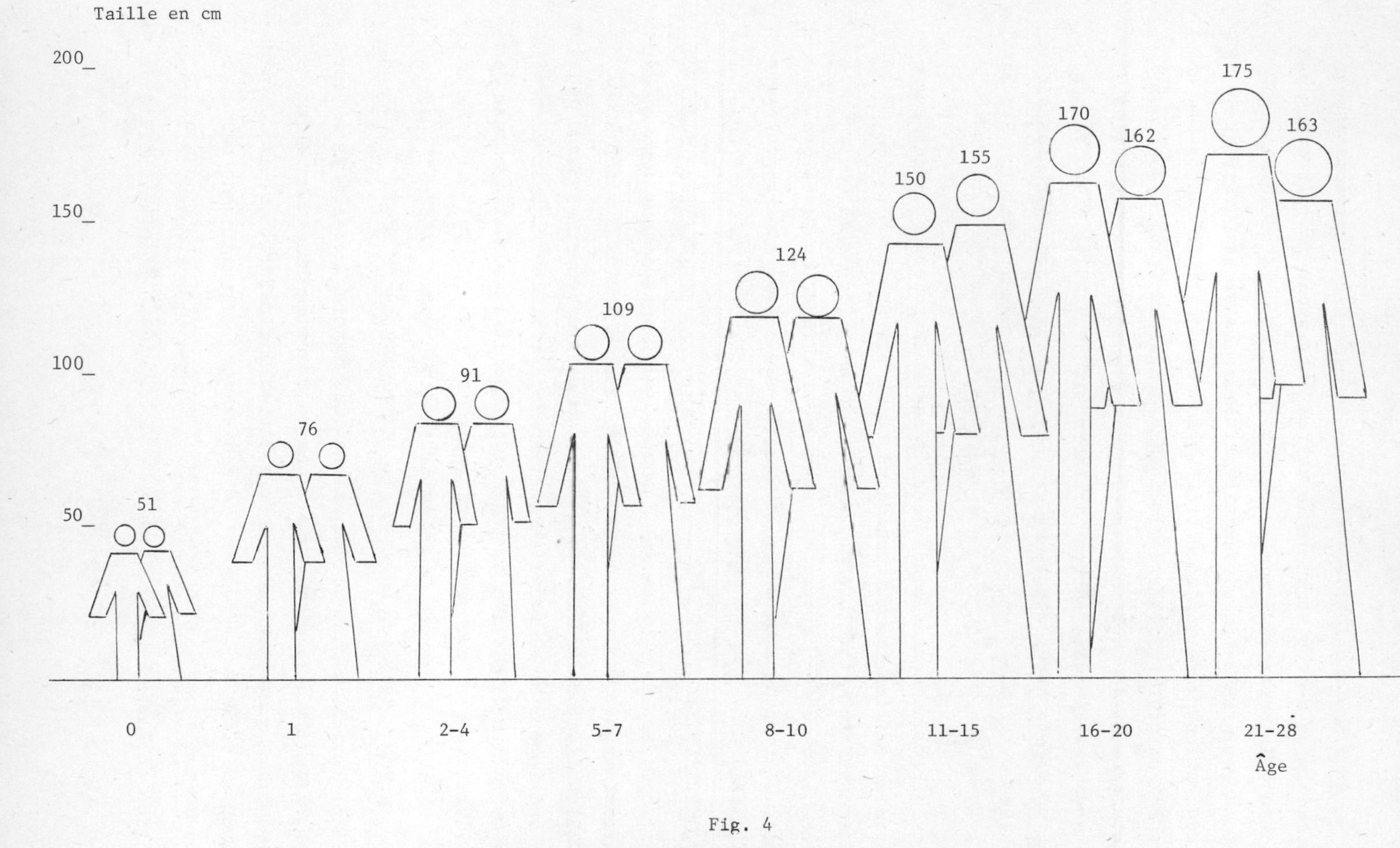

Fig. 4

Comparaison de la taille des garçons et des filles
au cours de la croissance

ses parents des modèles de croissance possibles. Toutefois, la réalisation d'un de ces modèles dépend des influences du milieu. Dans des conditions normales (de nutrition, d'affection, de soins), ce sont essentiellement les données génétiques qui font la différence entre les individus. Par contre, lors de famines, la taille élevée d'un enfant peut refléter son origine sociale aussi bien que son héritage génétique. L'importance des facteurs génétiques sur la croissance a été étudiée par Vandenberg et Falkner (1965) chez des jumeaux dizygotes et monozygotes. Les résultats ont fait apparaître que les corrélations entre les tailles des jumeaux sont plus élevées dans le deuxième cas que dans le premier.

Pour un grand nombre de raisons (malnutrition, maladie, problèmes affectifs, troubles homonaux, etc.) la croissance d'un enfant peut ralentir. Si les conditions redeviennent normales, on assiste à un phénomène de "rattrapage" avec une accélération de la croissance, l'enfant comblant rapidement le retard qu'il avait pris par rapport aux autres, à condition toutefois que ce retard ne soit pas trop important (Graham, 1966).

La taille résulte de la somme des dimensions des jambes, du tronc et de la tête. La courbe de croissance générale résulte de l'interaction de la croissance de chacune de ces parties qui n'évoluent pas de la même façon (Fig. 5 et Fig. 6). Ces figures font apparaître que la proportion du tronc par rapport à la taille totale est relativement constante entre les premières semaines de la vie intra-utérine et l'âge adulte, et qu'elle se situe entre 32 et 38%, alors que les jambes passent de 2 à 48%, aux dépens de la tête.

Au niveau des membres, toutes les parties constitutives des bras ou des jambes ne présentent pas toujours le même pourcentage partiel de la longueur du membre à l'état adulte. C'est ce que Tanner (1964) qualifie de "gradients de croissance". La main est toujours plus proche de sa taille adulte que l'avant-bras, et ce dernier en est plus proche que le bras (phénomène identique pour pied-jambe-

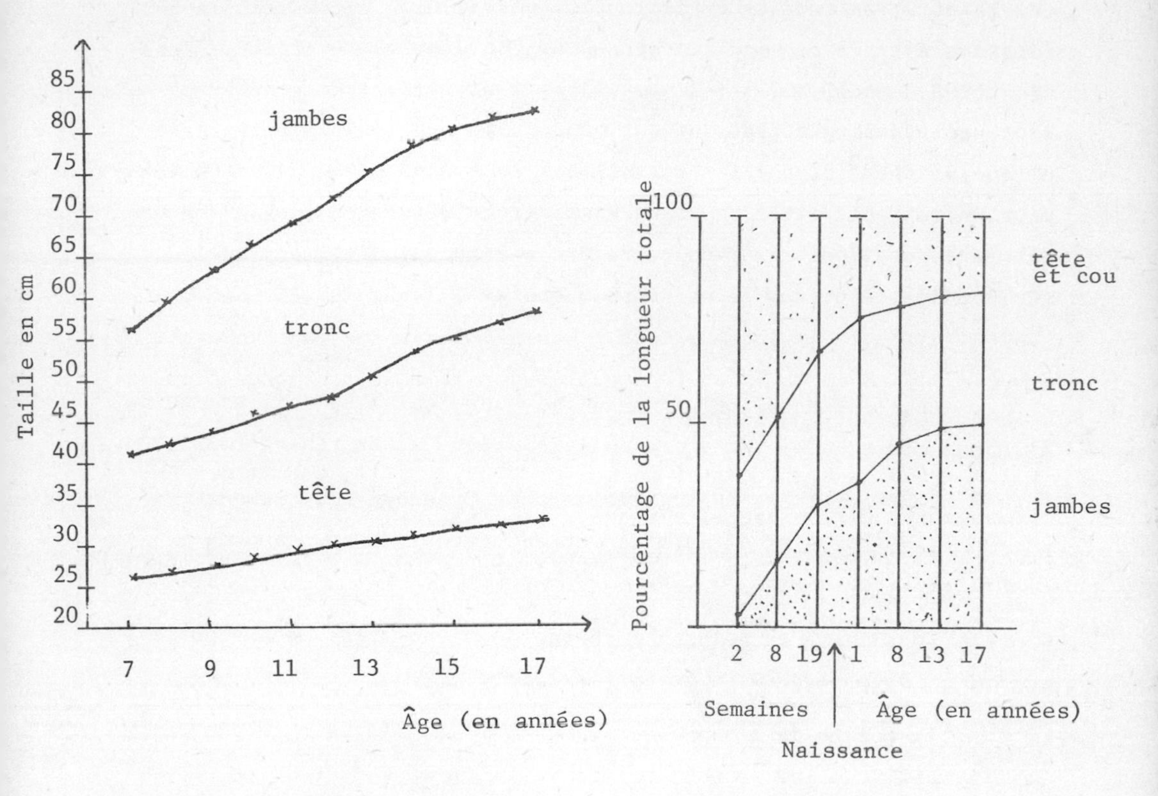

Fig. 5

Longueurs comparées de la tête et du cou, du tronc et des jambes, à différents âges. La taille résulte de la somme des 3 composantes.

Fig. 6

Longueur, en pourcentage, de la taille totale de la tête, du tronc et des jambes, à différentes époques de la vie.

cuisse). La maturation anatomique est ainsi plus avancée à l'extrémité du membre qu'au niveau de sa racine.

Contrairement à une idée assez répandue, "grand et bête" ne vont pas forcément de pair..., du moins pendant la période de croissance ! Plusieurs études réalisées sur de larges échantillonnages d'enfants et mettant en relation, pour un même âge chronologique, taille et QI ont mis en évidence l'existence d'un coefficient de corrélation positif et significatif entre ces deux variables ($r = 0,25$) (Scottish Council, 1953 ; Bayley, 1956 ; Binning, 1958). Cette relation, qui disparaît pratiquement complètement à l'âge adulte, s'explique par le fait que les enfants qui sont plus grands que les autres, pour un même âge chronologique, sont plus avancés sur le plan de la maturation. Il en résulte une légère avance dans tous les domaines (0,75 point de QI pour 1 cm supplémentaire).

1.3 *Croissance pondérale*

Le poids d'un adulte est en moyenne égal à 20 fois son poids à la naissance, avec toutefois des exceptions assez caractéristiques.

Les variations individuelles sont beaucoup plus prononcées que pour la taille et elles s'accentuent avec l'âge au lieu de se stabiliser.

Le poids à la naissance dépend dans une large mesure du milieu social et plus tard du régime alimentaire.

La courbe de l'augmentation pondérale suit le type général de la figure 3 avec une poussée caractéristique au moment de la puberté (10-14 ans pour les filles ; 12-15 ans pour les garçons). Chez les filles, l'augmentation de poids résulte de l'épaississement des couches adipeuses sous-cutanées alors que pour les garçons elle provient d'une combinaison musculo-osseuse. Il existe des formules pour déterminer le poids "idéal" à tout âge (Massler et Suher, 1945). Ces formules tiennent compte de la taille et de la circonférence du mollet, exprimées en centimètres, et donnent le poids avec une précision extrême. Pour les garçons la formule est :

$$\frac{(\text{circ.-mollet})^2}{3,247} \times \text{taille} = \text{poids (en g).}$$

La seule variation pour les filles provient du dénominateur égal à 3,334 (entre $5\frac{1}{2}$ et $17\frac{1}{2}$ ans).

De la même façon il est possible de prévoir, dans les limites assez larges le poids adulte en fonction du poids à un âge très jeune ;

pour les garçons, le poids adulte est égal à : poids à 2 ans x 5, et pour les filles à : poids à 1½ an x 5.

L'obésité enfantine tend à devenir de plus en plus commune, en particulier chez les enfants qui ont été nourris au biberon plutôt qu'au sein, ou auxquels on a donné trop tôt de la nourriture solide. En plus de la taille et du poids, il est donc nécessaire de mesurer l'épaisseur du tissu adipeux sous-cutané (Tanner, 1973). Cette mesure s'effectue au niveau du triceps, au milieu du bras, lorsque celui-ci est pendant.

En fonction de l'allure corporelle, résultant de l'interaction taille-poids, Sheldon (1940) a classé les individus selon trois types : endomorphes (personnes grosses), mésomorphes (personnes athlétiques) et ectomorphes (personnes longilignes). Ces caractéristiques sont censées exercer une influence sur la personnalité d'un individu.

2 - LES DIFFÉRENTS ÂGES

Le critère le plus communément employé pour déterminer l'âge d'un sujet est sa date de naissance qui nous donne son âge chronologique. Mais en fonction des variations interindividuelles que nous avons constatées dans l'évolution de la croissancem il serait plus utile de posséder des normes de développement ou d'âge physiologique qui pourraient être appliquées tout au long de la période de croissance. Un grand nombre de mesures possibles ont été trouvées et essayées, qui tenaient compte soit du nombre de dents ayant fait leur éruption, soit du degré d'ossification des os, soit de la quantité d'eau dans les cellules osseuses, etc. Il est à remarquer tout de suite que les différents âges obtenus à partir de ces échelles ne concordent pas de façon absolue. L'*âge osseux*, ou la maturation squelettique, constitue l'âge le plus communément retenu ; cette mesure repose sur le fait que les os (en particulier ceux du poignet et de la main) passent par les mêmes étapes de développement chez tous les enfants, indépendamment de leur taille. Il s'agit uniquement de prendre des radiographies des os du poignet de la main gauche et de les comparer à des standards établis pour chaque âge. Ces radiographies mettent en évidence le degré d'ossification des os. L'âge osseux permet de déterminer de façon assez précise l'âge d'apparition des premières règles chez les filles (r = 0,85).

L'*âge dentaire* peut être essentiellement utilisé entre 0 et 2 ans, puis entre 6 et 13 ans, au moment des deux éruptions dentaires et en fonction de l'état de calcification des dents. Contrairement aux os, les dents ne poussent pas dans le même ordre chez tous les sujets, et certaines peuvent fort bien ne jamais apparaître. La chronologie de l'éruption des dents de lait ne varie pas d'un sexe à l'autre, mais leur chute et leur remplacement par les dents permanentes est plus précoce chez les filles que chez les garçons.

L'*âge chronologique* est le plus facile de tous à connaître. Il ne permet pas malheureusement de connaître de façon précise le niveau de maturation physiologique atteint par un enfant. Ceci gêne l'action éducative, car de façon générale l'enfant réagit beaucoup plus en fonction de son développement physiologique que de son âge chronologique.

3 - LES LOIS DE LA CROISSANCE

Des éléments qui précèdent peuvent se déduire certaines constantes de la croissance. Ferré (1962) distingue trois lois fondamentales dans le rythme de la croissance.

3.1. *La loi de progression et d'amortissement*

"L'accroissement relatif des dimensions corporelles générales de l'être est d'autant plus grand que cet être est plus jeune ; l'oeuf fécondé passe de 2 microns à 10 millimètres en 2 semaines ; l'élan de croissance semble s'amortir ensuite sauf eu moment de la poussée pubertaire." (Ferré, 1962, p. 147.)

3.2 *La loi de dissociation*

Toutes les parties du corps ne croissent pas ensemble ni dans les mêmes proportions. Les jambes, par exemple, doublent leur longueur entre la naissance et deux ans, et au moment de la puberté l'augmentation de la taille est due à leur allongement, puis à celle du tronc.

3.3 *La loi d'alternance*

Dans le temps, il existe des périodes de croissance plus lentes, et d'autres, plus rapides. De la naissance à 2 ans, puis de 10 à 15 ans, la croissance est plus rapide que pendant la période intermédiaire ou après la puberté. La croissance serait ainsi rythmique et non régulière.

4 - FACTEURS AFFECTANT LA CROISSANCE

4.1 *Facteurs internes*

4.1.1 Les gènes

Les facteurs génétiques exercent une grande influence sur la croissance, mais on ignore encore les mécanismes par lesquels ils agissent. Les raisons pour lesquelles deux enfants vivant dans un milieu semblable ont des courbes de croissance différentes sont encore à peu près inconnues. Il existe une assez forte corrélation entre la taille des parents et celle de leurs enfants ($r \simeq 0,50$), au fur et à mesure que ceux-ci se rapprochent de l'âge adulte. Les corrélations sont plus élevées pour parent-enfants du même sexe que pour parent-enfants du sexe opposé.

Des aberrations chromosomiques peuvent se produire, le mongolisme en caractérisant une.

4.1.2 Le sexe

Jusqu'à 10 ans, il existe peu de différences entre les deux sexes, en ce qui concerne la croissance. Après cet âge, la poussée pubertaire intervenant plus rapidement chez les filles que chez les garçons, les premières seront toujours plus proches de leur état adulte que les garçons.

4.1.3 Les hormones

Certaines hormones sont indispensables pour assurer à l'enfant une croissance normale : l'*hormone de croissance hypophysaire ou pituitaire*, la cortisone (glandes surrénales), l'hormone thyroïdienne (thyroxine), l'insuline (pancréas), les hormones gonadotropes (sécrétées par l'hypophyse) et les hormones sexuelles. L'hypophyse (Fig. 7), située à peu près au centre géométrique de la tête, stimule la sécrétion des autres glandes, mais elle se trouve elle-même sous la dépendance de l'hypothalamus. Un dérèglement de ce dernier, dont on ignore le fonctionnement exact, peut provoquer l'apparition de la puberté à 4-5 ans avec possibilité de reproduction. Normalement, l'inhibition de la partie antérieure de l'hypothalamus sur le mécanisme hormonal diminue progressivement avec la maturation de cette partie qui dépend beaucoup plus de l'évolution que de l'âge chronologique du sujet. L'absence d'hormone de croissance cause une forme particulière de nanisme : le *nanisme hypophysaire* ou adulte en miniature. L'enfant est normal à la naissance mais ne grandit pas ensuite. Il est possible, sur des cadavres, de prélever l'hypophyse et d'en extraire une substance qui, injectée régulièrement pendant des années à un enfant souffrant de déficit hypophysaire, va lui permettre d'atteindre une taille adulte normale. L'enfant retrouve ainsi sa courbe de croissance régulière et rattrape le retard accumulé au cours de ses premières années de vie. Tanner (1973) pense que le dysfonctionnement résulte beaucoup plus de troubles de l'hypothalamus que de l'hypophyse elle-même. L'injection d'extraits hypophysaires à un enfant normal ne va pas causer le gigantisme. Il semblerait que l'hormone de croissance n'agirait pas directement sur le cartilage de croissance mais activerait la sécrétion de somatomedine par le foie. On ne sait pas encore si l'injection de somatomedine à un enfant petit lui permettrait de grandir. Le contrôle définitif de la taille d'un enfant repose probablement sur le nombre de ses cellules cartilagineuses et sur leur sensibilité aux différentes hormones.

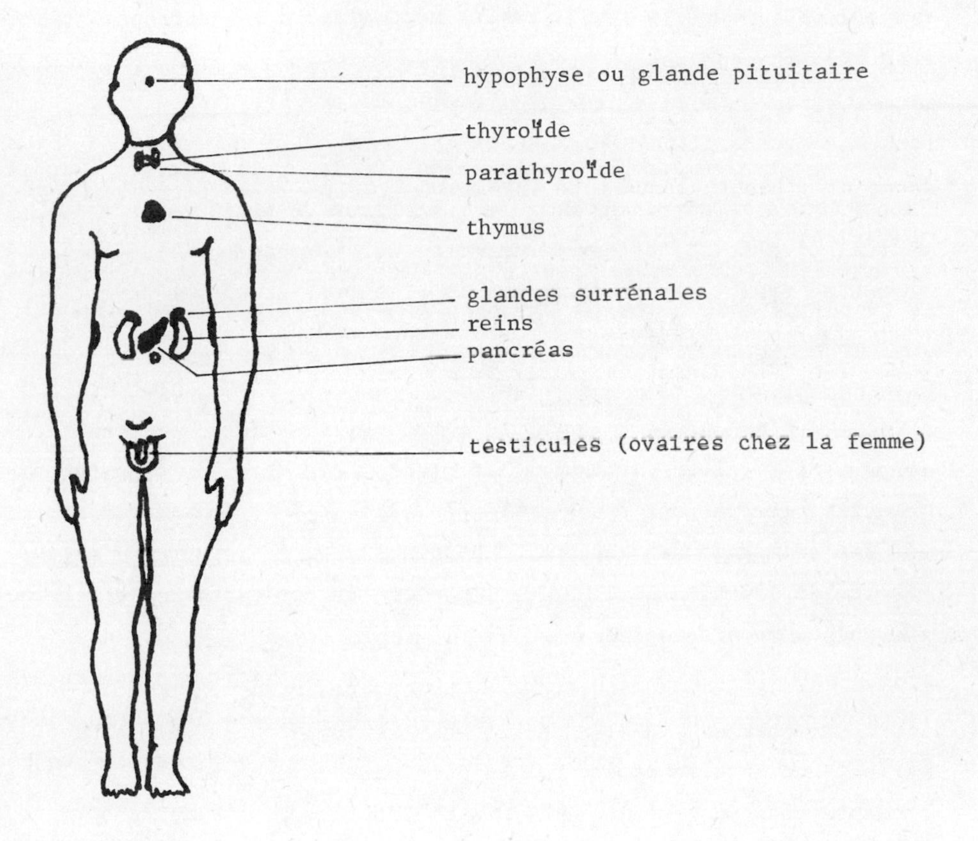

Fig. 7

Les glandes endocrines : localisation

Il existe d'autres formes et d'autres causes de nanisme, dont l'achondroplasie, d'origine génétique, qui se manifeste par une tête et un tronc normaux mais des membres très courts. Des perturbations thyroïdiennes peuvent également causer le nanisme de type crétin avec des anomalies dans la taille et les proportions.

L'hyperfonctionnement hypophysaire peut causer le gigantisme, plus rare toutefois que le nanisme.

Le traitement des perturbations de la croissance par l'injection d'extraits hormonaux doit se faire sous de sérieux contrôles médicaux, à cause des effets secondaires des hormones utilisées (la thyroxine stimule la croissance mais elle peut accélérer davantage la maturation squelettique que la croissance osseuse, maintenant le nanisme que l'on voulait combattre).

A l'époque de la puberté, l'hypophyse sécrète des hormones gonadotropes qui vont stimuler les glandes productrices d'hormones sexuelles, entraînant la maturité génitale de l'organisme et la poussée de croissance des garçons. Chez la fille, la poussée de croissance résulte de l'action combinée de l'hormone de croissance et des hormones androgènes et oestrogènes.

4.1.4 Les désordres psychologiques

Gardner (1972) a décrit sous le nom de "nanisme par déprivation" une absence de croissance d'origine psychosociale. Ce cas se présente chez des enfants atteints de troubles psychologiques et le fait de les changer de milieu, en diminuant le stress, stimule leur croissance. Tanner (1970) rapporte les résultats d'une observation faite dans un orphelinat, en Allemagne. Pendant six mois, deux groupes (A et B) d'enfants placés dans cet orphelinat reçoivent la même nourriture. Puis ceux du groupe A reçoivent un menu amélioré. On s'attend normalement à ce que l'augmentation de la taille des enfants de A soit supérieure à celle de B. Or il n'en est rien. Pourquoi ? Au cours de la première période, les enfants de A augmentent de poids avec un régime identique à B, et pendant la deuxième période les enfants de A avec un régime amélioré grossissent moins vite que ceux de B. On se rend compte alors qu'une gardienne très sévère avait été transférée de B en A au moment du changement de régime. Les blâmes injustifiés qu'elle infligeait aux enfants au moment du repas rendaient ceux-ci malheureux et tendus, ce qui entraînait des conséquences sur leur croissance. Par contre, les favoris de la gardienne en la suivant de B en A vaient augmenté de poids dans les deux orphelinats.

4.1.5 Les maladies

Au cours d'une maladie, le processus de croissance se trouve ralenti, voire arrêté ; cependant on assiste au phénomène de "rattrapage" aussitôt après la guérison, si la période de maladie n'a pas été trop prolongée et ne se situe pas pendant la première année.

4.2 *Facteurs externes*

4.2.1 la nutrition

Parmi les facteurs mésologiques, la nutrition est celui qui exerce les plus grandes influences. Il permet ou non au modèle génétique de s'accomplir. Pendant les guerres, on constate une diminution de la taille de la population jeune à cause des différents rationnements, les garçons étant plus sensibles aux restrictions que les filles.

La diète doit au moins comprendre :

- des vitamines (A, B, C, D, K) ;
- des minéraux et éléments inorganiques (calcium, chlore, cuivre, fer, iode, magnésium, manganèse, phosphore, potassium, sodium, soufre) ;
- des protéines (se divisent en 23 acides aminés) ;
- des glucides (sucres) ;
- des acides gras non saturés.

Les protéines sont absolument indispensables. Quelques milligrammes de protéines par jour pendant la croissance peuvent influencer sa courbe normale. Le tableau I nous donne une synthèse des éléments de base indispensables, des aliments dans lesquels on les trouvent, de

TABLEAU I

Constituants de base d'un régime alimentaire de croissance normal

Élément	Localisation essentielle	Action	Besoins par jour 2 ans	5 ans	10 ans
Vit. A	lait, viande, foie, légumes à feuilles	vision et santé des tissus; croissance	2000 U.I.	3000 U.I.	4000 U.I.
Vit. B	levure de bière, farines complètes, pois, viande de porc, oeufs, lait	B_1: transmission de l'influx nerveux B_2: utilisation nutritive (absence → arrêt de croissance)			
Vit. C	fruits acides (citron...)	métabolisme des acides aminés	30 mg	50 mg	70 mg
Vit. D	foie de poisson (de morue, de thon en particulier), jaune d'oeuf	métabolisme du calcium et du phosphore. Nécessite la présence de soleil pour agir. Antirachitique.	400 U.I.	600 U.I.	800 U.I.
Vit. K	légumes à feuilles; riz, graines de soya	coagulation sanguine	non précisés		
Protéines	lait, viandes, foie, céréales	composantes de base de la peau, des muscles, des vaisseaux sanguins. Favorisent l'action des enzymes, de l'hémoglobine et de certaines hormones.	4 g/kg	3 g/kg	2 g/kg
			de poids		
Minéraux	eau; éléments mentionnés plus haut.	interviennent partout	150	100	75
			(cm^3/kg de poids)		
Glucides	féculents, sucres fruits	aliments énergétiques			

leur action et des besoins de l'enfant à différents âges.

De très simples observations ont mis en évidence l'action bénéfique d'une diète équilibrée, sur la croissance. Les enfants japonais nés en Californie grandissent plus vite et deviennent plus grands que ceux élevés au Japon.

La malnutrition ou la dénutrition de la mère au cours de sa grossesse peuvent avoir des répercussions sur la taille du nouveau-né et même sur sa croissance ensuite, surtout si les déficits en protéines et en calcium sont élevés.

4.2.2. Les maladies de la mère

Les maladies contractées par la mère au cours de la grossesse ont également des répercussions sur le développement de l'enfant. Rubéole, syphilis, grippe sont la cause de malformations congénitales d'autant plus graves que la mère est atteinte plus tôt dans la grossesse lorsque l'embryon a encore très peu de cellules.

4.2.3 Les radiations

Après l'explosion atomique d'Hiroshima on a constaté la naissance d'un grand nombre d'enfants présentant des lésions crâniennes et cérébrales. C'est pourquoi on évite le plus possible de faire passer des radiographies aux femmes enceintes.

4.2.4 Les drogues

Les recherches systématiques sur les effets des drogues sur la natalité sont encore peu nombreuses. Les effets de certains sédatifs, dont la thalidomide, ont été désastreux. Des femmes ayant absorbé ce médicament pendant leur grossesse ont donné naissance à des enfants infirmes (plus particulièrement, atteints de phocomélie [phoque + membre], dont les membres sont réduits à l'état de moignons, ressemblant à des nageoires).

4.2.5 La race et le climat

Les facteurs raciaux interviennent surtout au niveau du développement moteur, et il est relativement difficile d'effectuer des études objectives sur ce sujet, des facteurs alimentaires se greffant souvent aux facteurs raciaux. Il existe très certainement des différences de taille entre les races qui sont sous la dépendance de facteurs génétiques.

Les influences climatiques ont été envisagées pour l'âge d'apparition des règles qui varie très peu entre des filles du Nigéria (14,3 ans) et des filles esquimaudes (14,4). D'autres facteurs, que nous verrons plus loin, influent sur cette variable.

4.2.6 Les saisons

Des mesures effectuées sur un grand nombre d'enfants ont fait ressortir qu'il se produit une croissance staturale au printemps et une croissance pondérale à l'automne. L'accroissement de la taille serait deux fois plus rapide en mars-mai qu'en septembre-octobre et celui du poids 4 à 5 fois plus rapide en septembre-octobre qu'en mars-mai.

4.2.7 Les classes sociales

Ce facteur marque souvent de façon indélébile le développement des enfants. Les différentes études entreprises dans plusieurs pays concordent : les enfants des classes supérieures sont toujours plus grands et plus gros, en moyenne, que ceux des classes inférieures. Ce ne sont pas les classes en tant que telles qui creusent les différences, mais plus certainement les facteurs secondaires qui en dépendent tels que la nutrition, la vie familiale (régularité des repas et du sommeil, exercice physique, quiétude du foyer...). La façon de vivre est plus importante que l'origine sociale.

Le nombre d'enfants par foyer, indépendamment des classes sociales, affecte la croissance des enfants : plus il y a d'enfants, plus les moyennes baissent (Scottish Council, 1953. Cf. figure 8).

4.2.8 Evolution de l'espèce

En moyenne, nous sommes plus grands et plus gros que les personnes qui vivaient il y a une centaine d'années, mais c'est surtout au niveau de la vitesse de la croissance que les différences sont frap-

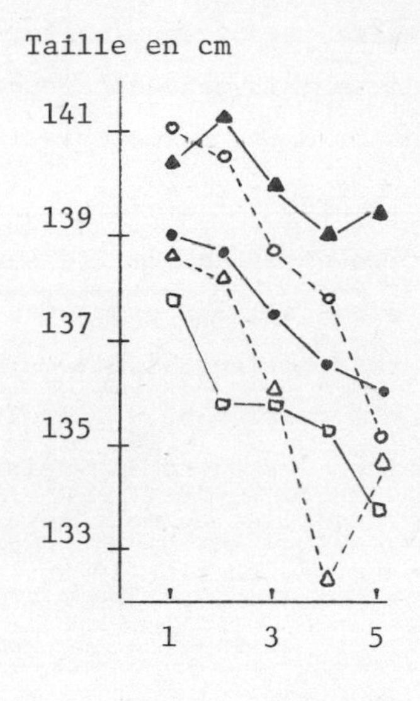

Fig. 8

Influence de la classe sociale et du nombre d'enfants sur la taille d'enfants écossais de 11 ans.

▲ : professions libérales
○ : professions non manuelles
● : agriculteurs
△ : ouvriers
□ : manoeuvres

(Scottish Council, 1953)

pantes. Au début du siècle la croissance staturale s'achevait vers 26 ans, alors que maintenant à partir de 19 ans la taille augmente très peu. En Angleterre l'accroissement est en moyenne de 1,25 cm et de 500 g par décade pour les enfants de 5 à 7 ans, il peut atteindre 2,5 cm et 2 kg par décade à la puberté, pour décroître à 1 cm par décade chez l'adulte. Cette évolution varie avec les pays et pour certains, le Japon en particulier, elle est presque nulle. Les causes de cette évolution sont peu connues mais peuvent correspondre à une meilleure nutrition, à l'amélioration des caractéristiques génétiques, à l'élévation de la température terrestre (?).

Les manifestations de modifications dans la croissance apparaissent également au niveau de la puberté ; les premières menstruations apparaissent de plus en plus tôt chez les filles : vers 13 ans en moyenne (12,5 à 13,5), au lieu de 17 vers 1830. L'amélioration des conditions de vie pourrait expliquer ce phénomène mais ne nous renseigne pas sur les raisons pour lesquelles au moyen-âge, l'âge d'apparition des règles se situait aux environs de 14 ans. Le milieu social influence également le processus.

5 - INFLUENCE DE LA CROISSANCE SUR LES APPRENTISSAGE SCOLAIRES

Bien qu'il existe des constantes générales dans la croissance des enfants, nous avons vu que des différences individuelles profondes peuvent apparaître. Il en résulte ainsi que *même si tous les enfants entrant en 1re année possèdent sensiblement le même âge chronologique, ils n'en ont pas pour autant le même âge physiologique*. Certains sont plus avancés que d'autres, l'avance pouvant se creuser avec l'âge et favoriser toujours les mêmes. Les différences apparaissant entre les enfants peuvent fort bien ne résulter que de ce processus de croissance.

Un enfant jouant avec d'autres enfants de son âge, mais physiologiquement en avance sur eux, aura tendance à jouer le rôle de leader. Cependant, c'est surtout au moment de la période pubertaire que des intérêts divergents peuvent se produire entre un enfant post-pubère et un pré-pubère. Les rassembler dans la même classe peut constituer une erreur. Il faudrait tenir compte davantage de l'âge physiologique que de l'âge chronologique, ce qui aurait tendance à homogénéiser les classes (en particulier pour les activités sportives).

Certains enfants plus petits que ceux de leur âge sont la risée de leurs compagnons. Il faut essayer de réduire au maximum ces comportements et rassurer l'enfant sur sa croissance.

Nous aborderons, au chapitre sur la maturation, certaines conséquences d'un enseignement dispensé trop tôt, alors que l'enfant n'est pas encore prêt à affronter des apprentissages difficiles. Aucun test physiologique ou autre, malheureusement, ne nous permet de déterminer avec exactitude le moment où l'enfant est prêt. (Dans certaines tribus l'enfant n'entre à l'école que lorsqu'il peut, avec la main droite, toucher l'oreille gauche en passant son bras par-dessus la tête !)

Les maladies ou des périodes de croissance peuvent gêner les apprentissages scolaires et nous faire considérer comme paresseux un enfant ayant des problèmes de croissance. Tout se passe comme si l'enfant possédait une quantité d'énergie fixe utilisable pour la croissance et les autres activités. Si trop d'énergie est dépensée pendant une phase de croissance, il n'en reste pas suffisamment pour les apprentissages, d'où l'apparition de troubles.

Notre rôle serait également d'informer les parents de la nécessité de donner à leurs enfants un régime alimentaire équilibré, d'éviter l'usage excessif des "machines distributrices", et de leur signaler les conséquences de certains abus au cours de la grossesse.

6 - CONCLUSION

La croissance désigne des modifications mesurables de la morphologie corporelle et une période allant de la naissance à la fin de l'adolescence.

Elle présente des caractères communs à tous les individus, mais chacun possède un rythme de croissance qui le différencie de tous les autres.

Les facteurs génétiques et mésologiques sont ceux qui exercent la plus grande influence sur les processus de croissance, mais on ignore encore de façon précise les mécanismes sous-tendant la croissance et la maturation.

Les augmentations staturales et pondérales ne sont que des manifestations externes de l'action d'autres facteurs, tels que les hormones, les gènes, le milieu...

L'âge physiologique devrait être retenu comme âge fondamental de l'entrée à l'école, ce qui permettrait d'éviter l'hétérogénéité actuelle résultant d'une classification s'appuyant sur l'âge chronologique. Les difficultés de détermination de l'âge physiologique ne devraient pas constituer un obstacle à son utilisation.

BIBLIOGRAPHIE

BAYLEY, N., "Individual Patterns of Development", *Child Development*, 1956, 27, 47-54.

BAYLEY, N. et S. R. PINNEAU, "Tables for Predicting Adult Height from Skeletal Age : Revised for Use with the Greulich-Pyle Hand Standards", *J. Pediatrics*, 1952, vol. 46, n° 4, p. 423-441.

BINNING, G., "Earlier Physical and Mental Maturity among Saskatoon Public School Children", *Canad. J. Publ. Hlth.*, 1958, 49, 9-17.

FERRÉ, A., *Cours de psychologie enfantine et juvénile*, Paris, S.U.D.E.L., 1962.

GARDNER, L. I., "Deprivation Dwarfism", *Scientific American*, 1972.

GRAHAM, G. G. *et al.*, "Programs for Combatting Malnutrition in the Pre-school in Peru", dans *Pre-school Child Malnutrition : Primary Deterrant in Human Progress*, Nat. Acad. Sci. Washington, D.C., 1966.

HURLOCK, E. B., *Child Development*, New York, MacGraw-Hill Book Co., 1956.

KROGMAN, W. M., *Child Growth*, Ann Arbor, The University of Michigan Press, 1973.

MASSLER, M. et T. SUHER, "Calculations of Normal Weight", *Child Development*, 1945, vol. 16, p. 111-116.

MUSSEN, P. H., *Carmichael's Manual of Child Psychology*, 3e éd., Paul H. Mussen, édit., New York, John Wiley, 1970, t. I.

Scottish Council for Research in Education. Social Implications of the 1947 Scottish Mental Survey, London, University Press, 1953.

SHELDON, W. H. et S. S. STEVENS, *Varieties of Human Physique*, New York, Harper, 1940.

TANNER, J. M., *Éducation et croissance*, Neuchâtel, Delachaux et Niestlé, 1964.

"Growing Up", *Scientific American*, 1973, vol. 229, n° 3, p. 35-43.

TANNER, J. M., R. H. WHITEHOUSE et M. J. R. HEALY, *Standards for Skeletal Maturity based on a Study of 3 000 British Children*, II : "The Scoring System for all 28 Bones of the Hand Wrist", London Univ., Inst. Child. Health, 1961.

VANDENBERG, S. G. et F. FALKNER, "Hereditary Factors in Human Growth", *Hum. Biol.*, 1965, vol. 37, p. 357-365.

QUESTIONS

1) Les poussées de croissance ont-elles une répercussion sur les résultats scolaires d'un enfant ? Comment ?

2) Comment combattre la malnutrition dont sont victimes beaucoup d'enfants du milieu scolaire ?

3) Comment expliquez-vous le fait qu'à un certain âge les enfants grands peuvent obtenir parfois de meilleurs résultats scolaires que leurs compagnons qui sont plus petits ?

4) Pourquoi faudrait-il tenir davantage compte de l'âge physiologique que de l'âge chronologique comme critère d'entrée à l'école ?

Chapitre 2

LE DÉVELOPPEMENT MOTEUR DE L'ENFANT DU STADE PRÉNATAL À L'ADOLESCENCE

Robert Rigal

PLAN

1. MOYENS D'ÉTUDE DU DÉVELOPPEMENT MOTEUR

2. LE DÉVELOPPEMENT MOTEUR CHEZ LE FOETUS
   - 2.1 *Généralités*
   - 2.2 *Evolution de la motilité du foetus*

3. ORGANISATION PROGRESSIVE DU DÉVELOPPEMENT MOTEUR

4. LA MYÉLINISATION OU MYÉLOGÉNÈSE DES FIBRES NERVEUSES

5. CONCLUSIONS SUR LE DEVELOPPEMENT DU FOETUS HUMAIN

6. LES MOUVEMENTS CARACTÉRISTIQUES DU NOUVEAU-NÉ
   - 6.1 *Réflexe de Moro*
   - 6.2 *Réflexe d'agrippement*
   - 6.3 *Réflexe de redressement et marche automatique*
   - 6.4 *Réflexe de Magnus ou réflexe tonique du cou*
   - 6.5 *Réflexe cutané-plantaire*

7. ÉVOLUTION DU TONUS MUSCULAIRE DE LA NAISSANCE À 12 ANS

8. DÉVELOPPEMENT DE LA PRÉHENSION

9. LA MARCHE

10. AUTRES ACTIVITÉS CARACTÉRISTIQUES DU DÉVELOPPEMENT MOTEUR
    - 10.1 *Courir*
    - 10.2 *Grimper*

Les possibilités motrices de l'enfant varient énormément avec son âge et deviennent de plus en plus complexes au fur et à mesure qu'il grandit. Le chemin parcouru entre la période prénatale et l'adolescence reflète, en plus des phénomènes de croissance, une complexification progressive des structures neuro-musculaires rendant possibles tous les mouvements spécifiques à l'espèce.

Deux attitudes peuvent être envisagées lorsqu'on désire décrire le développement moteur de l'être humain. L'accent peut être mis sur la description des mouvements à un moment précis du développement, ou sur la façon dont ces mouvements se modifient avec le temps, et sur les processus sous-tendant ces changements.

Au cours de cette étude, nous serons amenés à envisager surtout la deuxième approche lorsque nous désirerons présenter la façon dont une activité, comme la marche ou le lancer, évolue, ou approfondir les grandes lois régissant le développement moteur.

Contrairement à la croissance qui se manifeste par des modifications quantitatives des différentes parties du corps, le développement organique accentue le fait que, lorsque des structures croissent ou évoluent, de nouvelles totalités apparaissent ; ces totalités ne sont pas la simple addition de tout ce qui a été observé auparavant, mais la création de nouvelles entités fonctionnelles ayant leurs propriétés caractéristiques. Une erreur commune à relever ici est celle de "potentialité" qui consiste à croire que la propriété caractéristique de la combinaison de deux ou plusieurs éléments se trouvait déjà incluse à l'intérieur d'un ou de plusieurs des éléments antérieurs la composant (la préhension volontaire d'un objet vu est différente de la simple association vue-main : elle suppose la compréhension que la main est un organe permettant d'attraper les objets à distance).

1 - MOYENS D'ÉTUDE DU DÉVELOPPEMENT MOTEUR

Le développement des embryons d'oiseaux, en particulier de poulets, a fait l'objet de très nombreuses études, et ce, depuis des temps fort anciens (Grèce). Des études systématiques ont été réalisées par Kuo (1932). L'observation d'un embryon de poulet nécessite l'ouverture de la coquille, ouverture qui se traduit par la mort rapide de l'embryon. Kuo a perfectionné une technique qui évite ce phénomène : il s'agit de couper avec des ciseaux la pointe large de l'oeuf en prenant soin de conserver intacte la membrane interne. On applique immédiatement sur cette membrane une fine couche de vaseline qui demeure liquide à la température d'incubation, et qui permet de voir très clairement à l'intérieur de l'oeuf.

Les travaux de Coghill (1929) réalisés sur des salamandres ont permis de mettre en évidence les grandes lois régissant le développement moteur.

La plupart des études, chez les mammifères, ont été effectuées sur des souris, des lapins et des cochons d'Inde. Preyer (1885) s'intéressait déjà au développement de l'embryon chez le cochon d'Inde et utilisait les procédés suivants :

a) l'animal gravide, atonique, était placé sur le dos, et on observait les mouvements de sa paroi abdominale. A la fin de la période de gravidité, le foetus manifestait des périodes d'activité entrecoupées de périodes de repos.

b) une aiguille était enfoncée, à travers la paroi abdominale de la mère, dans le foetus, et les mouvements de ce dernier transmis par l'aiguille étaient enregistrés.

c) avec un stéthoscope, on écoutait les mouvements de l'embryon.

d) observation in situ des mouvements du foetus après ouverture de la paroi abdominale de la mère.

En ce qui concerne l'étude scientifique du foetus humain, différentes méthodes ont été utilisées pour ne pas déranger le cours de son développement normal. La plus simple consiste à noter directement les sensations éprouvées par la mère relativement aux mouvements du foetus. On peut également utiliser le stéthoscope, saisir les pulsations cardiaques du foetus, établir son électro-encéphalogramme. Des méthodes récentes très perfectionnées, échos ultrasoniques, permettent de déterminer le poids du foetus. Ces différents processus ne permettent pas l'analyse de l'évolution du mouvement puisqu'il n'y a pas d'observation directe. Ceci a conduit Minkowski (1928) à développer une technique d'observation spéciale dans le cas de naissances avancées pour des raisons médicales. Le foetus était enlevé par césarienne, avec le placenta et l'amnios, et plongé dans un bain de solution physiologique salée, à la température du sang. Le foetus se trouvait progressivement privé d'oxygène et ses mouvements, hyperactifs puis hypoactifs, pouvaient résulter de cette asphyxie progressive et ne pas représenter une activité normale. En outre, les foetus ayant des âges différents, on pouvait observer l'influence de cette variable sur la motilité.

2 - LE DÉVELOPPEMENT MOTEUR CHEZ LE FOETUS

2.1 *Généralités*

Il est désormais classique, dans le développement prénatal, de distinguer trois étapes :

- la période germinale, 1 à 2 semaines après la fécondation ;
- la période embryonnaire, 3e à 6e semaine ;
- la période foetale, 7e semaine à la naissance.

La fin de la grossesse se situe normalement aux environs de 280 jours, mais il est possible de faire vivre un foetus de 180 jours, alors que 334 jours semblent être la période la plus longue après laquelle le foetus a peu de chances de naître vivant. Il peut ainsi exister un écart de 154 jours !

Au cours de la vie intra-utérine, pendant les 9 mois, la taille de la cellule fécondée augmente de 5 000 à 6 000 fois (de 0,1 mm à 500 mm) et son poids de plus de 3 milliards de fois (3 000 g à la naissance).

Comment, à partir de l'union de deux cellules obtient-on aussi rapidement un être ayant, au bout de quelques mois l'apparence humaine ? Très brièvement, indiquons tout d'abord qu'il se produit une division cellulaire très active au début, associée à deux phénomènes capitaux : la différenciation cellulaire et l'organisation cellulaire. La *différenciation cellulaire* signifie qu'une cellule perd progressivement de sa polyvalence au bénéfice d'une adaptation à un but précis. Dans l'oeuf, rien ne permet de prédire laquelle de ses parties donnera les os, le cerveau, etc. Par contre, quelques jours plus tard les trois feuillets constituant l'embryon possèdent des cellules bien spécialisées (la greffe d'une vésicule optique dans le tendon de la cuisse d'un embryon de grenouille va développer un oeil complet, non fonctionnel, si elle est pratiquée au moment opportun). Les travaux de Spemann (1921) sont d'une importance capitale dans la compréhension de ce phénomène. Selon lui, à chaque étape du développement embryonnaire, les structures déjà présentes remplissent une fonction organisatrice, entraînant l'apparition des structures prévues pour l'étape suivante. L'*organisation* des différentes cellules en tissus et en organes constitue la morphogénèse, processus par lequel la migration de certaines cellules va permettre la mise en place des organes.

2.2 *Évolution de la motilité du foetus*

Rappelons qu'il est très difficile d'observer la motilité du foetus in situ et que les dates mentionnées ci-après ne sont qu'approximatives, du moins pour celles les plus éloignées de la naissance.

Avant le 40e, 45e jour il n'y a pas d'activité. Entre le 40e et le 60e jour, on a une activité de type *myogène*, ou idio-musculaire, c'est-à-dire que les muscles se contractent sans intervention du système nerveux, sous l'action de la pesanteur ou de modifications du milieu physico-chimique.

Après le 60e jour on assiste au début des jonctions *neuro-musculaires* qui vont permettre le passage de l'influx nerveux vers l'effecteur musculaire. Les cellules musculaires sont fonctionnelles avant les cellules nerveuses. En même temps qu'ils se multiplient, les neurones spinaux envoient des prolongements qui doivent, à travers les tissus, rejoindre les fibres musculaires auxquelles ils sont destinés. On ignore encore les lois dirigeant ce cheminement, mais il se peut que cette croissance soit régie par des chimiotropismes très complexes.

Foetus de moins de 9 semaines

Son coeur bat, ce battement étant d'origine musculaire. Minkowski a observé des mouvements des bras, des jambes et du tronc chez un foetus, dès l'âge de 8 semaines. Une stimulation cutanée du foetus provoque une réaction des mécanismes neuro-musculaires parvenus à un degré suffisant de développement. Ces premières réponses motrices, globales et stéréotypées, s'étendent suivant une progression céphalo-caudale. Après la 9e semaine, des réponses localisées ou spécifiques deviennent possibles et augmentent progressivement tandis que les réponses globales tendent à disparaître.

Foetus de 9 à 16 semaines

Le foetus réagit par des contractions musculaires aux chocs extérieurs. Les réponses localisées prédominent dans le territoire facila, après la 13e semaine. Des stimulations répétées peuvent provoquer des réponses différentes qui tendent à se grouper en séquences fonctionnelles : après une stimulation faciale, à la fermeture de la bouche s'associe un mouvement de déglutition avec, plus tard, des mouvements de la tête et de la langue. Selon Hooker (1944) le foetus de 16 semaines possède les mêmes possibilités que le nouveau-né, sauf la respiration, la parole et le réflexe d'agrippement. La stimulation plantaire du pied provoque l'extension dorsale du pied.

Foetus de 6 mois à 9 mois

Il faut mentionner un fait important dans l'évolution du foetus vers le 6e mois : sa viabilité. Il a acquis certaines caractéristiques neurologiques et certains automatismes moteurs du nouveau-né. Dans des conditions particulières (incubateur) le prématuré de 6 mois peut être maintenu en vie.

Les observations de Sainte-Anne-Dargassies (1955) sur les prématurés ont permis de mettre en évidence une hypotonie musculaire générale sauf au niveau des membres inférieurs, une motilité spontanée ou provoquée plus importante au niveau du tronc que des membres (maturation plus précoce au niveau des muscles du tronc que des muscles des membres), une réaction à des excitations lumineuses, auditives, tactiles et douloureuses, gustatives (grimace si on dépose de l'eau salée sur la langue, réflexe de succion si on dépose de l'eau sucrée).

Au cours des trois derniers mois de la vie intra-utérine se produisent essentiellement des modifications toniques et l'acquisition de réflexes primaires. Les mouvements, devenant plus localisés perdent leur caractère de brusquerie. Le tonus musculaire apparaît au niveau des membres supérieurs vers le 7e mois, l'extensibilité passive diminuant nettement. Au cours du 9e mois, le tonus en flexion est généralisé et les réflexes primaires se sont complétés (réflexe de redressement, d'enjambement, d'agrippement). La marche automatique est relativement nette.

En ce qui concerne l'enfant prématuré, il semblerait que son aspect neurologique ne diffère guère de celui de l'enfant né à terme, mais il peut présenter un certain retard, plus tard, au niveau des acquisitions motrices ; retard proportionnel à son degré de prématurité et inversement proportionnel à son poids à la naissance.

3 - ORGANISATION PROGRESSIVE DU DÉVELOPPEMENT MOTEUR

Les travaux de Coghill (1929) sur la salamandre et les nombreuses observations effectuées sur les foetus humains ont fait apparaître que l'organisation des mouvements se faisait selon les lois céphalo-caudales et proximo-distales, et que la motilité évoluait de réponses musculaires globales à des réponses musculaires locales et differenciées. La *loi céphalo-caudale* indique que l'organisation des réponses motrices s'effectue de la tête vers le bassin (mouvements possibles au niveau de la tête et du cou avant qu'ils ne soient possibles au niveau de l'abdomen). La *loi proximo-distale* indique que l'organisation des réponses motrices, au niveau des membres, s'effectue de la partie la plus rapprochée du corps à la partie la plus éloignée (le contrôle de l'épaule s'effectue avant celui de la main).

Au cours du chapitre précédent nous avons vu que les réactions motrices consécutives à une stimulation passaient d'une forme globale à une forme localisée. Ce processus de différenciation dépend, dans une large mesure, de la maturation du système nerveux dont la myélinisation représente un aspect.

4 - LA MYÉLINISATION OU MYÉLOGENÈSE DES FIBRES NERVEUSES

Dès le 7e mois de la vie intra-utérine, les dix milliards de fibres nerveuses qui forment la structure de l'écorce cérébrale sont présentes, mais non fonctionnelles. Pour qu'elles le deviennent, la formation d'une gaine de myéline (substance lipidique blanche) autour de l'axone de la cellule nerveuse est indispensable. Les fibres non myélinisées sont toutefois capables de conduire l'influx nerveux, mais à des vitesses moindres que dans les fibres myélinisées.

Les processus de myélinisation au niveau spinal et dans les nerfs s'effectuent selon les lois céphalo-caudales et proximo-distales, mais sont toujours plus développés dans les fibres motrices que dans les fibres sensitives. Ceci entraîne, comme conséquence, que le muscle répond d'abord à des excitations centrales avant de répondre à des excitations externes (arc réflexe).

L'étude de la myélinisation des cellules nerveuses corticales apporte des faits beaucoup plus intéressants. Débutant dès le 4e mois de la vie foetale, la myélinisation ne s'achèvera qu'au moment de l'adolescence, bien qu'étant déjà très avancée vers 4 ans. Selon Anokhin (1964), la myélinisation s'effectuerait dans le sens de la satisfaction des besoins vitaux du foetus et de l'enfant au cours des stades successifs du développement. L'ensemble des structures impliquées dans la succion, par exemple, est un des premiers systèmes fonctionnels à se développer puisqu'il fonctionne dès la naissance. Ainsi, centre nerveux, voies de conduction afférentes et efférentes, appareil récepteur ou effecteur, spécifiques d'une fonction se développeraient ensemble (Fig. 1).

À la naissance, la myélinisation est très avancée dans les parties sous-corticales (mésencéphale, régions bulbo-spinales), et elle s'étend ensuite aux zones corticales.

Au cours des deux premiers mois, elle gagne la masse des neurones des hémisphères cérébraux en commençant par les champs primordiaux (aires primaires) pour gagner ensuite les centres intermédiaires (zones d'associations). Les voies optiques, le faisceau spinal et les voies cortico-spinales, ainsi que les voies sensorielles ascendantes continuent leur myélinisation, alors qu'elle s'ébauche dans les hémisphères cérébelleux. L'influence de l'écorce cérébrale commence à s'exercer en tant que différenciation, inhibition et conditionnement des réflexes sous-corticaux et spinaux, à la suite de la myélinisation de la voie pyramidale ou cortico-spinale et des analyseurs perceptifs corticaux (Fig. 2).

La région du cortex la plus avancée sur le plan de la myélinisation est l'aire motrice primaire (lobe frontal) ; viennent ensuite, dans l'ordre décroissant, l'aire sensitive somesthésique (lobe pariétal), l'aire visuelle primaire (lobe occipital) et l'aire auditive primaire (lobe temporal). Dans l'aire motrice, les cellules nerveuses contrôlant les mouvements des bras et de la partie supérieure du tronc se développent avant celles qui contrôlent les mouvements de la jambe. Des faits similaires se produisent au niveau des aires sensitives. Ceci traduit par le fait que l'enfant contrôle les mouvements des bras avant ceux des jambes.

Ainsi, vers 3 mois, les aires primaires sont relativement arrivées à maturité, suggérant que la vision et l'audition simples

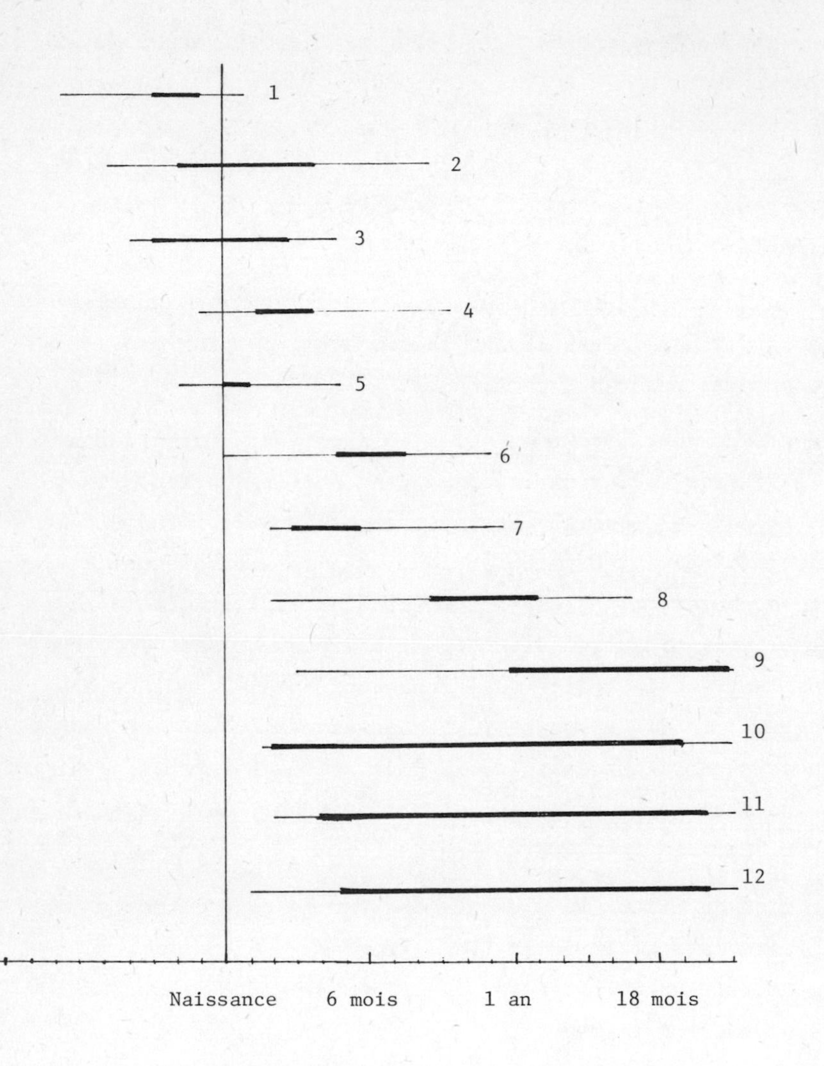

Fig. 1

Les périodes de myélinisation du système nerveux

Le processus de myélinisation s'effectue en général au cours des périodes correspondant aux lignes appuyées.

1. nerf auditif; 2. capsule interne; 3. faisceau pyramidal; 4. voies optiques; 5. cortex cérébelleux; 6. cortex cortical; 7. corps calleux; 8. cortex occipital; 9. cortex frontal; 10. aires corticales motrices; 11. aires corticales sensitives; 12. cervelet.

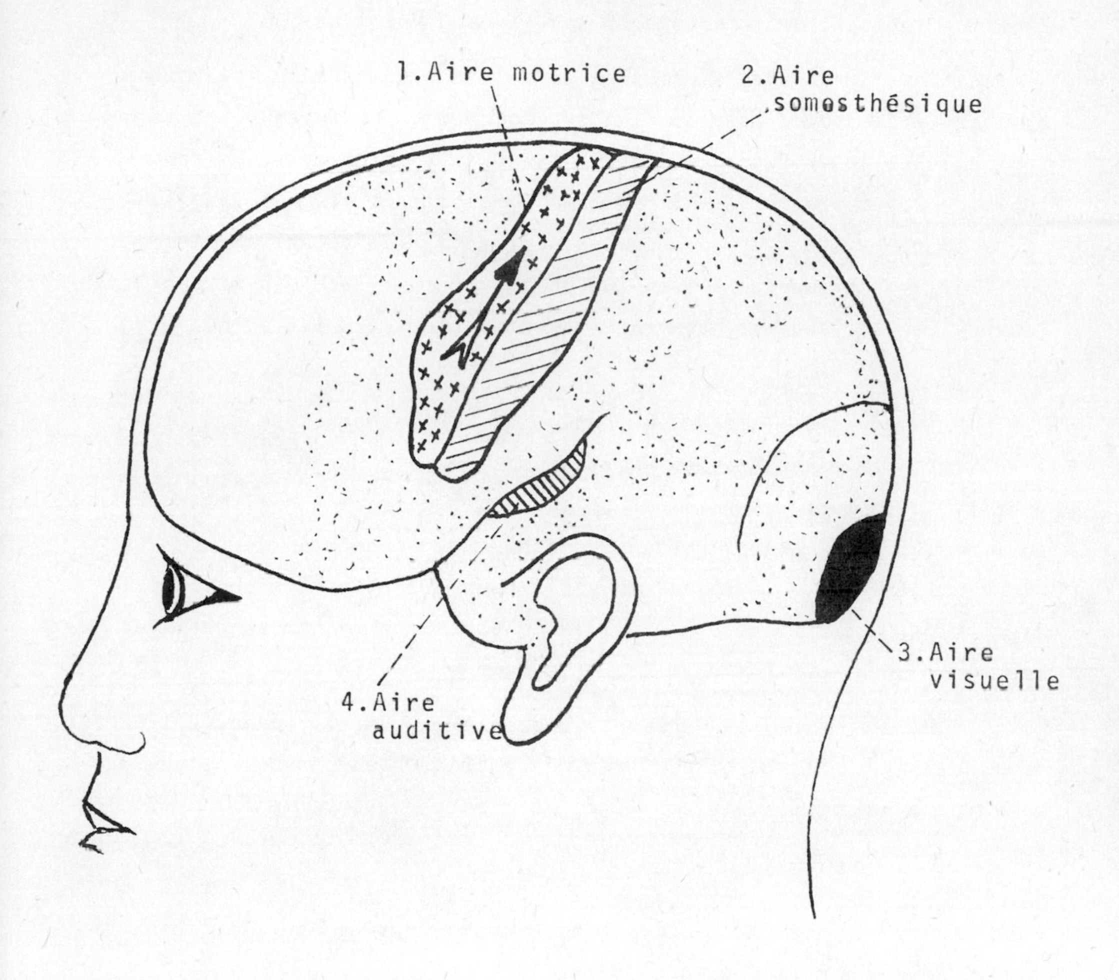

Fig. 2

Myélinisation des aires corticales

La myélinisation débute dans l'aire motrice (1), puis dans l'aire somesthésique (2), l'aire visuelle (3) et l'aire auditive (4). Les zones avoisinantes suivent, et celles en blanc sur le schéma sont celles qui se myélinisent en dernier.

fonctionnent au niveau cortical mais non à un niveau requérant une fonction interprétative dépendant des aires d'associations.

Vers la fin de la première année, le processus de myélinisation est très avancé dans les lobes temporaux et occipitaux, et moindre dans les lobes frontaux et pariétaux. Les aires motrices sont toujours légèrement en avance sur les aires sensitives, et dans les aires motrices les zones des jambes sont encore en retard sur les autres (l'enfant manipule bien les objets mais ne peut pas marcher). Des progrès peuvent être constatés au niveau du cervelet et du thalamus.

Au cours de la deuxième année, la myélinisation se complète aux différents niveaux : les aires sensitives rattrapent les aires motrices, les fibres d'association entre les différentes aires poursuivent leur maturation, rendant possibles des fonctions de plus en plus complexes. Le nombre et la taille des dendrites des neurones augmentent, établissant des liaisons de plus en plus nombreuses avec les zones sous-corticales et entre les aires corticales.

De 3 à 5 ans, les champs myélogéniques, correspondent à l'exercice du langage et des grands systèmes gnosiques et praxiques, parviennent à une maturation complète. Les fibres qui relient le cervelet au cortex cérébral et qui sont nécessaires pour le contrôle volontaire de la motricité fine achèvent également de se myéliniser. Dès ce moment, les opérations de coordination sensori-motrice dans le temps et dans l'espace seront possibles.

Il existe ainsi une relation étroite entre la maturation des structures et l'apparition de la fonction, tant sur le plan moteur que sur le plan intellectuel. La succession des étapes du développement moteur ou des stades du développement de l'intelligence dépend donc de la maturation progressive et de l'organisation du cortex.

La myélinisation des cellules nerveuses s'effectue selon un ordre bien déterminé, permettant l'apparition progressive de fonctions de plus en plus complexes conduisant l'enfant à une autonomie de plus en plus grande. Le contrôle progressif de ses mouvements, par l'enfant, met en évidence que la myélogénèse s'effectue selon une direction céphalo-caudale et proximo-distale, faits confirmés par l'histologie des fibres nerveuses.

5 - CONCLUSIONS SUR LE DÉVELOPPEMENT DU FOETUS HUMAIN

En ce qui concerne le développement prénatal du foetus humain, on peut conclure :

a) qu'il est rapide, progressif et continu ;

b) que d'une manière générale, le développement moteur progresse d'une réponse faible, diffuse, massive et relativement inorganisée à une réponse plus forte, spécifique et organisée ;

c) que l'activité motrice se manifeste d'abord dans la musculature globale et ensuite dans la musculature fine ;

d) que le développement moteur prénatal semble progresser selon une loi céphalo-caudale, pour le corps, et proximo-distale au niveau des membres.

Les deux dernières conclusions doivent être envisagées d'un point de vue général, en ce sens qu'il est difficile de stimuler des zones précises chez de jeunes foetus lorsqu'ils sont très petits.

6 - LES MOUVEMENTS CARACTÉRISTIQUES DU NOUVEAU-NÉ

A la naissance et dans les premières semaines qui suivent, on constate l'existence, au sein d'une activité motrice globale, anarchique et inadaptée, de certains mouvements identifiables normalement chez tous les nouveaux-nés. Ces réponses motrices ne constituent pas, à proprement parler, des réflexes, n'ayant pas de stimulus spécifique ni d'automatismes, puisqu'elles ne résultent pas d'un apprentissage. La présence ou l'absence de l'une ou l'autre de ces réponses motrices permet de conclure avec certitude à l'existence de lésions neurologiques chez l'enfant. Nous ne citerons ici que les activités motrices les plus caractéristiques.

6.1 *Réflexe de Moro*

A la suite d'une accélération ou d'une décélération brusque imprimée à la tête, il se produit, dans un premier temps, une ouverture des bras par extension abduction avec rejet de la tête en arrière et extension du dos et, dans un deuxième temps, les bras se referment par flexion adduction. Cette réaction, tout d'abord, a été décrite par Moro sous le nom de "réflexe d'embrassement", et pourrait constituer une réponse à des excitations proprioceptives dans le cou. Selon André-Thomas et Saint-Anne-Dargassies (1952), ce réflexe disparaît normalement vers le 6e mois, et sa persistance après cet âge peut être considérée comme pathologique.

6.2 *Réflexe d'agrippement*

Une pression exercée au niveau de la paume de la main produit la fermeture de la main sur l'objet excitateur. La force déployée au cours de cet agrippement permet de soulever l'enfant et même de lui faire quitter le sol. Dénommé également "réflexe tonique des fléchisseurs" par André-Thomas, ce réflexe disparaît après 9-10 mois lorsque le relâchement volontaire apparaît.

6.3 *Réflexe de redressement et marche automatique*

Lorsqu'on tient l'enfant debout et que l'on applique ses pieds sur le sol, il se produit un redressement progressif des membres inférieurs pouvant aller jusqu'au tronc et la tête ; de plus, si l'on incline l'enfant vers l'avant, apparaissent des mouvements alternés de flexion et d'extension automatiques des membres inférieurs, avec appui plantaire, propulsant le corps en avant. Ces réflexes s'estompent vers 2-3 mois, la marche automatique pouvant persister quelque temps encore.

6.4 *Réflexe de Magnus ou réflexe tonique du cou*

La rotation latérale de la tête produit une extension des membres du côté où elle est tournée et une flexion des membres de l'autre côté. Gesell (1947) y a vu un indice de détection de la dominance latérale (cf. paragr. 11).

6.5 *Réflexe cutané-plantaire*

L'excitation de la face plantaire du pied provoque une extension des orteils (réflexe de Babinski). Après l'âge de la marche, elle provoque normalement une flexion des orteils, la persistance de la première dénotant d'abord une immaturité du faisceau pyramidal, ou faisceau moteur cortico-spinal, puis une lésion de ce faisceau.

La disparition graduelle de ces différents réflexes met en évidence le contrôle progressif exercé par le cortex sur les zones sous-corticales, disparition remplacée par l'apparition de nouveaux réflexes et comportements moteurs définitifs marquant la "corticalisation" progressive de l'activité psychomotrice.

7 - ÉVOLUTION DU TONUS MUSCULAIRE DE LA NAISSANCE À 12 ANS

L'étude de l'évolution du tonus musculaire chez l'enfant constitue un aspect important du développement moteur, car le tonus musculaire constitue la contraction musculaire de fond sur laquelle se superpose l'activité clonique. De plus, le tonus musculaire intervient dans le maintien des attitudes, et si le bébé que l'on met en position assise, vers un mois, tombe vers l'avant ou sur le côté, c'est en grande partie, à cause de l'absence de tonus musculaire au niveau des muscles du tronc.

André-Thomas et Saint-Anne-Dargassies (1952) ont distingué le tonus de l'axe corporel qui intervient dans le maintien des postures et le tonus des membres qui permettra le développement des activités motrices. A la naissance, le tonus axial est beaucoup moins développé que le tonus des membres où l'on constate une hypertonie des fléchisseurs sur les extenseurs, produisant l'attitude caractéristique de l'enfant au repos : membres fléchis et en rotation externe. L'évaluation de l'hypertonie s'effectue essentiellement par la mesure du degré d'extensibilité, recherché au niveau de certaines articulations (poignet, coude, creux poplité, angle des adducteurs au niveau des cuisses) et la recherche du ballant (passivité d'un membre recherchée par la manoeuvre du ballottement). Ces évaluations ont mis en évidence le caractère permanent de l'hypertonie des fléchisseurs ; de plus, chez le nouveau-né, les membres sont solidaires du tronc, et la tête est indépendante ; c'est le contraire qui se produit plus tard, vers l'âge de 6 mois.

Ce sont surtout les travaux de Stambak (1963) qui permettent de cerner les problèmes relatifs à l'évolution du tonus musculaire. Selon elle, le tonus joue un rôle fondamental dans les activités motrices propriofectives, en rapport avec le corps propre, et extérofectives, en rapport avec le monde extérieur. Comme cela a déjà été mentionné, l'évolution générale se fait de l'hypertonie en flexion du nouveau-né, au tonus normal en extension, fondamental dans la station droite, puis pour la marche. Au niveau des membres inférieurs, l'extension maximale est obtenue entre 15 et 18 mois pour régresser ensuite légèrement (l'angle poplité, par exemple, passe de 80 à 90° à la naissance, à 180° vers 15 mois pour revenir à 150-160° vers 3 ans). Au niveau des membres supérieurs l'évolution est plus uniforme.

L'étude du tonus, au niveau de l'axe du corps va nous conduire à l'acquisition de la station debout chez l'enfant. Ici aussi cette acquisition se fait selon la loi céphalo-caudale.

Vers le 3e mois, le tonus des muscles du cou est suffisamment élevé pour permettre à l'enfant de contrôler les mouvements de la tête et de la garder sur le même plan que le dos lorsqu'on le tire par les mains pour l'amener en position assise.

Vers 8 mois, l'enfant maîtrise la position assise, ce qui suppose le passage progressif de la cyphose dorsale globale au redressement de la colonne vertébrale favorisé par l'augmentation du tonus des muscles para-vertébraux.

La station debout est réalisable vers l'âge de 9 mois, l'enfant pouvant se tenir seul dans cette position, avec l'aide de ses deux mains. Le tronc est encore penché vers l'avant, vu l'absence de lordose lombaire, mais vers 10-12 mois il se redresse, et l'enfant peut se tenir debout sans soutien. À partir de ce moment-là, l'enfant fera quelques pas et bientôt, il marchera.

À partir de 3 ans, l'hyperextensibilité caractéristique du jeune enfant diminue progressivement, et il atteint son état normal d'extensibilité vers 7 ans. Dans un article consacré au développement neurologique du jeune enfant, Bergès (1963) considère qu'il existe un tonus de fond (évalué par les épreuves d'extensibilité et de ballant pouvant révéler les paratonies) et un tonus d'action qui peut mettre en évidence l'existence de syncinésies (mouvements parasites apparaissant au cours de la réalisation d'un geste ou dans l'épreuve dite "des marionnettes").

Des difficultés au niveau du contrôle volontaire des contractions musculaires peuvent conduire à des difficultés au niveau des apprentissages scolaires, celui de l'écriture en particulier.

8 - DÉVELOPPEMENT DE LA PRÉHENSION

Bien que l'enfant possède à la naissance un réflexe d'agrippement, on ne peut pas parler de préhension, laquelle nécessite une coordination oculo-manuelle et une maîtrise des muscles oculo-moteurs.

La préhension représente une étape très importante dans le développement de l'enfant, car elle va lui permettre une appropriation du monde extérieur par manipulation et découverte. Gesell (1950), dans son film *Embryology of Human Behavior*, met en évidence de façon très nette le diagnostic que l'on peut établir à partir de la façon dont un enfant manipule des objets.

Des observations attentives, appuyées d'enregistrements cinématographiques, ont permis à Halverson (1931, 1943) de distinguer quatre étapes essentielles dans la préhension : la localisation visuelle de l'objet, l'approche de la main, la préhension, l'exploitation de l'objet.

Vers 3-4 mois, l'enfant fixe et suit du regard un objet que l'on promène devant ses yeux, ou ses mains, lorsqu'elles passent dans son champ visuel. L'enfant ne tend pas encore ses mains vers l'objet, n'ayant pas encore fait d'association entre la vue de l'objet et l'organe main qui lui permet de saisir l'objet. Cette relation s'établira par hasard, l'enfant saisissant un objet par réflexe d'agrippement et le promenant dans son champ visuel. L'établissement de ce rapport vue-main lui permettra, à la vue d'un objet, d'effectuer des mouvements de la main dans l'espoir de l'attraper.

Cette approche de la main, filmée par Halverson (1931), semble mettre en évidence un contrôle progressif du mouvement qui s'effectuerait selon la loi proximo-distale. Jusqu'au sixième mois, l'enfant effectue un balayage du bras, guidé par l'épaule. Puis, jusqu'au huitième mois, en combinant le balayage à une extension du coude il se produit une approche parabolique. Après cette étape l'enfant peut effectuer une approche directe de l'objet : cette approche suppose une synergie parfaite des muscles agonistes et antagonistes déterminant les mouvements des articulations des membres supérieurs.

La préhension de l'objet se fait, vers le cinquième mois, par l'action combinée des bras et des mains placés en "cerceau". Entre 5 et 6 mois, la préhension est cubito-palmaire, s'effectuant surtout entre les quatre derniers doigts et la partie de la main située du côté de l'auriculaire. Entre 7 et 8 mois, l'enfant saisit l'objet de façon palmaire, en le bloquant, après ratissage avec les doigts, entre les doigts et la paume de la main. La saisie par pince digitale entre le pouce et l'index apparaît après le huitième mois.

L'"exploitation" de l'objet concerne tout ce que l'enfant va faire avec l'objet. Cette manipulation nécessaire influence largement le développement psychologique de l'enfant au niveau de l'intelligence sensori-motrice, et il faudra attendre l'âge de la marche pour trouver l'autre étape importante de l'évolution de l'enfant.

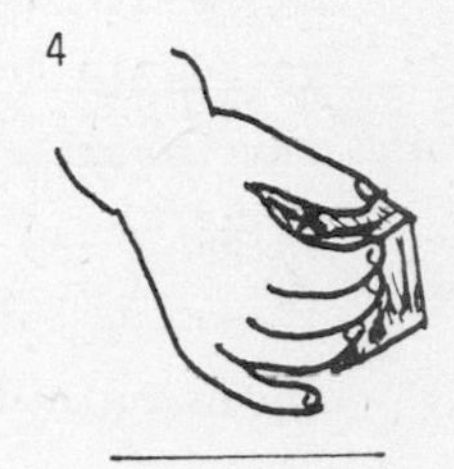

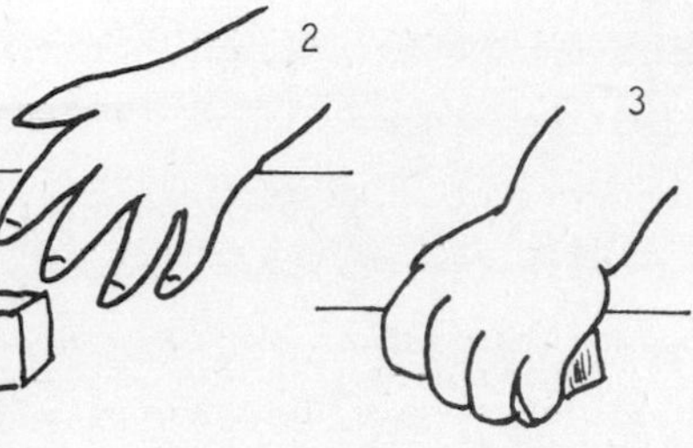

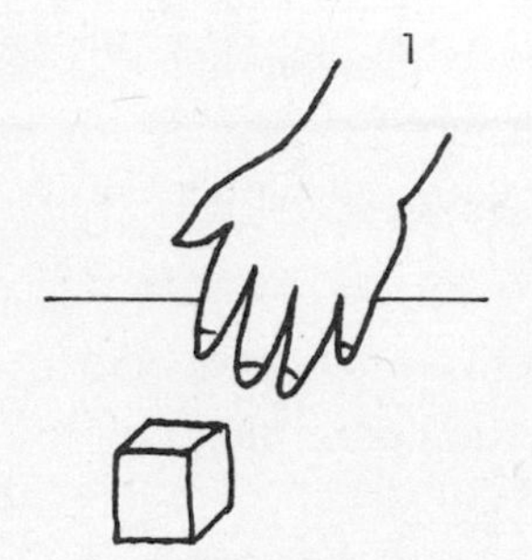

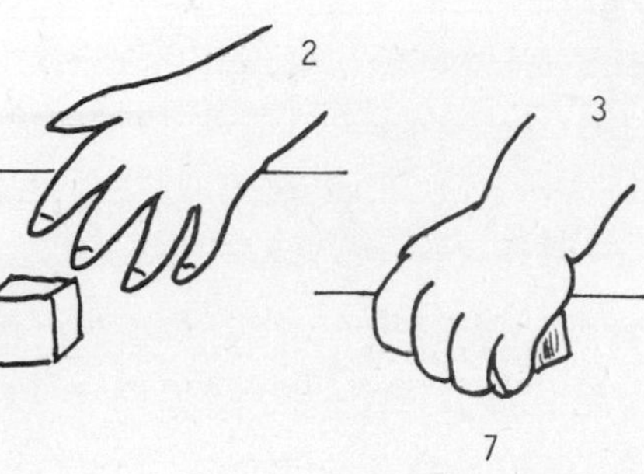

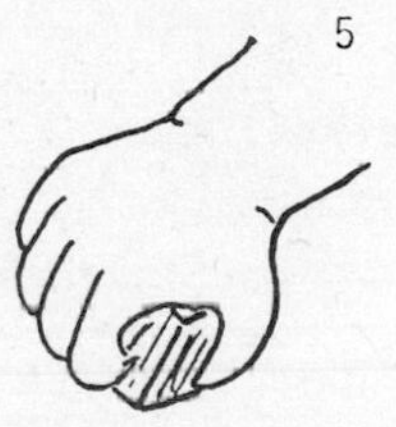

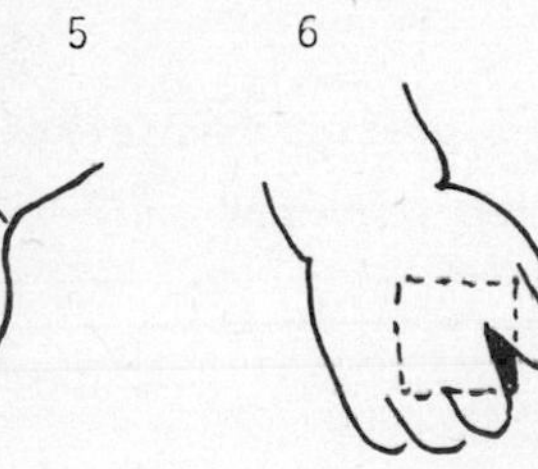

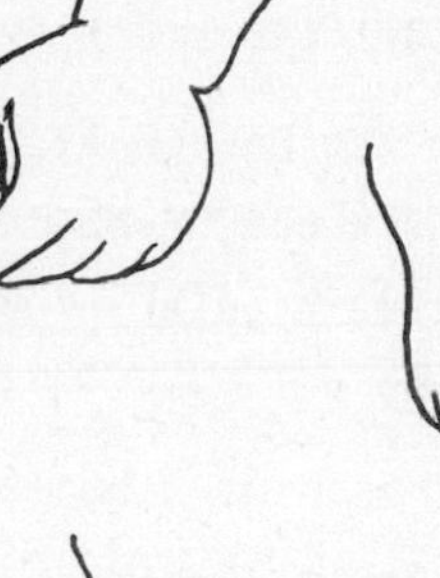

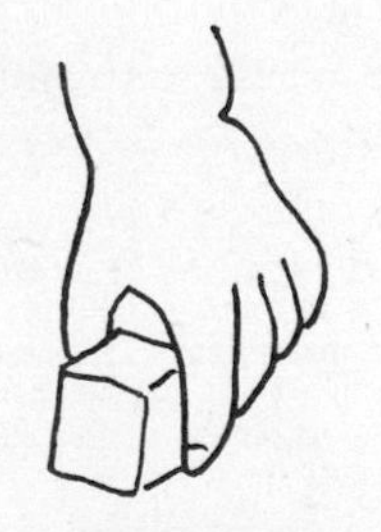

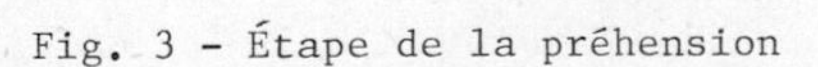

Fig. 3 - Étape de la préhension

1, 2. Étapes préliminaires, ou approche de la main ; 3. prise cubito-palmaire ; 4. palmaire ; 5, 6, 7. radio-palmaire ; 8, 9, 10. pince digitale (Halverson, 1931).

Landreth (1958), soulignant la complexité du processus d'évolution de la préhension, y distingue 6 actes coordonnés :

a) passage de la localisation visuelle d'un objet à l'essai de saisie de l'objet ;

b) coordination élémentaire oeil-main ;

c) passage d'une mobilisation initiale maximale de la musculature à une mobilisation minimale, avec un minimum d'effort ;

d) passage de l'activité globale proximale des muscles du bras et de l'épaule à l'activité fine distale des muscles de la main ;

e) les mouvements malhabiles et grossiers de la main pour saisir les objets, au début, évoluent vers la pince digitale, capable d'une grande précision ;

f) passage de l'utilisation simultanée des deux mains à l'utilisation de la main préférée.

Ces faits mettent en évidence le développement progressif des structures nerveuses qui, associé à l'entraînement, conduit à une efficacité du geste de plus en plus grande.

9 - LA MARCHE

Les premiers déplacements de l'enfant s'effectuent par reptation, puis par marche quadrupède, lorsque le tonus axial est suffisamment élevé.

La marche bipède nécessite le contrôle de l'équilibre dans la station verticale associé à la coordination des mouvements alternés des membres inférieurs et à l'acquisition d'une force suffisante pour maintenir temporairement le poids du corps sur une jambe.

Relativement à l'évolution de la locomotion, les auteurs y distinguent des stades, un ordre d'apparition de ces stades et des facteurs associés à leur apparition. Il est certain que les classifications varient d'un auteur à l'autre.

Fig. 4

Étape de l'acquisition de la marche (Mussen, 1963)

Shirley (1931) classe les activités caractéristiques des progrès dans le développement locomoteur de l'enfant en cinq étapes essentielles :

a) contrôle postural de la partie supérieure du tronc (20e semaine) : lève la poitrine, s'assied avec aide, bouge les jambes ;

b) contrôle postural du tronc avec activité anarchique (25e - 31e semaine) : s'asseoit tout seul, se met debout avec aide, roule sur le côté ;

c) efforts actifs de déplacement (35e - 40e semaine) : avance sur le ventre ;

d) déplacement par reptation (42e - 47e semaine) : rampe, reste debout en s'aidant des objets, marche avec aide, tire sur les objets pour se dresser ;

e) contrôle postural et coordination de la marche (62e - 64e semaine) : reste debout tout seul, marche tout seul.

Selon Shirley, l'enfant effectue d'autres mouvements qui n'interviennent pas directement dans la progression vers la marche mais qui augmentent sa force.

Gesell et Ames (1940) proposent une liste de 23 stades dans l'acquisition de la marche, incluant des activités avec flexion ou extension. Tous ces stades montrent les étapes lentes et progressives des transformations posturales nécessaires à l'acquisition finale de la station debout et de la locomotion, aucun des stades n'étant susceptible de manquer. Le regroupement des 23 stades en 4 cycles montre les fluctuations des dominances flexion-extension ainsi que l'intégration de mouvements unilatéraux, bilatéraux et croisés à des mouvements plus complexes. D'une manière générale, les déplacements debout impliquent la prépondérance des muscles extenseurs, alors que dans le rampement il existe une prédominance des fléchisseurs.

a) 1er cycle (stades 1-10 ; 0-29e semaine) : de la flexion bilatérale des bras ou des jambes, l'enfant passe progressivement à la flexion unilatérale des extrémités ;

b) 2e cycle (stades 11-19 ; 30e-42e semaine) : extension bilatérale des bras et extension-flexion bilatérale des jambes. Coordination des mouvements des membres opposés au 19e stade ;

c) 3e cycle (stade 21 ; 49e-56e semaine) : rampement à l'amble ;

d) 4e cycle (stades 22-23 ; 50e-60e semaine) : extension du tronc avec attitude debout suivie de la marche.

Certains auteurs mentionnent des retours en arrière dans la progression. Ceci peut s'expliquer par le développement d'un équilibre fonctionnel. L'enfant doit contrôler l'équilibre de son corps dans une nouvelle position avant de pouvoir progresser vers une nouvelle attitude. La maîtrise de la station debout et de la locomotion dépend de l'équilibre, lequel repose sur les informations vestibulaires et plantaires. Pour chaque nouvelle position, les ajustements cérébraux incluent les deux équilibres, et les réponses neuro-musculaires sont d'abord requises dans une attitude statique avant que le contrôle ne soit acquis dans des mouvements plus complexes.

L'étude faite par Shirley (1931) avec 25 enfants de moins de 2 ans a permis de mettre en évidence des caractéristiques autres que le développement séquentiel typique de la position debout et de la marche. Dès que l'enfant est capable de marcher seul, il augmente très rapidement sa vitesse de déplacement et la longueur de ses pas, leur largeur ainsi que l'angle de levée de la jambe diminuent. La facilité du déplacement se traduit par l'utilisation décroissante des bras, pour le maintien de l'équilibre, et par la réduction du quadrilatère de sustentation.

Alors que Shirley ne trouvait pas de relations précises entre le développement moteur de l'enfant et ses mesures anatomiques et physiologiques, Norval (1947) a mis en évidence que, pour deux enfants ayant le même poids à la naissance, le plus grand marchait avant l'autre (22 jours pour un pouce de différence). Une étude faite par Nicolson et Hanley (1953) a mis en évidence que l'âge moyen de la marche pour les garçons (114) était de 13,4 mois, et pour les filles (123) de 13,6 mois.

Il est certain que la morphologie, les facteurs héréditaires et le milieu influencent le moment d'acquisition de la station debout et de la marche.

Vers 9-10 mois l'enfant peut faire quelques pas lorsqu'il est tenu sous les aisselles. L'appui au sol se fait pied à plat, les premiers pas sont hésitants, les jambes sont écartées, le pied levé très haut, le corps penché en avant et les bras écartés. L'enfant semble être toujours en train de rattraper son centre de gravité. Progressivement longueur et largeur des pas vont s'uniformiser, le transfert du poids du corps se faisant du talon aux orteils, ce qui produit une marche plus coulée. La vitesse de la marche atteint 170 pas/mn vers deux ans, l'enfant pouvant également courir à cet âge. A trois ans, la marche est devenue un automatisme, avec une longueur, largeur et hauteur du pas relativement uniformes, incluant le balancement alternatif des bras. Vers quatre ans, la marche de l'enfant ressemble à celle de l'adulte, avec un pas rythmé et balancé, le pied jouant son rôle de propulsion et d'amortissement. Aux environs du 50e mois on peut, selon Rarik (1954), considérer que la marche de l'enfant est presque parfaite.

L'équilibre statique debout n'est acquis que beaucoup plus tard, vers l'âge de 5-6 ans. En effet, vers 2 ans, l'enfant ne se tient debout sans bouger que pendant quelques secondes, lorsque ses talons sont joints, et il ne peut pas se mettre en équilibre sur un pied ; ceci sera possible vers 3 ans, de même que la marche sur une ligne droite de 10 pieds sans s'en écarter.

L'acquisition de la marche va augmenter l'autonomie de l'enfant vis-à-vis de l'adulte et lui permettre une exploration dynamique de l'espace. Il en retirera tout un ensemble de sensations et de perceptions (tactiles, visuelles, labyrinthiques, kinesthésiques) qui, en s'associant, favoriseront l'acquisition du schéma corporel.

10 - AUTRES ACTIVITÉS CARACTÉRISTIQUES DU DÉVELOPPEMENT MOTEUR

10.1 *Courir*

Nécessite la coordination de l'interaction agonistes-antagonistes. La force est nécessaire pour recevoir le poids du corps sur une jambe après la poussée de l'autre.

L'acquisition du pas de course se fait vers 2-3 ans, mais avec des difficultés pour s'arrêter brusquement ou pour tourner. Des progrès apparaissent vers 4-5 ans lorsque l'enfant contrôle mieux le départ, l'arrêt et les changements de direction. Vers 5-6 ans, il utilise assez bien la course dans le jeu.

10.2 *Grimper*

Selon Ames (1937), les mouvements utilisés par les enfants de 12 mois pour monter des escaliers ressemblent à ceux qu'ils utilisent pour ramper sur le sol.

Lorsqu'il marche, l'enfant veut également monter les escaliers. Caractéristique : c'est toujours la même jambe qui monte la première une marche, l'autre la rejoignant ensuite après un temps de repos. Le développement de la force, de l'équilibre et de la coordination lui permettront de monter les escaliers comme un adulte. La descente se fait plus longtemps à reculons, en rampant, probablement à cause de l'appréhension du vide.

Wellman (1937) indique les âges où les enfants sont généralement capables de monter ou descendre les escaliers, avec et sans aide (montée : 31e mois sans aide, descente : 49e mois sans aide). Des variations apparaissent en fonction de la hauteur de la marche.

D'une manière générale, on peut dire que :

a) l'aisance de la montée précède celle de la descente ;

b) l'enfant accomplit d'abord une activité avec aide avant de la faire sans aide ;

c) l'enfant grimpe d'abord un petit nombre de marches avant d'en grimper un grand nombre ;

d) les marches basses spéciales sont plus facilement gravies que les marches hautes de l'adulte.

Ces remarques peuvent s'appliquer à l'échelle. C'est entre 3 et 6 ans que l'enfant fait le plus de progrès. Quelques différences apparaissent entre les sexes.

10.3 *Sauter à pieds joints et à cloche-pied*

Dans le saut il y a une période d'envol provoquée par la poussée d'une ou des deux jambes avec réception sur une ou deux jambes. Dans le saut à cloche-pied, c'est la jambe de poussée qui sert aussi pour la réception.

Le *saut* apparaît d'abord sous forme de pas vers le bas lorsque l'enfant passe d'une position élevée à une position plus basse. Ensuite, appel deux pieds-réception deux pieds, pour revenir à appel un pied qui demande plus de force et de coordination neuro-musculaire. Vers 27 mois, l'enfant peut sauter jusqu'à une hauteur de 30 cm (1 pied), un pied avant l'autre, alors que le saut deux pieds à la fois apparaît vers 34 mois.

Une bonne coordination s'établit vers l'âge de 6 ans. Mentionnons les travaux de Hellebrandt (1961) sur le saut en longueur pieds joints.

Saut à cloche-pied : équilibre et force sont nécessaires. L'enfant saute sur deux pieds avant de le faire sur un pied. Il effectue de un à trois sauts vers 3 ans ½, et plus de dix vers 5 ans, ce qui lui permettra de jouer à la marelle.

10.4 *Donner un coup de pied à un ballon*

Vers 2 ans, la maîtrise de l'équilibre est suffisante pour que l'enfant se maintienne sur une jambe tout en donnant un coup de pied à un ballon. Au début, il n'y a pas de recul de la jambe pour prendre de l'élan. Vers 6 ans, l'enfant balance toute la jambe, avec intervention des bras, pour le maintien de l'équilibre, et recul du haut du corps (Halverson et Roberton, 1966).

10.5 *Lancer*

Ce mouvement apparaît lorsque l'enfant lâche un objet. Le lancer effectif, qui exige force et précision, demande la coordination de plusieurs mécanismes distincts.

Vers 6 mois, l'enfant assis peut lancer, son geste étant grossier. Avant la 1re année, il peut orienter le jet, sans faire intervenir encore tronc et jambes. La distance et la direction se précise pendant la 2e année. Vers 6 ans, l'enfant manifeste une grande habileté. La distance de lancer peut être une bonne mesure objective (Wellman 1937) : l'enfant, à 2 ans ½, passe de 1,20 m à 1,50 m (de 4 à 5 pieds), pour une petite balle de 22 cm (9 pouces) de diamètre, à 5 m ou 5,20 m (16 ou 17 pieds), quand il a 6 ans.

Wild (1938) a effectué une étude exhaustive du développement du lancer par l'analyse des mouvements des bras et du corps à l'aide de moyens cinématographiques. Cette étude transversale a fait intervenir des sujets choisis d'après des mesures normales de développement physique, moteur, mental et de la personnalité : 32 enfants âgés de 2 à 7 ans, un garçon et une fille, par tranche de 6 mois ; chaque enfant lançait trois fois la balle, par-dessus son épaule. Quatre types de lancers ont été mis en évidence ;

a) 2-3 ans : lancer avec mouvements du bras et du tronc dans un plan antéro-postérieur, pieds fixés au sol ;

b) 3-5 ans : bras et tronc effectuent des mouvements sur le plan horizontal. Rotation du corps à droite pour préparer le lancer, puis vers la gauche après le lancer. Pieds fixes ;

c) 5-6 ans : différence essentielle avec l'étape précédente ; un pas en avant, du pied droit si l'enfant lance avec le bras droit. Le poids du corps est placé sur la jambe gauche pendant la phase préparatoire, avec rotation à droite, puis pendant le lancer, avancée de la jambe droite ;

d) 6-7 ans : intervention des membres inférieurs en opposition avec les membres supérieurs. Poids du corps à droite pendant la préparation, avancée de la jambe gauche qui reçoit le poids du corps après le lancer, produisant une accélération du mouvement du bras.

Les filles à cet âge, atteignent à peine ce 3e niveau et beaucoup de femmes ne le dépassent pas.

Deux points sont à retenir :

a) passage progressif des mouvements d'un plan antéro-postérieur à un plan horizontal ;

b) passage d'un appui fixe à une avancée de la jambe ipsilatérale pour arriver à une avancée contralatérale par rapport au bras lanceur, avec augmentation de la vitesse du lancer.

10.6 *Attraper*

À 2 ans, l'enfant attrape facilement un objet arrêté. Mais attraper un objet en mouvement demande en particulier une compréhension des rapports espace-temps. Un des premiers exercices pour apprendre à attraper consiste à lancer une balle à l'enfant assis sur le sol, jambes écartées. La balle sera arrêtée par les jambes au début, puis avec les mains.

Une balle lancée en l'air présente plus de difficultés, car elle est soumise à la loi de la pesanteur, alors qu'une balle lancée sur le sol a un trajet rectiligne. Au début (à 3 ans), l'enfant, les bras tendus vers l'avant n'effectue aucun effort pour se déplacer pour attraper le ballon en s'ajustant à sa trajectoire. Si on lui lance la balle directement dans les bras, leur raideur empêche l'enfant de conserver la balle. Progressivement, l'enfant relâche les bras et serre la balle contre sa poitrine lorsqu'on la lui lance directement dans les bras : apparition de la synchronisation puis de légers déplacements du corps pour se mettre sous la trajectoire de la balle. Les mains sont ensuite mises en opposition puis, vers 5½ ans, les coudes placés près du corps, les mains formant une coupe en se touchant par les pouces ou les petits doigts, selon qu'elles doivent attraper une balle lancée d'en haut ou d'en bas ; il se produit un amortissement de la balle (Wellman, 1937). Lorsque la balle est petite, l'enfant essaie de l'attraper d'une seule main.

Il faut mentionner ici les effets des variables "temps de réaction" et "temps de mouvement". Le temps de réaction représente le temps nécessaire à un sujet pour répondre le plus vite possible à la présentation d'un stimulus impliquant une action à accomplir ; le temps de mouvement représente le temps nécessaire à un sujet pour effectuer une action ou un geste.

Ces deux temps diminuent avec l'âge (et avec la maturation nerveuse) et sont deux fois plus élevés pour un enfant de 5 ans que pour un adulte. Ceci explique les difficultés rencontrées par l'enfant pour saisir une balle quand la distance qui le sépare du lanceur est faible. A trois mètres de l'enfant, la balle met 0,5 s pour lui parvenir, ce qui constitue un temps très court. Il faut tenir compte de cet élément dans les exercices que l'on propose.

Ce que l'on qualifie de "bons réflexes" n'est, en réalité, qu'un temps de réaction simple, court.

10.7 *Faire rebondir la balle*

Difficulté : faire rebondir la balle en la frappant lorsqu'elle est au maximum de sa course et non pendant sa descente.

L'enfant frappe des deux mains au début, pour offrir une plus grande surface de contact et de contrôle mais, très rapidement, il n'utilise plus qu'une seule main.

Le rapport taille de la balle/taille de la main est très important. Vers 27 mois, il est possible à l'enfant de faire rebondir une balle de 22 cm (9 pouces) de circonférence à une hauteur pouvant aller de 30 cm à 90 cm (de 1 à 3 pieds), mais il atteint 1,25 m à 1,50 m (4 à 5 pieds), à 3 ans ½. Un ballon plus gros - 40 cm de circonférence (16 pouces) - pose beaucoup plus de problèmes, et il faut attendre que l'enfant ait presque 6 ans avant qu'il puisse le faire rebondir jusqu'à 60 cm ou 90 cm de haut (2 ou 3 pieds). Ces éléments sont à considérer lorsqu'on fait jouer un enfant avec des ballons.

10.8 *Nager*

McGraw (1935) a montré qu'il est possible de faire nager un enfant de 17 mois sur une distance de 1,25 m - 1,50 m (4-5 pieds). De nombreuses expériences ont mis en évidence que l'on pouvait apprendre à nager à des enfants de prématernelles. Toutefois, certaines observations, qui nécessiteraient d'être approfondies, indiquent que les enfants soumis à ces expériences en bas âge manifestent une appréhension de l'eau, plus tard, avant la puberté.

11 - ÉVOLUTION DE LA LATÉRALITÉ

La latéralité peut se définir comme l'ensemble des prédominances particulières de l'une ou l'autre des différentes parties symétriques du corps, au niveau des mains, pieds, yeux et oreilles ; la latéralisation désignant le processus par lequel se développe la latéralité.

À l'heure actuelle, le processus exact par lequel l'enfant devient droitier ou gaucher n'est pas encore connu de façon précise. Si la relation dominance hémisphérique/dominance latérale n'est pas remise en question, l'origine de cette relation varie entre deux positions extrêmes : la dominance hémisphérique est déterminée à la naissance, ce qui signifierait que la latéralité serait héréditaire, ou elle résulte de l'utilisation préférentielle d'un côté du corps par rapport à l'autre, ce qui signifierait que la latéralité serait acquise. Il est généralement admis qu'il existe une interaction hérédité-milieu, en ce qui concerne l'acquisition de la dominance manuelle.

Gesell et Ames (1947), réalisant une étude longitudinale consacrée au développement de la manualité (prédominance de l'une des deux mains) chez des enfants entre 8 semaines et 10 ans d'âge, soulignent le rôle que joue la maturation dans ce phénomène, ainsi que l'existence de fluctuations dans l'utilisation des mains. Au cours de la première année de la vie, même chez les enfants qui plus tard seront droitiers, on constate que la saisie et la manipulation des objets tendent à se faire d'abord avec la main non dominante, puis à être bimanuelles, ensuite avec la main dominante, à nouveau bimanuelles, puis unimanuelles avec la main qui sera plus tard la dominante. Vers 18 mois et à nouveau vers 30-36 mois apparaissent de nouvelles périodes de bimanualité. A partir de 4 ans, la main dominante est le plus souvent utilisée, dans dans certains cas, et même à 7 ans, il peut y avoir une période de transition au cours de laquelle l'enfant utilise la main non dominante ou les deux. Ces mêmes auteurs pensent qu'il est possible de déterminer la dominance latérale d'un enfant dès la naissance, à partir du réflexe tonique du cou. Dans 14 cas sur 19, ils ont constaté une relation entre le côté où l'enfant tourne la tête lorsqu'il est couché sur le dos et sa latéralité à 5 et 10 ans. Il résulte de ceci, qu'un nouveau-né qui a l'habitude de tourner la tête du côté droit lorsqu'il est allongé sur le dos a de grandes chances d'être droitier. Cette affirmation, fondée sur trop peu d'observations, doit être envisagée avec circonspection.

La lecture d'autres études, Burt (1937), Zazzo (1960), Hécaen et Ajuriaguerra (1963) permet de conclure que c'est vers l'âge de 4 ans que s'établirait de façon quasi définitive la dominance manuelle.

Hildreth (1948, 1949), dans deux excellentes études, met en évidence l'influence des facteurs sociaux : les enfants auraient tendance à être plus latéralisés à droite dans les activités résultant d'un apprentissage (dessiner, manger, lancer une balle) que dans celles qui sont naturelles (manger avec les doigts). Selon Hildreth (1950), si l'on voulait faire changer un enfant de dominance manuelle, il faudrait tenir compte des 6 facteurs suivants :

a) l'enfant doit être âgé de moins de 6 ans ;
b) l'enfant utilise ses mains indifféremment ;
c) l'index de manualité doit être bilatéral ;
d) l'enfant doit avoir une intelligence supérieure à la moyenne ;
e) l'enfant doit être d'accord avec le changement ;
f) la période d'essai ne doit se traduire par l'apparition d'aucun trouble.

La notion de latéralité a été élargie et se rapporte également aux yeux, aux oreilles et aux jambes. Il est toutefois possible de se demander si un droitier manuel doit avoir l'oeil droit, l'oreille droite, la jambe droite dominants. Peu d'études permettent d'appuyer cette opinion. De plus, en ce qui concerne les jambes, laquelle est dominante ? De toute façon, s'il est évident, sur le plan manuel, que l'on effectue plus d'actions d'une main que de l'autre, il est loin d'être évident qu'au sujet de la vision ou de l'audition, on regarde ou écoute plus d'un oeil ou d'une oreille que de l'autre.

Il existe différents moyens de déterminer la latéralité d'un sujet à partir de questionnaires de préférence manuelle, d'actions à accomplir, de tests d'habileté. Ces moyens feront l'objet d'une étude critique dans un chapitre ultérieur.

Contrairement à des idées généralement répandues, la gaucherie n'est pas synonyme de maladresse. Les gauchers sont aussi habiles de leur main préférée que les droitiers et plus habiles qu'eux avec leur main non préférée. De plus, les relations entre latéralité et orientation droite-gauche sont très faibles (Rigal, 1974).

12 - DÉVELOPPEMENT MOTEUR ET ÉCRITURE

L'écriture constitue un des moyens fondamentaux de communication dans notre culture. Le nombre de méthodes et de moyens utilisés pour apprendre à écrire à un enfant semble être proportionnel à cette importance.

Dans l'analyse que nous ferons des relations existant entre le développement moteur de l'enfant et l'apprentissage de l'écriture nous nous attacherons essentiellement aux raisons pour lesquelles il est préférable de s'y prendre de telle façon plutôt que de telle autre, en prenant pour base les éléments théoriques abordés précédemment. La consultation des auteurs suivants, Ajuriaguerra et Auzias (1960), Bang (1954), Périot et Brosson (1957) fournira des renseignements complémentaires sur les méthodes d'écriture elles-mêmes.

L'écriture mobilise essentiellement un des deux membres supérieurs. Elle requiert de la précision manuelle et de la coordination oculo-manuelle. Au moment où l'enfant entre à la maternelle, ses possibilités motrices demeurent encore très globales et l'effection de mouvements fins ou précis se traduit par l'apparition de syncinésies ou d'hypertonie. Il en résulte une fatigue rapide.

Les données théoriques relatives au développement moteur font apparaître que le contrôle de la motricité globale s'effectue avant celui de la motricité fine et, qu'au niveau du membre supérieur, l'enfant contrôle les mouvements de l'épaule avant ceux de la main. La conséquence première de ces données est qu'il faudra commencer par des exercices de pré-écriture (mouvements généraux) qui permettront à l'enfant d'affiner ses sensations kinesthésiques et de les associer aux sensations visuelles. L'enfant peut ainsi marcher le long du tableau en traçant des lignes horizontales à la craie, ou griffonner des lignes sur le tableau. Ces activités requièrent peu de coordination des muscles agonistes et antagonistes, le même mouvement s'effectuant pendant une période de temps assez longue. Le dessin, le modelage, la peinture préparent aux activités graphiques. La réalisation de boucles fait intervenir une activité rythmique qui prépare la coordination musculaire nécessaire à l'acte graphique.

Le passage des exercices prégraphiques à l'écriture proprement dite va poser plusieurs difficultés à l'enfant. Il devra tout d'abord diminuer l'amplitude de ses mouvements, donc les contrôler. Le dessin des premières lettres se fera au tableau et non pas sur une petite feuille de papier où l'espace est trop réduit. La tenue de la craie, au niveau de la reproduction de lettres conduit souvent à la crispation de la main, ce qui ne se produisait pas dans l'activité libre. La concentration de l'enfant sur ce qu'il fait s'accompagne d'une contraction musculaire intense et simultanée des agonistes et des antagonistes. Des exercices de relaxation segmentaire au niveau du bras et de la main réduisent rapidement ces troubles chez l'enfant normal.

Le choix de la forme de l'écriture pose également des problèmes ; script ou cursive ? La première semblerait plus simple, puisqu'elle est uniquement composée de segments de droites dont la longueur varie et auxquels peuvent ou non être juxtaposées des portions de cercles. Les habitudes motrices à acquérir par l'enfant sont par là même très réduites, et il peut très rapidement écrire son nom de façon lisible.

La dernière étape consiste à passer du tableau au papier où l'espace disponible se restreint. Les divers exercices précédents auront préparé la réalisation de mouvements limités et précis. La répétition des exercices d'écriture complétera l'acquisition de cette praxie tout en développant chez l'enfant un style graphique personnel.

CONCLUSION

Le développement moteur de l'enfant met en évidence les interrelations existant entre la croissance générale et l'organisation progressive du système nerveux. Les possibilités de l'enfant se rapprochent, avec l'âge, de celles de l'adulte.

Les enfants passent par des stades identiques au cours de leur développement, et l'existence d'échelles de développement moteur permet de déterminer si l'enfant évolue normalement ou s'il présente des retards.

Le contrôle de la motricité volontaire s'effectue selon deux lois générales du développement : les lois céphalo-caudale et proximo-distale. L'organisation du système nerveux facilite l'acquisition de praxies de plus en plus complexes et se traduit également par la diminution des temps de réaction.

La préhension, la marche, l'exploration active de l'espace facilitent l'acquisition du schéma corporel qui se construit par l'association de sensations visuelles, tactiles, labyrinthiques et kinesthésiques. De plus, ces manipulations et explorations participent au développement de l'intelligence sensori-motrice de l'enfant.

BIBLIOGRAPHIE

AJURIAGUERRA, J. de et H. AUZIAS, "Méthodes et techniques d'apprentissage de l'écriture", *Psychiatrie de l'enfant*, 1960, vol. 3, p. 609-718.

AMES, L. B., "The Sequential Patterning of Prone Progression in the Human Infant", *Genet. Psychol. Monogr.*, 1937, vol. 19, p. 409-460.

ANDRÉ-THOMAS et S. SAINT-ANNE-DARGASSIES, *Études neurologiques sur le nouveau-né et le nourrisson*, Paris, Masson, 1952.

ANOKHIN, P. K., "Systemogenesis as a General Regulator of Brain Development", dans W. A. et H. E. Himwich, édit., *The Developing Brain. Progress in Brain Research*, Elsevier Publ. Co., 1964, vol, 9.

BANG, V., *Évolution de l'écriture de l'enfant à l'adulte*, Neuchâtel, Delachaux et Niestlé, 1959.

BERGÈS, J., "Neurologie du développement chez l'enfant de 2 à 7 ans. Technique d'examen. Incidences de la prématurité", *Pédiatrie*, 1963, vol. 28, n° 3, p. 301-318.

BURT, C., *The Backward Child*, New York, Macmillan, 1937.

COGHILL, G. E., *Anatomy and the Problem of Behaviour*, Cambridge, Cambridge University Press, 1929.

- "The Early Development of Behavior in Amblystoma and Man", *Arch. Neurol. Psychiat.*, 1929, vol. 21.

ESPENSCHADE, Anna S. et Helen M. ECKERT, *Motor Development*, Columbus, Ohio, Charles E. Merril Books, 1967.

GESELL, A., *Embryology of Human Behavior*, New York, Medical Film Institute of the Association of American Medical Colleges, 1950.

- *Embryologie du comportement*, Paris, P. U. F., 1953.

GESELL, A. et L. B. AMES, "The Ontogenetic Organization of Prone Behavior in Human Infancy", *J. Genet. Psychol.*, 1940, vol. 56, p. 247-263.

GESELL, A. et L. B. AMES, "The Development of Handedness", *Journal of Genetic Psychology*, 1947, vol. 70, p. 155-175.

GRATIOT ALPHANDERY, H. et R. ZAZZO, *Traité de psychologie de l'enfant*, Paris, P. U. F., 1970, t. II

HALVERSON, H. M., "An Experimental Study of Prehension in Infants by Means of Systematic Cinema Records", *Gen. Psych. Monography*, 1931, vol. 10, p. 2-3, 110-186.

- "The Development of Prehension in Infants" dans Barker, Kounin et Wright, édit., *Child Behavior and Development*, New York, MacGraw Hill Book Company, 1943.

HALVERSON, L. E. et M. A. ROBERTON, "A Study of Motor Pattern Development in Young Children", *Report at National Convention of the American Association for Health, Physical Education and Recreation*, 1966.

HECAEN, H. et J. de AJURIAGUERRA, *les Gauchers. Prévalence manuelle et dominance cérébrale*, Paris, P. U. F., 1963.

HELLEBRANT, F. A., G. L. RARICK, R. GLASSOW et M. L. CARNS, "Physiological Analysis of Basic Motor Skills. I. Growth and Development of Jumping". *Amer. J. Phys. Med.*, 1961, vol. 40, p. 14-25.

HILDRETH, G., "Manual Dominance in Nursery School Children", *J. Genet. Psychol.*, 1948, vol. 73, p. 29-45.

- "The Development and Training of Hand Dominance : I - Characteristics of Handedness ; II - Developmental Tendencies in Handedness ; III - Origin of Handedness and Lateral Dominance", *J. Genet. Psychol.*, 1949, vol. 75, p. 197-275.

- "The Development and Training of Hand Dominance : IV - Developmental Problems Associated with Handedness ; V - Training of Handedness", *J. Genet. Psychol.*, 1950, vol. 76, p. 39-144.

HOOKER, D., *The origin of overt behavior*, Ann Arbor, University of Michigan Press, 1944.

KUO, Z. Y., "Ontogeny of Embryonic Behavior in Aves : the Chronology and General Nature of the Behavior of the Chick Embryo, *J. exp. zool.*, 1932, vol. 61, p. 395-430.

LANDRETH, C., *The Psychology of Early Childhood*, New York, Alfred A. Knopf, 1958.

McGRAW, M. B., *Growth : a Study of Johnny and Jimmy*, New York, Appleton-Century, 1935.

MINKOWSKI, M., "Neurobiologische Studien am menschlichen Foetus", *Handb. Biol. ArbMeth.*, 1928, partie V., 5B, p, 511-618.

MUSSEN, P. H., J. J. CONGER et J. KAGAN, *Child Development and Personality*, New York, Harper and Row, 1963.

NICOLSON, A. B. et C. HANLEY, "Indices of Physiological Maturity : Derivation and Inter-Relationships, *Child Developm.*, 1953, vol. 24, p. 3-38.

NORVAL, M. A., "Relationship of Weight and Length of Infants at Birth to the Age at which they begin to walk alone", *J. Pediat.*, 1947, vol. 30, p. 676-678.

PERIOT, M. et P. BROSSON, *Morpho-physiologie de l'écriture*, Paris, Payot, 1957.

PREYER, W., *Specielle Physiologie des Embryo. Untersuchungen über die Leberserscheinungen vor der Geburt*, Leipzig, Grieben, 1885.

RARICK, G.L. *Motor Development during Infancy and Childhood*, Madison, Wis., University of Wisconsin, 1954 (polycopié).

RIGAL, R., "Hand efficiency and Right-Left Discrimination", *Perceptual and Motor Skills*, 1974, vol. 38, p. 219-224.

SAINT-ANNE-DARGASSIES (S), "la Maturation neurologique du prématuré", *Etudes néo-natales*, 1955, vol. 4, p. 71-116.

SHIRLEY, M. M., *The First two Years : A Study of twenty-five Bavies*, vol. I : "Postural and Locomotor Development", Minneapolis, University of Minnesota Press, 1931.

SPEMANN, H., "Organizers in Animal Development", *Proc. Roy. Soc. London*, 1927, vol. 102B, p. 177-187.

STAMBAK, M. *Tonus et psychomotricité dans la première enfance*, Neuchâtel, Delachaux et Niestlé, 1963.

WELLMAN, B. L., "Motor Achievements of Preschool Children", *Child. Educ.*, 1937, vol. 13, p. 311-316.

WILD, M. R., "The Behavior Pattern of Throwing and some Observations concerning its Course of Development in Children", *Res. Quart.*, 1938, vol. 9, nº 3, p. 20-24.

ZAZZO, R., *les Jumeaux, le couple et la personne*, Paris, P. U. F., 1960.

QUESTIONS

1. Quelles activités, dans le développement moteur, mettent en évidence les lois céphalo-caudale et proximo-distale ?

2. La préhension est-elle innée ? Pourquoi ?

3. Pourquoi l'enfant ne marche-t-il pas avant 15 mois ? Quels sont les facteurs qui sous-tendent l'acquisition de la marche ?

4. Comment expliquez-vous les difficultés qu'éprouve le jeune enfant à coordonner ses mouvements ?

5. Peut-on, à partir du développement moteur de l'enfant, prévoir son développement intellectuel ?

6. La latéralité est-elle innée ou acquise ? Quelles implications en résultent au niveau des apprentissages scolaires ?

7. Les termes latéralité, latéralisation, orientation droite-gauche sont-ils synonymes ?

8. Expliquez les différents processus qui entrent en jeu dans le contrôle progressif des actes moteurs de l'enfant. Quelles conséquences peut-on en tirer au niveau des apprentissages scolaires ?

9. Existe-t-il des différences sexuelles au niveau du développement moteur de l'enfant ? Quel rôle pourraient jouer à ce niveau les modèles sociaux ?

10. La motivation influence-t-elle l'enfant au niveau du choix des activités ? (relation avec les jeux enfantins)

11. Est-il important que l'enfant puisse avoir une grande expérience motrice au cours de l'enfance ? Pourquoi ?

12. Quelles supériorités l'adolescent a-t-il sur l'adulte relativement à certaines activités sportives ?

Chapitre 3

MATURATION ET EXERCICE

Robert Rigal

PLAN

1. LA MATURATION
   1.1 *Origine de cette notion*
   1.2 *Définition*

2. RELATIONS MATURATION-EXERCICE
   2.1 *Restriction d'exercice avant l'époque de la maturation*
   2.2 *Excès d'exercice avant l'époque de maturation*
   2.3 *Manque d'exercice après l'époque de maturation*

3. MATURATION ET APPRENTISSAGE

4. APPLICATIONS PEDAGOGIQUES

5. CONCLUSION

BIBLIOGRAPHIE

L'observation du développement de l'enfant a permis de mettre en évidence son aptitude progressive à accomplir des actions de plus en plus complexes. L'étude de son développement moteur et des facteurs neurologiques intervenant dans la régulation du mouvement montre également que les enfants passent, à des âges relativement voisins, par les mêmes étapes.

Certaines personnes, intéressées par ces constatations, se sont demandé s'il était possible d'accélérer le développement moteur de l'enfant, ce qui soulève la question des relations existant entre l'exercice et la maturation.

Avant d'approfondir cette relation il nous faudra cerner de façon précise la notion de maturation ; la réponse à ces deux questions nous permettra, à la fin de l'étude, de tirer les conséquences pédagogiques qui en découlent.

1 - LA MATURATION

1.1 *Origine de cette notion*

Dans le domaine biologique, le terme de maturation désignait le processus physiologique par lequel une spermatogonie, par divisions cellulaires successives, se transformait progressivement en un spermatozoïde. Il s'agissait donc d'une suite de transformations conduisant une cellule à maturité, lui permettant ainsi d'exercer sa fonction.

De multiples observations d'enfants, effectuées par Gesell, lui ont permis de constater l'existence de constantes dans leur développement. Reprendant le concept de maturation tel qu'il est appliqué en biologie, Gesell (1929) l'a étendu au phénomène du développement d'un organisme qui apparaît dans un ordre déterminé, sans l'intervention d'un stimulus externe connu.

1.2 *Définition*

La maturation peut se définir comme le processus physiologique, génétiquement déterminé, par lequel un organe, ou un ensemble d'organes, arrive à maturité et permet à la fonction, pour laquelle il est conçu, de s'exercer librement et avec le maximum d'efficacité.

De façon restrictive, ce terme a été appliqué à l'aspect physiologique du développement du cerveau. Les cellules nerveuses, en effet, n'assument pas encore leurs fonctions à la naissance, et il faut attendre que leur myélinisation se produise et que de nouveaux circuits ou relations s'établissent entre elles pour obtenir leur plus grande efficacité.

La maturation ne dépend pas directement de l'âge chronologique du sujet, mais elle détermine plutôt son âge physiologique.

2 - RELATIONS MATURATION-EXERCICE

La maturation est l'émergence de certaines caractéristiques dont la forme et le moment d'apparition seraient principalement sous la dépendance de facteurs génétiques. Cette affirmation résulte des conclusions avancées à la suite de nombreuses études réalisées dans le but de savoir si des caractéristiques propres à une espèce résultaient d'un apprentissage ou ne dépendaient que de facteurs intrinsèques à l'individu.

Pour déterminer de façon précise les interactions maturation-entraînement, nous serons amenés à étudier successivement ce qui se produit lorsqu'on limite ou augmente l'exercice avant ou après le début de la période de maturation.

2.1 *Restriction d'exercice avant l'époque de la maturation*

Dans les expériences qui vont suivre, on va comparer un groupe expérimental où l'activité physique a été réduite ou empêchée, à un groupe contrôle laissé en liberté normale.

Spalding (1973) a effectué une étude sur des hirondelles, la moitié de la nichée évoluant librement après la naissance, l'autre moitié étant élevée dans des tubes, position empêchant tout mouvement. Lorsque les premières ont réussi à voler, Spalding a relâché les autres et il a constaté que, bien qu'elles n 'aient eu aucune possibilité de s'entraîner auparavant, elles ont très rapidement rattrapé le niveau atteint par les premières. Le fait de voler est ainsi propre à l'espèce et ne dépend pas d'un entraînement.

Lorenz (1967) a obtenu des résultats identiques avec des pigeons. Carmichael (1926) a effectué une étude voisine sur des embryons de salamandre. Alors que certains étaient placés dans l'eau, dans des conditions normales, les autres étaient placés dans de l'eau contenant un anesthésique qui empêchait chez eux, toute activité, malgré une croissance normale. Lorsque les premières salamandres se sont mises à nager, après qu'on leur eut donné la possibilité d'effectuer quelques mouvements, on mit les secondes dans de l'eau normale et, très rapidement, elles purent nager. Mentionnons toutefois qu'un troisième groupe maintenu deux semaines encore sous anesthésie n'a appris à nager que plus difficilement et jamais parfaitement.

Bird (1925) s'est intéressé à l'évolution de la façon dont picorent les poussins, aussitôt après l'éclosion. Quatre groupes de poussins ont été soumis aux conditions expérimentales suivantes :

a) groupe témoin élevé dans les conditions habituelles ;

b) groupe élevé dans l'obscurité et pour lequel le nombre d'essais pour picorer était limité à 25 par jour pendant 3 semaines ;

c) groupe élevé dans l'obscurité et pour lequel le nombre d'essais pour picorer a été limité pendant 6 jours ;

d) groupe élevé dans l'obscurité et sans aucun entraînement pendant 6 jours mais laissé libre ensuite.

- La maturation des poussins laissés dans l'obscurité entre un et cinq jours s'effectue quand même, leur premier essai pour picorer étant plus précis que celui de poussins fraîchement éclos ; mais ils ne sont pas aussi habiles que les poussins élevés à la lumière.

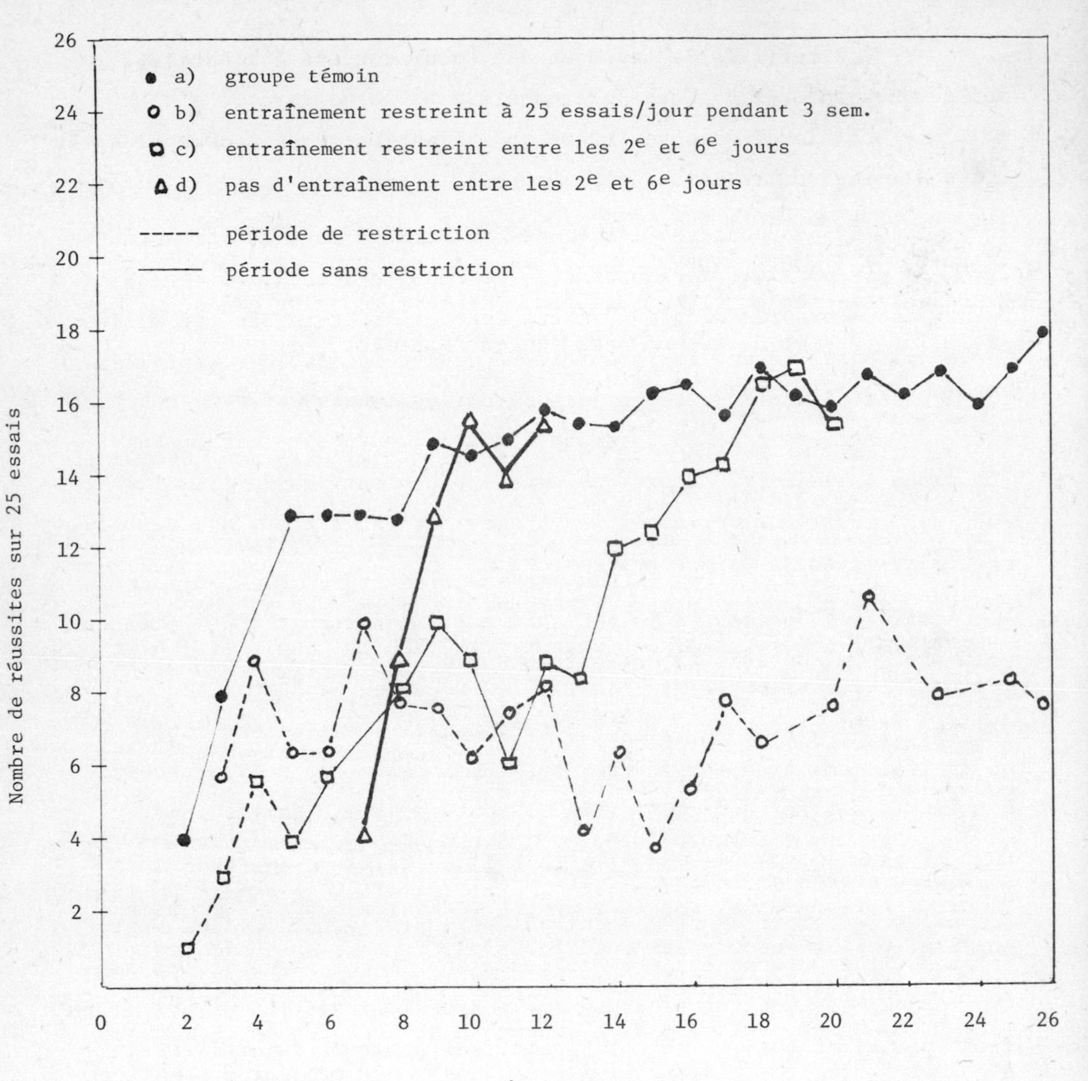

Fig. 1 - Influence de la restriction d'exercice sur l'habileté de poussins qui apprennent à picorer. (D'après Bird, 1925.)

- "d" rattrape "a" au bout de 4 jours, quant à l'habileté, et "c" rattrape "a" au bout de 21 jours.
- "b" sera toujours inférieur aux autres groupes même si après trois semaines on le laisse picorer tout le temps.

En ce qui concerne les études effectuées sur des êtres humains, il n'est pas possible, délibérément, de réduire l'activité des bébés. On utilise alors les données "naturelles" et "culturelles" de milieux où les parents élèvent leurs enfants en restreignant leur activité pendant des périodes de temps plus ou moins longues.

Dennis et Dennis (1940) ont étudié l'influence de l'activité libre sur l'acquisition de la marche, chez les nourrissons hopis. Les enfants qui étaient attachés à leur berceau de bois pendant trois à quatre mois, pour être libérés progressivement ensuite, et ceux laissés libres dès leur naissance ont appris à marcher à peu près au même âge. Les auteurs en ont conclu que l'apprentissage de la marche dépendait de la maturation et qu'une liberté de mouvement n'avançait pas son acquisition. Une étude semblable effectuée avec des enfants albanais a donné des résultats identiques.

Les mêmes auteurs, Dennis et Dennis (1935) ont également observé les effets de la restriction d'activité et de stimulation sociale sur le comportement de deux jumeaux après 9 mois d'isolement relatif. Les enfants étaient maintenus sur le dos, sans jouets autour d'eux, les adultes s'occupant d'eux ne leur souriaient pas et ne leur parlaient pas. L'objectif principal était de déterminer si le comportement des enfants suivrait son cours normal malgré des restrictions dans des activités spécifiques (pas moyen de s'asseoir ou de se lever, impossibilité de saisir des objets vus et d'imiter le comportement d'adultes). Le développement des enfants a été ensuite comparé à celui d'enfants élevés dans des conditions normales. Ces comparaisons ont permis de mettre en évidence qu'au cours des neuf premiers mois le comportement des deux jumeaux dont l'activité était restreinte ne déviait pas significativement de celui des autres enfants. Par contre, après neuf mois, des différences notables sont apparues, en particulier au niveau de la préhension et de la locomotion. Un fait intéressant est à noter : l'atteinte d'un objet vu s'est effectuée normalement par extension du bras, deux semaines après que l'on ait suspendu un objet au-dessus de l'enfant (268e jour) ; elle résultait d'une activité auto-initiée, aucun entraînement ou encouragement n'étant donnés. Les deux jumeaux ont appris à s'asseoir tout seuls vers le 10e mois et vers le 12e mois ; après 3 jours d'entraînement, ils pouvaient rester en position debout, supporter leur propre poids pendant une période de 2 à 3 minutes. Seule la marche n'a pas été retardée, en comparaison avec les autres enfants. Les auteurs concluent que les activités qui se développent au cours de la première année sont peu ou pas du tout modifiées par manque d'exercice ou de stimulation sociale. Les étapes normales de l'évolution du comportement résultent de l'action combinée de la maturation et de l'auto-stimulation de l'enfant.

Nous mentionnons pour terminer une autre observation effectuée par Dennis et Najarian (1957) dans une institution pour enfants, à Beyrouth, dans le but de contrôler les effets produits par l'absence d'attention portée à des enfants en bas âge. Ces enfants n'étaient pas tenus pendant la tétée, leur biberon reposant sur leur oreiller, et de plus ils étaient emmaillotés jusqu'à 4 mois, l'activité des membres se trouvant par là même fort restreinte. Les berceaux dans lesquels ils vivaient étaient entièrement recouverts, ce qui empêchait les enfants de voir dans la pièce. A 3 mois, ces enfants présentaient déjà un retard sur le plan intellectuel par rapport à des enfants élevés dans leur famille (évaluation faite à partir de l'échelle de Cattell, laquelle suppose l'enfant assis sur les genoux de la personne faisant passer les épreuves, position dans laquelle n'avaient pas coutume de se trouver les enfants de l'institution). Par contre, les résultats des tests du "dessin du bonhomme" de Goodenough et des "cubes" de Kohs ne révélaient pas de différence significative entre ceux des enfants de 4 à 6 ans, de l'institution citée plus haut, et ceux du même âge, d'un autre groupe. Ces résultats contredisent les travaux de Spitz (1945) sur l'"hospitalisme" pour qui l'absence de stimulation en bas âge, et en particulier l'absence d'amour maternel, produirait des effets dramatiques et non réversibles sur le comportement de l'enfant. Ces travaux, dépassant le cadre de notre étude, nous ne les aborderons pas de façon approfondie dans ce volume. Toutefois ils s'avèrent essentiels dans une étude de l'affectivité chez l'enfant.

De ces différentes études, *on peut donc conclure que les activités phylogénétiques* (activités qui appartiennent à l'espèce, comme voler, nager, picorer, marcher...) *apparaissent au moment où la maturation le permet*, même si certaines contraintes ont été exercées antérieurement.

2.2 *Excès d'exercice avant l'époque de maturation*

Nous venons de voir l'influence du manque de pratique sur le développement moteur. Mais quel pourrait être l'effet d'une augmentation de l'activité par rapport à l'activité moyenne ? Si le développement moteur se trouvait accéléré, on pourrait en conclure que l'activité le facilite, et si aucune influence n'était constatée on pourrait en déduire que la maturation a une importance spécifique.

Les études portant sur ce problème ont été réalisées avec des jumeaux monozygotes ayant les mêmes caractéristiques génétiques et subissant, normalement, les mêmes influences de la part du milieu. De façon générale, pour ces études on procède de la façon suivante : l'un des deux jumeaux est entraîné à certaines activités particulières (marcher, monter un plan incliné, se tenir debout, etc.) alors que le second est laissé à des activités libres ou peut recevoir un entraînement intensif beaucoup plus tard. On compare alors les performances des deux jumeaux à différents moments de leur vie, aussitôt après les périodes d'entraînement et à une époque ultérieure. Comme la maturation s'effectue en principe au même rythme chez des jumeaux identiques, si une différence est constatée après l'entraînement spécifique de l'un des deux, c'est que l'exercice influence les processus de maturation.

Utilisant cette méthode expérimentale, Gesell et Thompson (1929) ont étudié la modification du comportement en donnant à l'une des deux jumelles un entraînement spécial dans certaines activités, comme monter des escaliers et construire des structures avec des cubes. La jumelle A a été entraînée chaque jour pendant 6 semaines alors que la jumelle B n'a pas eu la possibilité de s'exercer pendant le même laps de temps. Après que A ait été entraînée pendant 6 semaines, B l'a été pendant 2 semaines. Les résultats obtenus, caractéristiques de cette forme d'étude, ont été les suivants : quand B a eu la possibilité de s'entraîner aux mêmes activités que A, elle a effectué dès son premier essai une performance plus élevée que celle réalisée par A six semaines plus tôt, mais moins élevée que celle réalisée par A au même moment. Après les deux semaines d'entraînement, le comportement des deux jumelles était presque identique.

Il semble donc que l'entraînement améliore la performance, en ce sens que le jumeau entraîné réussit une performance plus élevée à la fin de sa période d'entraînement, comparativement au jumeau non entraîné. Toutefois, la performance du jumeau non entraîné ne demeure pas stationnaire et augmente sans entraînement particulier. L'entraînement introduit à un âge plus avancé est plus efficace qu'un entraînement identique présenté à un âge plus précoce : l'enfant âgé apprend plus vite que le jeune.

McGraw (1935) a réalisé une étude devenue célèbre, avec deux jumeaux Johnny et Jimmy. Elle a pensé que ces deux jumeaux étaient identiques puisque issus d'un unique placenta. Alors que l'expérience était déjà bien avancée, il est apparu que les deux jumeaux n'étaient pas identiques. Plusieurs questions ont alors été soulevées, à savoir, en particulier, si les différences observées résultaient de bagages génétiques différents ou des conditions expérimentales. Malgré ces controverses les conclusions avancées par McGraw possèdent une certaine valeur.

Les jumeaux ont été étudiés entre 20 jours et 6 ans d'âge. Au début de l'expérience les enfants étaient conduits à la clinique cinq jours par semaine et sept heures par jour. Toutes les deux heures Johnny était entraîné aux activités normales à cet âge chronologique puis, un peu plus à la natation et au patinage. Pendant ce temps, Jimmy était dans son parc, placé derrière un écran au cours des séances d'entraînement de Johnny. De temps à autre, on faisait passer des tests à Jimmy et on comparait ses performances à celles réalisées par Johnny afin de voir si des différences se manifestaient entre les deux jumeaux ; de plus, leur comportement était comparé à celui de 68 enfants témoins. Entre 22 et 25 mois Jimmy a reçu un entraînement intensif pendant 10 semaines.

Les résultats obtenus ont été les suivants :

a) l'entraînement spécifique n'a que peu ou pas d'effet sur le moment d'apparition des activités phylogénétiques telles que ramper, marcher à quatre pattes, s'asseoir ou marcher. Ces activités reposent essentiellement sur le développement des structures anatomiques peu sensibles à l'entraînement.

b) dans les activités ontogénétiques plus complexes que l'enfant peut ou non acquérir, comme nager, patiner, monter et descendre des plans inclinés, utiliser des accessoires en vue d'atteindre un objet pendu au plafond, rouler à bicyclette, l'entraînement plus soutenu dont avait bénéficié Johnny lui permettait d'accomplir ces activités avec plus d'aisance. A long terme, l'entraînement de Johnny s'est avéré avoir des implications plus profondes sur son comportement. Confronté à des situations particulières, perception de l'espace, escalade de socles, Johnny montrait plus d'assurance, de facilité, moins de crainte que Jimmy et, de plus, il semblait comprendre les situations beaucoup plus rapidement. Vers la fin de l'observation, 6 ans, il ne semblait pas que le traitement particulier dont avait bénéficié Johnny ait produit chez lui des modifications majeures.

Si l'exercice n'a pas produit de différences en ce qui concerne les activités phylogénétiques, il a développé une supériorité, chez le jumeau entraîné, dans les activités ontogénétiques et dans l'habileté à effectuer les deux sortes d'activités.

D'autres expériences ont été réalisées dans des conditions semblables.

McGraw (1940) a essayé de rendre un enfant propre avant l'âge où, normalement, il acquiert la maîtrise des sphincters. Les résultats montrent que l'enfant entraîné ne maîtrise pas ses sphincters bien avant celui que l'on a laissé libre, et on peut se demander si le gain de jours obtenu vaut les efforts déployés pour atteindre un résultat aussi décevant. Cette maîtrise dépendant d'une activité volontaire corticale ne peut s'obtenir que lorsque les centres la contrôlant sont arrivés à maturité (myélinisés). L'exercice ne précipite donc pas le processus de myélinisation.

L'étude du développement phycho-moteur des bébés ougandais (Geber, 1958) a mis en évidence que ces derniers ont une avance de 2 à 5 mois sur le comportement de bébés européens. L'auteur de l'étude attribue cette avance aux stimulations massives reçues par ces enfants dès la naissance. Cette avance est peut-être spécifique à la race.

La maturation résulte donc de facteurs internes sur lesquels l'entraînement ne produit pas d'effets, quant au moment où la fonction est rendue possible.

Que se produit-il si, lorsque les organes sont prêts à fonctionner, on réduit leur activité ?

2.3 *Manque d'exercice après l'époque de maturation*

Les expériences effectuées sur les animaux (Carmichael, 1926 ; Bird, 1925) mettent en évidence que la limitation d'exercice pendant une période trop longue, au début de la vie, produit des effets irréversibles (les salamandres nageaient très difficilement, les poussins picoraient très mal). Il semblerait donc qu'à un moment donné, la maturation d'organes permette l'apparition d'une fonction et qu'après un laps de temps variant selon l'activité, il soit impossible pour le sujet de développer une habileté aussi élevée que celle qu'il aurait pu acquérir quelque temps auparavant.

Cela nous conduit à la notion de période critique : il s'agit d'un intervalle de temps ou d'un âge particulier, présentant des facteurs de maturation particuliers, au cours duquel certaines réponses sont apprises de façon plus ou moins irréversible. L'enfant peut marcher vers 13 mois, parler vers 18 mois, lire vers 6 ans. A ces époques il est très facile pour lui d'acquérir ces habiletés. (Il est très difficile, par exemple, d'apprendre à lire à des adultes analphabètes.) Il s'ensuit que les fonctions nerveuses peuvent mûrir, atteindre le degré de perfectionnement normal, mais elles resteront sans effet si rien n'incite l'enfant à les utiliser. Il s'avère ainsi nécessaire de présenter à l'enfant le plus grand nombre possible d'activités susceptibles d'agir en relation avec la maturation.

En ce qui concerne les effets de la déprivation de stimulations chez les humains, Malson (1964) reprend toute une série de faits concernant les enfants sauvages, enfants retrouvés après qu'ils eurent passé une période de temps plus ou moins longue dans les bois, en dehors de tout contact avec l'espèce humaine. Le témoignage le plus éloquent est celui réalisé par le docteur Itard sur Victor (voir le film de Truffaut *l'Enfant sauvage*). Retrouvé vers l'âge de 9 ans (?) dans le Massif central, en France, vers 1790, Victor n'a jamais pu, par exemple, apprendre à parler malgré une ouïe et des organes phonatoires normaux. Les structures étaient arrivées à maturité mais le manque de stimulations n'a pas permis à la fonction de s'exercer librement et progressivement, la possibilité d'acquisition a disparu. Il faut donc stimuler au moment opportun.

L'absence d'entraînement pendant la période critique peut provoquer l'impossibilité d'acquérir une habileté alors qu'elle pourrait se développer sans heurt.

La courbe générale présentée dans la figure 2 met en évidence que :

- jusqu'à un certain âge le niveau de performance peut augmenter, sans entraînement, l'amélioration résultant uniquement de la maturation ;
- après un certain âge, malgré un entraînement intensif, une personne n'atteindra jamais le niveau de performance qu'elle aurait pu atteindre si elle s'était entraînée plus tôt ;
- pour une période de temps, les progrès dus à l'entraînement sont plus rapides lorsque la maturation est complète qu'au début de celle-ci ;
- si une habileté n'est pas développée par entraînement au moment opportun, la possibilité de son acquisition à une époque ultérieure peut disparaître.

3 - MATURATION ET APPRENTISSAGE

Marquis (1930) considère qu'il est possible de dissocier maturation et apprentissage, la première dépendant de facteurs internes, le deuxième, de facteurs externes. Actuellement, il semble qu'il ne soit pas possible de les séparer ; si la maturation ne produit pas l'apprentissage, elle le rend possible.

Pour Piaget (cité par Olson, 1957), organisme et environnement forment une entité, et on ne peut pas isoler maturation et apprentissage. La maturation est la tendance fondamentale de l'organisme à organiser l'expérience et à la rendre assimilable ; l'apprentissage serait le moyen d'introduire de nouvelles expériences dans cette organisation. Maturation (nature) et apprentissage (nurture) influent l'un sur l'autre pour donner le développement. Ceci peut se résumer ainsi :

Maturation	et	apprentissage	=	développement
Maturation	et	pas d'apprentissage	=	pas de développement
Pas de maturation	et	apprentissage	=	perte de temps
Pas de maturation	et	pas d'apprentissage	=	pas d'effet

La figure 2 présente un résumé de tous les points mentionnés.

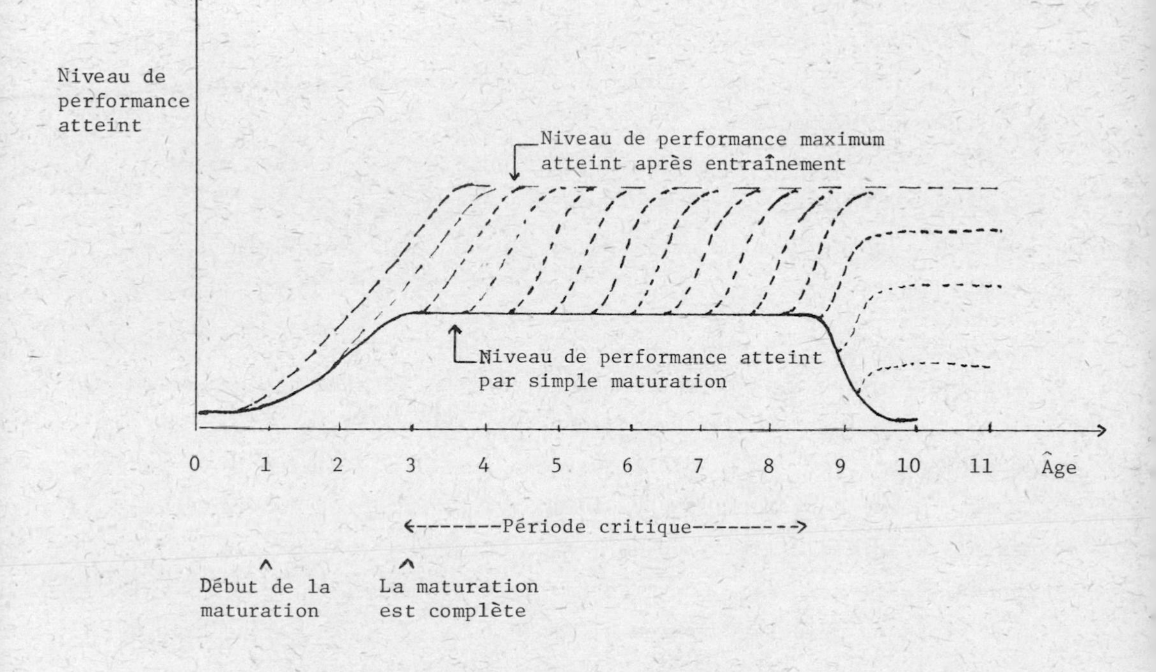

Fig. 2

Interaction de l'âge et de l'entraînement sur l'acquisition d'un niveau de performance dans une activité

4 - APPLICATIONS PÉDAGOGIQUES

Le premier élément à retenir est celui des périodes critiques, intervalle de temps pendant lequel un comportement s'acquiert avec le minimum d'effort et le maximum d'efficacité. Les progressions établies au niveau élémentaire doivent tenir compte du fait que l'enfant ne peut pas réaliser des activités complexes s'il n'a pas atteint l'âge où les activités de base, autorisant des mouvements plus complets, s'acquièrent normalement. L'enfant peut être entraîné plus facilement et plus rapidement s'il a atteint un état de maturité physiologique spécifique à l'activité. Lawther (1959) indique d'ailleurs qu'un des grands besoins de l'enfant, au cours de son développement, est de pouvoir exercer ses nouvelles possibilités.

L'entrée à l'école se faisant en fonction des tranches d'âge, tous les élèves d'une classe ont sensiblement le même âge chronologique, mais il existe des variations importantes quant à leur âge physiologique, ce qui signifie que tous les élèves n'ont pas atteint le même degré de maturation. Ces variations limitent considérablement la pratique d'activités de groupe où tous les individus sont censés réaliser le même mouvement à la même époque, ou apprendre la même chose en même temps parce qu'ils ont le même âge chronologique. En fait les notes d'évaluation obtenues lors des tests à la fin d'une année scolaire, par des enfants de niveau élémentaire ou secondaire, ne sanctionnent, peut-être, que des degrés de maturation différents.

La maturation du système neuro-musculaire permet en outre, chez l'enfant, le développement capital des sensations kinesthésiques qui s'associent aux sensations visuelles et labyrinthiques dans la structuration du schéma corporel. Il faut développer au maximum ces différentes sensations lorsque l'enfant est encore au niveau des études élémentaires, puisque c'est vers l'âge de 6 ans qu'elles arrivent à maturité.

Les difficultés scolaires rencontrées par un grand nombre d'enfants en lecture, en écriture ou en mathématique ne sont souvent que le résultat d'un état d'immaturité de l'enfant (et de précipitation des parents). La prise en considération de l'âge physiologique au lieu de l'âge chronologique éviterait, dans une grande proportion, ces inadaptations scolaires.

5 - CONCLUSION

La majorité des comportements humains semblent résulter, en grande partie, de modèles de croissance déterminée génétiquement plutôt que d'un apprentissage. Pour cette raison, l'ordre dans lequel les comportements apparaissent ne diffère pas de façon appréciable d'un individu à l'autre.

Des stimulations excessives ou une absence d'expérience ne paraissent pas, dans certaines limites, influencer l'acquisition des comportements phylogénétiques. Toutefois, l'entraînement particulier d'habiletés ontogénétiques semble améliorer la performance.

Les comportements phylogénétiques, bien que n'étant pas atteints par des privations modérées, nécessitent tout de même quelque entraînement pendant des périodes critiques spécifiques à l'activité, si l'on veut éviter des carences permanentes ou presque permanentes.

Le développement moteur se produit par la combinaison des influences de la maturation et des influences du milieu. Les difficultés éprouvées par des adultes dans l'acquisition d'habiletés motrices et le fait que leur rendement ne sera jamais maximum peuvent résulter de l'absence de renforcement au moment opportun (période critique).

La prise en considération de l'âge physiologique des enfants à leur entrée à l'école éviterait, dans une certaine mesure, les difficultés scolaires rencontrées par un grand nombre d'entre eux. Les interactions entre différentes composantes du développement moteur étudiées jusqu'à présent peuvent être résumées dans le tableau suivant :

Croissance (changements de dimensions) + Maturation (changements de structures et de fonctions)

⇓

Nouvelles habiletés potentielles

⇓

vont permettre les apprentissages
(modification du comportement
par la répétition d'une tâche)

⇓

Adaptation :
intégration de l'individu au milieu

BIBLIOGRAPHIE

BIRD, C., "The Relative Importance of Maturation and Habit in the Development of an Instinct", *Pedagogical Seminary*, 1925, vol. 32, p. 68-91

CARMICHAEL, L., "The Development of Behavior in Vertebrates Experimentally Removed from the Influence of External Stimulation", *Psychology Review*, 1926, vol. 33, p. 51-58.

DENNIS, W., "Infant Development under Conditions of Restricted Practice and of Minimum Social Stimulation : a Preliminary Report", *J. Genet. Psychol.*, 1938, vol. 53, p. 149-158.

DENNIS, W. et M. G. DENNIS, "The Effect of Restricted Practice upon the Reaching, Sitting, and Standing of Two Infants", *J. Genet. Psychol.*, 1935, vol. 47, p. 17-32.

\- "The Effect of Cradling Practice upon the Onset of Walking in Hopi Children", *J. Genet. Psychol.*, 1940, vol. 56, p. 77-86.

DENNIS, W. et P. NAJARIAN, "Infant Development under Environmental Handicap", *Psychol. Monogr.*, 1957, vol. 71, n° 7.

GEBER, M., "Psychomotor Development of African Children in the First Year and the Influence of Maternal Behavior", *J. Soc. Psychol.* 1958, vol. 47, p. 185-195.

GESELL, A., "Maturation and Infant Behavior Pattern", *Psychol. Rev.*, 1929, vol. 36, p. 307-319.

GESELL, A. et H. THOMPSON, "Comparison of the Development of a Specially Trained Child with that of her Untrained Twin", *Genet. Psychol. Monog.*, 1929, vol. 6, p. 1-124.

LORENZ, K., *Evolution et modification du comportement. L'inné et l'acquis*, Paris, Payot, 1967.

MALSON, L., *les Enfants sauvages : mythe et réalité* (suivi de : *Victor de l'Aveyron*, par Jean Itard), Paris, Union générale d'édition, 1964.

MARQUIS, D. G., "The Criterian of Innate Behavior", *Psychol. Rev.*, 1930, vol. 37, p. 334-349.

McGRAW, M. B., *Growth : a Study of Johnny and Jimmy*, New York, Appleton, 1935.

— "Neural Maturation as Exemplified in Achievement of Bladder Control", *J. Pediat.*, 1940, vol. 16, p. 580-590.

OLSON, W. C., "Developmental Theory in Education", dans D. B. HARRIS (Ed.), *The Concept of Development : an Issue in the Study of Human Behavior*, Minneapolis, University of Minnesota Press, 1957, p. 259-274.

SPALDING, D. A., "Instinct, with Original Observations on Young Animals", *Macmillan's Magazine*, 1873, vol. 27, p. 282-293. Repris dans *B.J. Anim. Behav.*, 1954, vol. 2, p. 2-11.

SPITZ, R. A., "Hospitalism : an Inquiry into the Genesis of Psychiatric Conditions in Early Childhood", *Psychoanal. Study Child*, 1945, vol. 1, p. 53-74.

QUESTIONS

1. Comment pouvez-vous intégrer la notion de période critique au domaine des apprentissages scolaires ?

2. Une activité peut-elle être commencée à n'importe quel âge avec le maximum de chances de réussite ? Pourquoi existe-t-il des gens maladroits ?

3. Pourquoi les activités scolaires ne débutent-elles pas avant l'âge de 6 ans ?

4. Dans une étude longitudinale, destinée par exemple à évaluer l'effet d'un programme psychomoteur sur l'amélioration de la performance d'un enfant, peut-on négliger l'influence de la maturation ?

Troisième partie

L'ORGANISATION PERCEPTIVE

Chapitre 1

LES SENSATIONS

Michel Portmann

PLAN

1. LA SENSATION
    1.1 *Transmission des sensations au cerveau*
    1.2 *Aires somato-sensitives*
    1.3 *Interprétation des sensations*
    1.4 *Classification de la sensibilité somesthésique*

2. SENSIBILITÉ EXTÉROCEPTIVE
    2.1 *Sensibilité cutanée - le tact*
        2.1.1 Sensations tactiles
        2.1.2 Sensations thermiques
        2.1.3 Sensations douloureuses
    2.2 *La sensibilité visuelle*
        2.2.1 La vision
        2.2.2 Formation des images sur la rétine
        2.2.3 Accommodation
        2.2.4 Défauts de la vision
        2.2.5 Les voies optiques
        2.2.6 Zones visuelles corticales
    2.3 *La sensibilité auditive*
        2.3.1 Notions élémentaires d'acoutisque
        2.3.2 L'audition
        2.3.2.1 Cheminement d'un son
        2.3.2.2 Voies auditives

3. SENSIBILITÉ PROPRIOCEPTIVE

    3.1 *Les récepteurs proprioceptifs*

    3.2 *Fonction des sens proprioceptifs*

4. LOIS DE LA SENSATION

    4.1 *Lois psychophysiques*

    4.2 *Lois psychophysiologiques*

    4.3 *Lois psychologiques*

BIBLIOGRAPHIE

La *fonction sensorielle* ou *réceptrice* est l'activité d'un organe destiné à recevoir une stimulation permettant la mise en action d'un influx nerveux. L'organe en question est appelé *récepteur sensitif*. Les récepteurs sont spécialisés dans la détection de certains stimuli (chaud, froid, pression, gaz, rayons lumineux, ondes, etc.). On en trouve au niveau de la peau, de la rétine, de la langue, de la carotide, de la crosse de l'aorte, de l'oreille interne, bref il en existe un nombre déterminé, mais notre intérêt ne se limitera qu'aux récepteurs ayant une influence sur la vie de relation.

1 - LA SENSATION

1.1 *Transmission des sensations au cerveau*

Les influx issus de l'organe récepteur cheminent dans les nerfs sensitifs vers les racines postérieures des nerfs rachidiens et dans les parties postérieures de la moelle épinière. Certaines des fibres se terminent à ce niveau pour constituer l'arc réflexe. D'autres montent en passant par le thalamus pour se terminer au niveau du cortex cérébral constituant les aires somesthésiques (Fig. 1) ou au niveau du cervelet pour la sensibilité proprioceptive inconsciente (*voir* sensibilité proprioceptive).

Le rôle du thalamus s'avère essentiel pour déterminer le type de la sensation. Les sensations y sont individualisées par origine : douleur, chaleur, froid... De plus, les sensations y sont classées en agréables et désagréables. Le cortex cérébral n'est pas la seule région consciente de l'encéphale. Sa destruction n'empêche pas la reconnaissance par le sujet du type de sensation. Par contre, la destruction du thalamus supprime toute reconnaissance sensitive.

TABLEAU I

Principales formes d'énergie produisant une excitation des récepteurs et les sensations correspondantes

(d'après Stagner et Karmowski)

Excitation	Récepteur	Sensation
Ondes électromagnétiques		
Supérieures à 10^{-5} cm	Rien	
de 10^{-5} à 10^{-4} cm	Rétine	Lumière - couleurs
de 10^{-4} à 10^{-2} cm	Cellules cutanées	Froid - chaud
Vibrations mécaniques		
20 à 20 000 Hz	Organe de Golgi	Sous-bruits
Pression	Cellules cutanées	Tact
Mouvement de la tête	Appareil vestibulaire	Équilibre
Substances chimiques		
aqueuses	Cellules gustatives	Goût } (Pas important dans la motricité)
gazeuses	Cellules olfactives	Odorat }
Modification du milieu intérieur	Cellules des viscères	Pression - tension
(chimique et mécanique)		
Mouvement	Ruffini, Golgi...	Kinesthésique
Apport d'énergie intense	Terminaisons nerveuses libres	Douleur

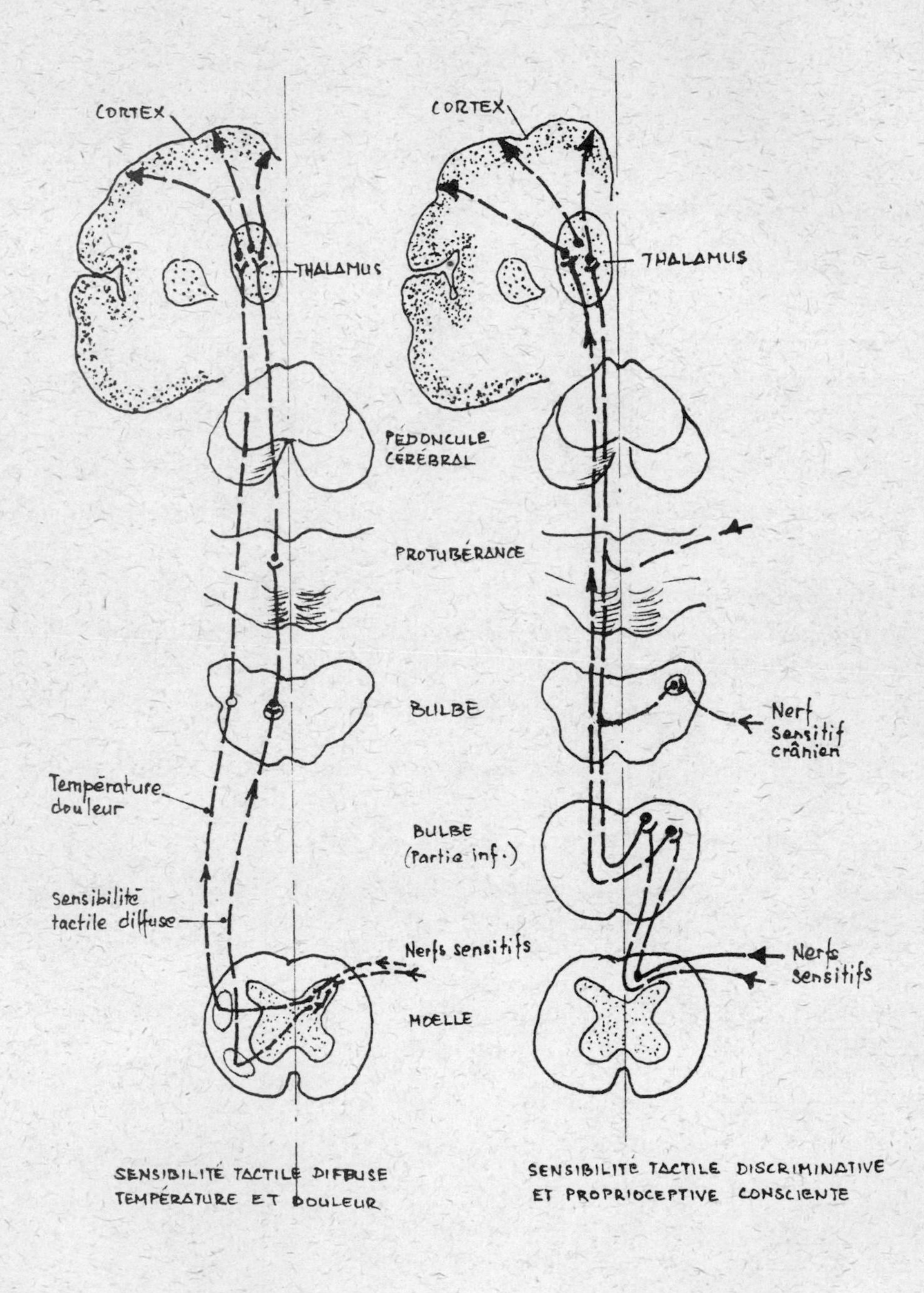

Fig. 1 - Voies sensitives principales (Bresse, 1970)

1.2 *Aires somato-sensitives*

Les fibres nerveuses issues des organes sensoriels sont individualisées à l'intérieur de la moelle épinière et se terminent à un endroit précis du thalamus, ce qui permet de connaître grossièrement la zone du corps qui vient d'être stimulée. Une connaissance plus exacte de l'origine des sensations nécessite l'intervention des aires somato-sensitives du cortex cérébral reliées au thalamus.

L'aire somato-sensitive se situe au niveau de la pariétale ascendante, en arrière de la scissure de Rolando (Travaux de Broca puis de Brodmann) (Fig. 2a et 2b). Les différentes parties du corps s'y trouvent représentées et occupent une surface d'autant plus grande qu'elles possèdent une sensibilité plus élevée (le visage, les mains, les pieds sont largement représentés). Les sensations de toucher, pression et position sont localisées sur le corps avec plus de précision que les sensations de douleur, chaleur et froid. Ceci est dû à la spécialisation et au nombre des terminaisons nerveuses au niveau des organes récepteurs.

Chacun des nerfs rachidiens conduit les informations en provenance d'une région bien déterminée du corps, appelée *dermatome*. La perte de sensation d'une grande partie du corps permet de déterminer la partie du système nerveux qui ne fonctionne pas, par l'excitation successive des différents dermatomes.

1.3 *Interprétation des sensations*

Les sensations créées par l'arrivée des influx au niveau des aires somesthésiques, bien que conscientes et localisées, n'en demeurent pas moins des *sensations élémentaires* ne permettant pas de déterminer la cause de la sensation. La synthèse de ces sensations élémentaires de dureté, rugosité, chaleur aboutissant à l'appréciation par le toucher du volume, de la forme, du poids des objets s'effectue dans l'aire *somato-psychique* occupant le haut de la circonvolution pariétale ascendante située derrière l'aire somato-sensitive. L'intégration de ces sensations permettant de faire, par le

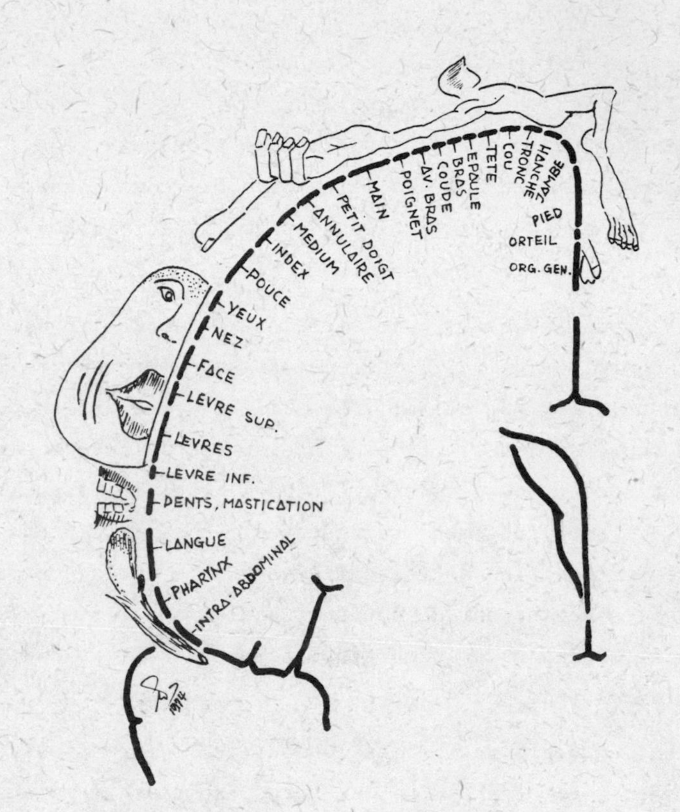

Fig. 2a - Homunculus sensitif

toucher, l'identification symbolique de l'objet (reconnaissance) a lieu dans l'aire *somato-gnosique*, occupant les pieds des pariétales supérieures et inférieures.

Des lésions au niveau de ces 2 dernières aires produisent la stéréognosie: impossibilité de reconnaître un objet placé dans sa main, du côté opposé à la lésion cervicale, si la lésion se situe au niveau de la zone de la main dans l'aire somato-psychique. Le sujet peut dire si l'objet est dur, froid, lourd, mais il n'établira pas de synthèse de ces sensations élémentaires pour identifier l'objet.

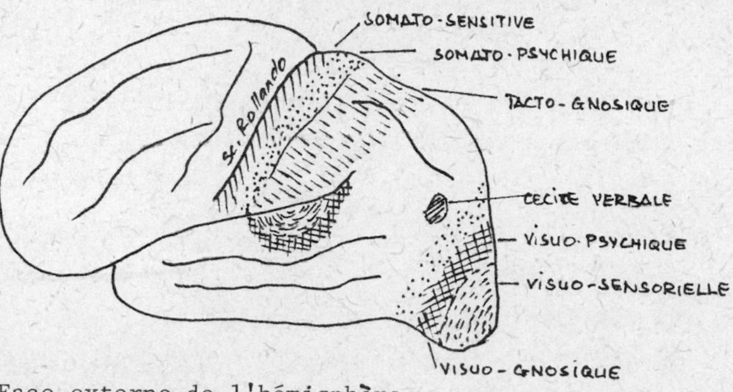

Face externe de l'hémisphère

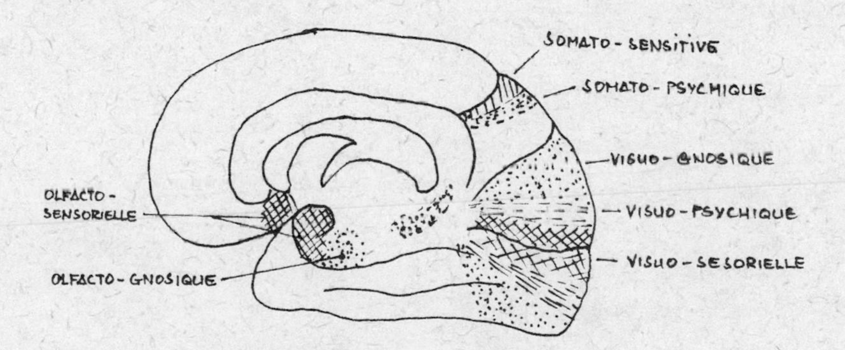

Face interne de l'hémisphère

Fig. 2b

Notons toutefois que, si la lésion est localisée aux zones précédentes, d'autres interactions peuvent se produire pour pallier cette lacune (intervention du thalamus et d'autres territoires corticaux qui règlent les opérations complexes d'associations constituant les gnosies).

Des procédures semblables existent au niveau de la vision et de l'audition.

1.4 *Classification de la sensibilité somesthésique*

Les différentes sensibilités sont classées selon leur rôle en

- *sensibilité extéroceptive* qui renseigne sur le milieu extérieur (vue, ouïe, tact...) ;
- *sensibilité proprioceptive* qui renseigne sur l'étirement musculaire, la position des membres, l'équilibre ;
- *sensibilité viscérale ou intéroceptive* qui est la sensibilité des organes internes, c'est-à-dire les viscères.

Nous nous limiterons à l'étude des sensibilités extéroceptives et proprioceptives, la sensibilité intéroceptive n'ayant pas de rapports directs avec la motricité.

2 - SENSIBILITÉ EXTÉROCEPTIVE

2.1 *Sensibilité cutanée - le tact*

La peau est le siège de plusieurs sortes de sensations (Fig. 3) :

- *Sensations tactiles*
- *Sensations thermiques*
- *Sensations douloureuses*

2.1.1 Sensations tactiles

Elles comprennent aussi bien le simple effleurement de la peau (pression très légère, toucher des poils) que la forte pression, en passant par tous les degrés de pressions à la surface de la peau.

En réalité, ces sensations tactiles ont pour origine des excitations "mécaniques" produites par la pression de corps solides, liquides ou gazeux (par leurs mouvements).

Ces pressions créent une déformation de la surface cutanée et également une déformation des terminaisons *nerveuses*, c'est-à-dire des corpuscules ou des terminaisons libres (*récepteurs*) aux divers

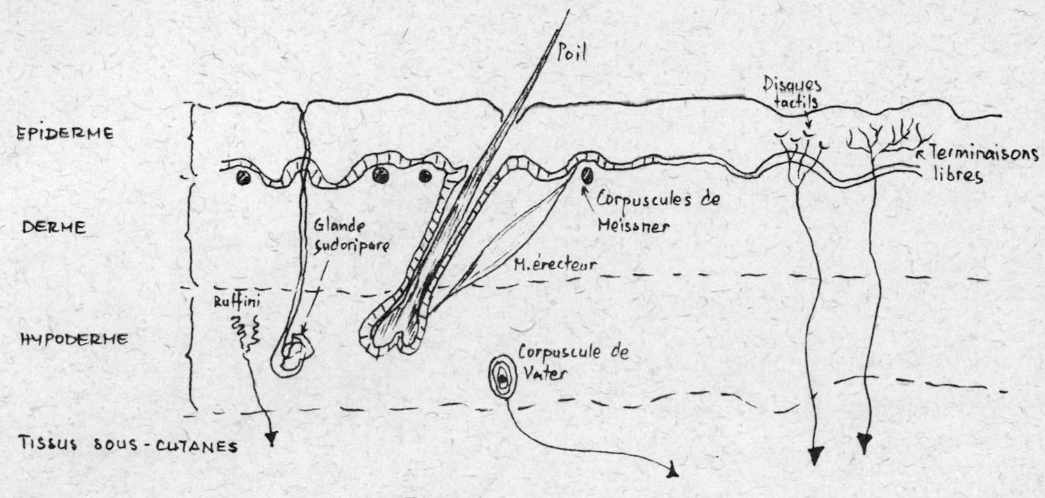

Fig. 3 - La peau

degrés de profondeur de la peau engendrant un influx nerveux qui, en parvenant au cerveau, renseigne sur le genre de sensation (Fig. 4).

a) *Les récepteurs*

- Corpuscules de Meissner : (1/10 de mm) terminaisons encapsulées en grande quantité dans la pulpe des doigts et des orteils. Elles permettent d'évaluer les caractéristiques de surfaces d'un corps - Sens tactile.

CAPSULE CONJONCTIVE ELASTIQUE

FIBRE NERVEUSE

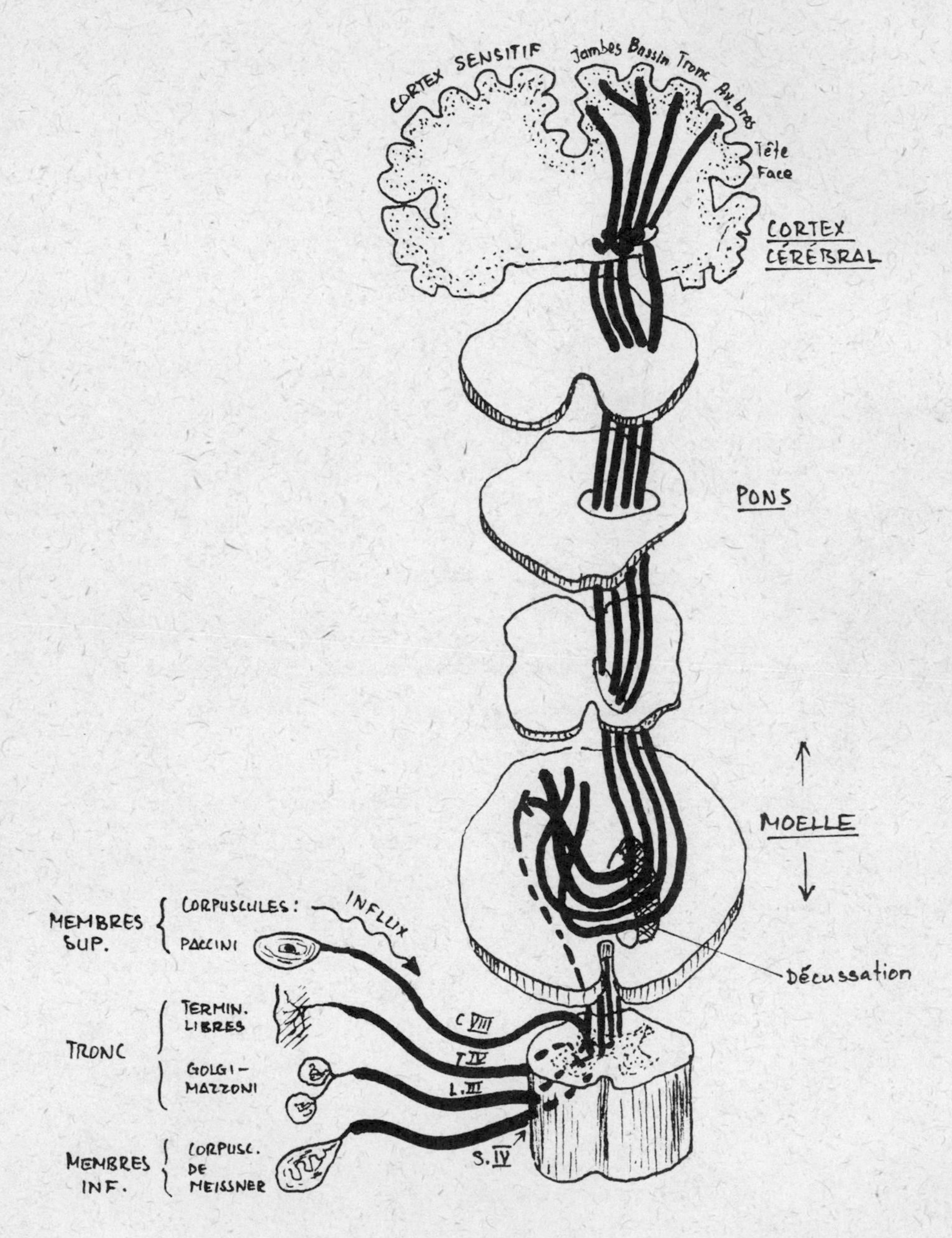

Fig. 4 - Voies tactiles épicritiques [dessin simplifié]
(d'après Truex et Carpenter, 1969)

- Terminaisons libres : dans le derme et l'épiderme

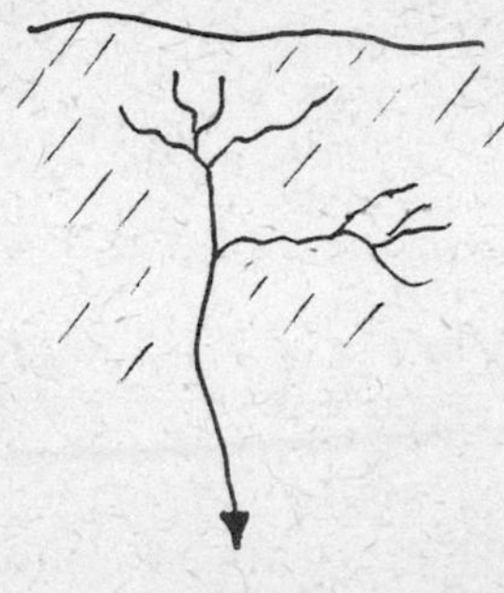

- Terminaisons nerveuses annexées aux poils : fibres nerveuses sans myéline entourant la base du poil.

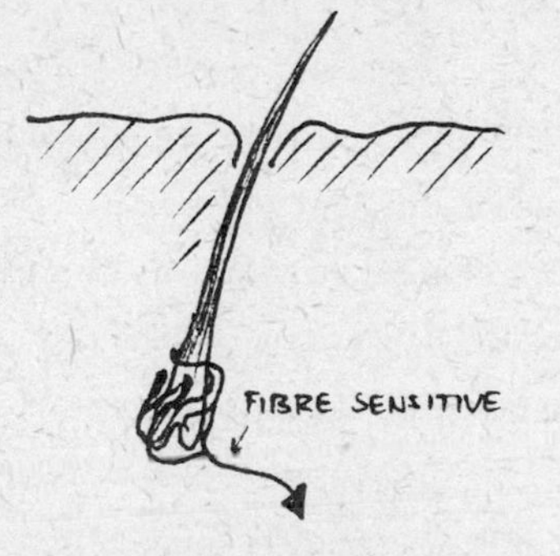

- Corpuscules de Pacini (Vater Pacini) : perçoivent les déformations de la peau sous l'effet de la pression.
  (3 mm)

  On en trouve dans les tissus sous-cutanés surtout des mains et des pieds, dans les muscles, tendons, autour des articulations.

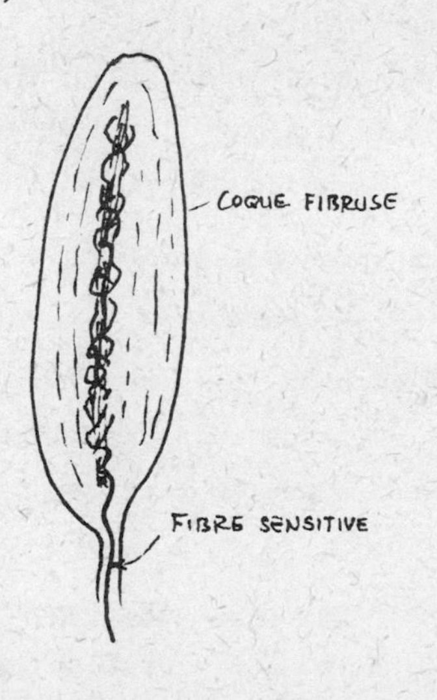

- Corpuscules de Merkel-Ranvier : se terminant sur les cellules épithéliales de l'épiderme (sensations légères).
- Corpuscules de Ruffini : jouent un rôle dans la localisation tactile en informant l'individu sur la position exacte du point du corps stimulé par une sensation quelle qu'elle soit.

  De forme allongée, ces récepteurs peuvent atteindre 2 mm de long.
- Corpuscules de Golgi-Mazzoni : qui pour certains auteurs, serviraient aussi dans l'appréciation des pressions et dont la constitution est comparable à celle de Vater-Pacini.

b) *Acuité tactile*

D'après l'expérience de Weber, on peut évaluer la finesse de la sensibilité tactile selon le pouvoir de discrimination entre deux stimuli simultanés produits sur deux points voisins à la surface de la peau. On pique simultanément les deux pointes sèches d'un compas sur la peau et on augmente progressivement l'écart de ces deux pointes en répétant l'opération jusqu'à ce que le sujet perçoive une double sensation et non une seule. Il en découle que l'acuité tactile varie avec les régions.

C'est ainsi que l'écart minimum requis pour qu'il y ait sensation double au niveau de la langue (extrémité) est de 1 mm ; de 2,2 mm à la face palmaire de la troisième phalange des doigts ; de 15 mm sur le dos de la main ; presque 70 mm sur la cuisse.

On remarque donc que cela correspond à la richesse en corpuscules de Meissner de ces divers territoires cutanés.

On remarque également qu'il y a une différence d'acuité tactile selon les individus, et que l'*exercice* permet aux aveugles, entre autres, d'atteindre un haut niveau d'acuité tactile.

2.1.2 Sensations thermiques

La différence de température d'un objet quelconque en contact avec la peau entraîne un abaissement ou une élévation de la température de celle-ci, provoquant une sensation de froid ou de chaud.

La sensibilité thermique est variable suivant les régions stimulées, il n'y a pas forcément une relation entre une région riche en détecteurs du tact et la détection thermique. C'est ainsi que les joues, les cuisses sont plus sensibles aux différences de température que les doigts.

Les points sensibles au chaud et au froid sont différents les uns des autres. Ils ne sont pas en nombres égaux dans la même surface. Ainsi l'on pourra, suivant les régions, trouver de 0 à 3 points sensibles au froid, par cm^2, alors qu'on aura de 6 à 23 points sensibles à la chaleur par cm^2.

Les récepteurs

- Corpuscules de Golgi-Mazzoni : seraient sensibles au froid.
- Corpuscules de Ruffini : seraient sensibles au chaud.

2.1.3 Sensations douloureuses

La sensation douloureuse cutanée peut revêtir plusieurs formes selon la nature de l'excitation (piqûre, compression, brûlure, etc.).

La sensation thermique devient douloureuse si l'excitation est suffisamment intense (+ 45 °C).

Il y a à la surface de la peau, environ 3 500 000 points de douleur dont l'excitation ne donne qu'une sensation de douleur. La densité de ces points est différente selon les régions du corps : région inférieure de la joue (niveau de la 2e molaire) insensible à la douleur. (Expérience des "fakirs" qui se transpercent la joue ou le cou avec des aiguilles.)

Les récepteurs

- Terminaisons nerveuses : libres, situées dans le derme et l'épiderme (amyéliniques).

2.2 *La sensibilité visuelle*

L'oeil est l'organe sensible à la lumière. Parmi les diverses longueurs d'ondes lumineuses, celles captées par la rétine de l'oeil ont une longueur variant de 0,4μ à 0,8μ, c'est-à-dire entre l'infrarouge (inf. à 0,8μ) à l'ultraviolet (sup. à 0,4μ) (Fig. 5). Ces dernières étant généralement invisibles, sauf avec des récepteurs extrêmement sensibles.

Rayons (corps radioactifs) et rayons X	de 0,001μ à 0,1μ
Rayons ultraviolets	de 0,01μ à 0,4μ
Rayons visibles	de 0,4μ à 0,8μ
Rayons infrarouges	de 0,8μ à 350μ

μ = mu

La couleur

En ce qui concerne les radiations donnant la perception des couleurs, *il est admis qu'il n'y a que trois couleurs fondamentales dans le spectre. Elles ont des longueurs d'ondes d'environ :*

0,475μ pour un type de bleu
0,505μ pour un type de vert
0,570μ pour un type de jaune

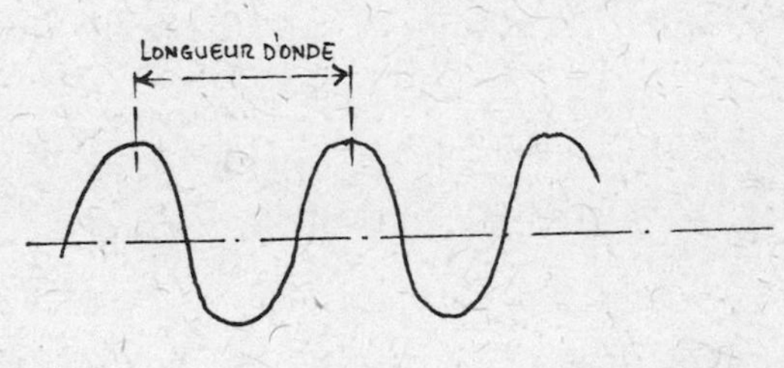

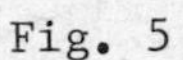

Fig. 5

La couleur peut être modifiée par changement des longueurs d'ondes, en variant le degré de saturation (pureté, richesse d'une couleur) ou encore en augmentant ou diminuant l'intensité de la lumière.

2.2.1 La vision

Le sens de la vue permet une relation avec le monde extérieur sans qu'il y ait contact direct. Le globe oculaire (Fig. 6) et plus spécialement l'une de ses membranes, *la rétine*, où se trouvent les récepteurs destinés à capter les impressions lumineuses, constituent l'organe de la vision.

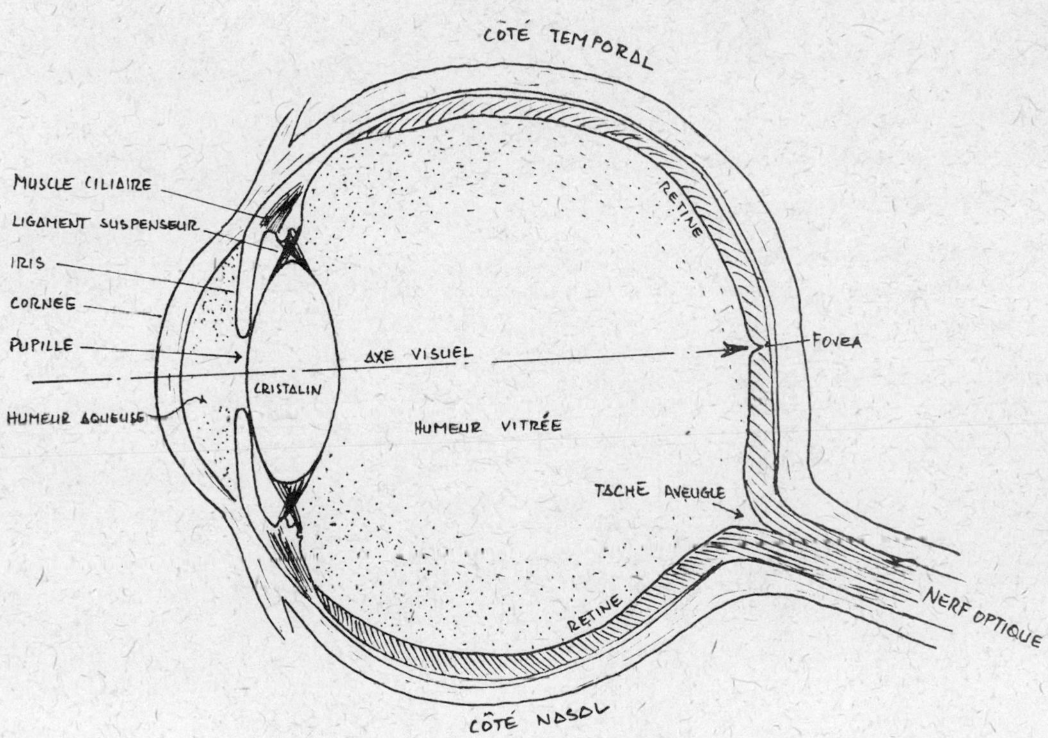

Fig. 6

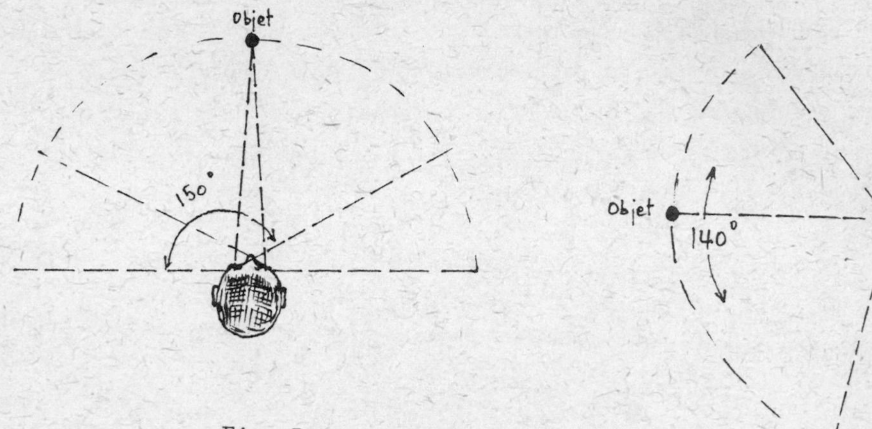

Fig. 7 - Le champ visuel

Ces deux diagrammes montrent le champ de vision de l'oeil normal.

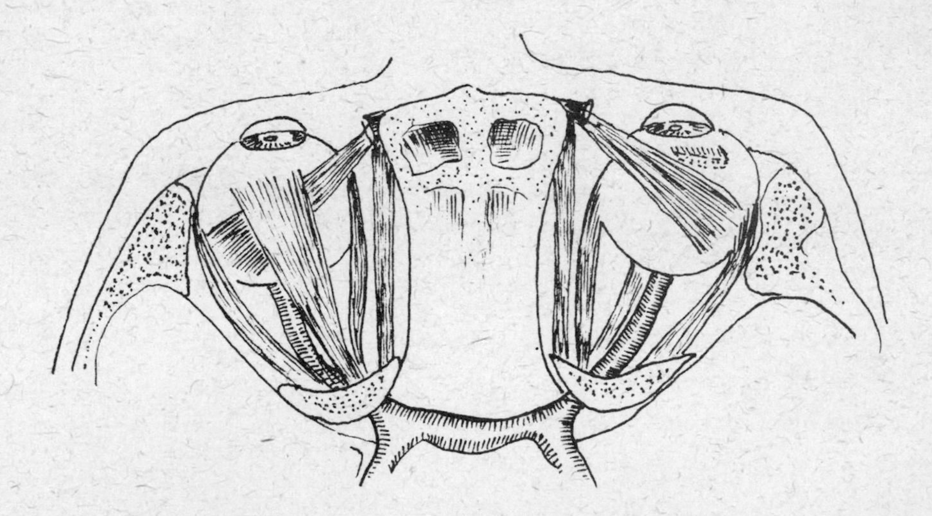

Fig. 8 - La vision binoculaire et les muscles moteurs de l'oeil [différentes coupes] (Walls, 1942)

L'oeil peut se comparer à un appareil photographique extrêmement perfectionné.

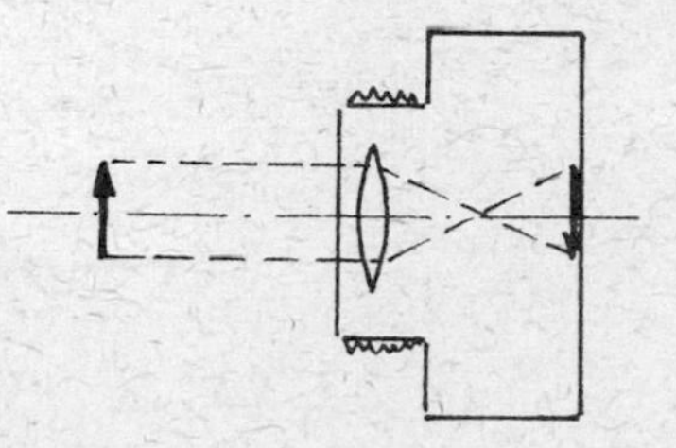

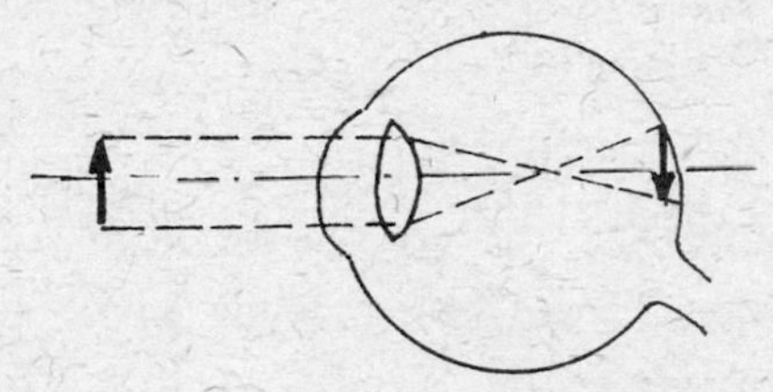

Fig. 9

Les rayons lumineux pénètrent dans le globe oculaire en traversant (Fig. 6) :

- la *cornée* : membrane transparente demi-sphérique ;
- l'*humeur aqueuse* : liquide occupant l'espace entre la cornée et l'iris ;
- la *pupille* : qui est le trou au centre de l'*iris* (colorée, donne la couleur des yeux ; bleu, vert, brun...). La pupille a la faculté de s'adapter à diverses situations en se dilatant dans l'obscurité ou pour une vision lointaine, ou en se rétrécissant à la lumière intense ou lors de la vision de près ;
- le *cristallin* : qui a une forme de lentille biconvexe dont la courbure peut augmenter ou diminuer sous l'influence du *muscle ciliaire* (Fig. 10) qui permet une *accommodation* à la vision rapprochée ou éloignée ;

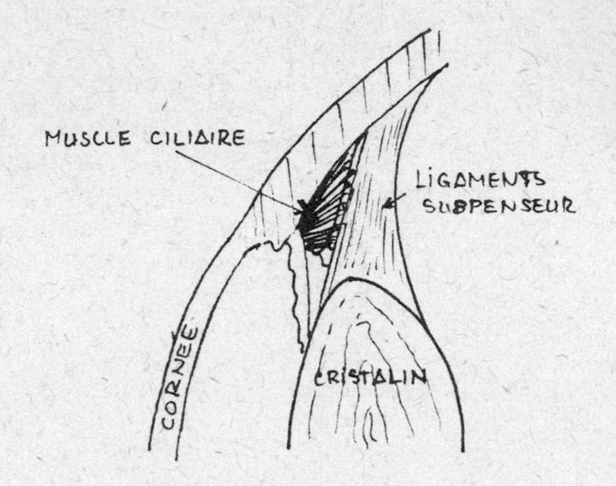

Fig. 10

- l'*humeur vitrée* : masse gélatineuse entre le cristallin et la rétine :

- la *rétine* : membrane sensible de l'oeil dans laquelle se trouvent les récepteurs des rayons lumineux (cônes et bâtonnets). Dans sa partie postérieure, on y remarque deux régions spéciales : 1) la *tache jaune*, ou *macula*, ou encore appelée *fovea*, située exactement dans l'axe optique, ne contenant que des récepteurs en forme de *cônes* sensibles à la lumière diurne. C'est la zone où l'acuité visuelle est maximale ; 2) la *papille optique* ou *point aveugle*, qui correspond au point de pénétration du nerf optique, ne peut capter les rayons lumineux puisqu'elle ne contient aucun récepteur.

Mariotte (XVIIe s.) réalisa une expérience qui est facile à reproduire de façon plus simple (Fig. 11). Il plaça un premier disque blanc sur un écran noir, à peu près au niveau de l'oeil. Sur le même écran, il en plaça un second à environ 60 cm (2 pieds) à droite. Il ferma l'oeil gauche, regarda le premier disque avec l'oeil droit et s'éloigna lentement de l'écran. À 3 m environ (3 verges), le second disque disparut de sa vue bien que l'écran restât visible.

*   ●

Fig. 11 - Expérience de Mariotte

Fermez l'oeil gauche, fixez la croix avec l'oeil droit puis éloignez votre feuille jusqu'à disparition du point noir de votre vue.

Les rayons lumineux du second disque venaient précisément frapper la tache ou point aveugle. Quand Mariotte bougeait légèrement les yeux, le disque réapparaissait.

Dans la vision normale, le point aveugle ne présente aucun problème surtout à cause de la vision binoculaire et de la fréquence rapide des mouvements oculaires.

Les *photorécepteurs* sensibles aux divers rayons lumineux sont situés dans la rétine et sont de deux sortes : les cônes et les bâtonnets.

2.2.1.1 Les photorécepteurs

Les ondes lumineuses sont projetées sur la rétine après avoir traversé l'oeil. Les cellules sensibles aux différents stimuli lumineux sont de deux sortes :

a) *les bâtonnets* très sensibles surtout utilisés dans la vision en lumière atténuée. Ils ne sont pas sensibles à la couleur ;

b) *les cônes* sont spécialisés dans la vision diurne. On en trouve sur toute la surface de la rétine en concentration diminuante, plus on s'éloigne de la fovea qui contient uniquement des cônes en grande densité, alors qu'à la périphérie de la rétine, les cônes, dont la densité est moindre, sont mélangés avec des bâtonnets.

La sensibilité aux couleurs

Newton (1704) formula une série d'hypothèses, en ce qui concerne la sensibilité de l'oeil aux couleurs. Il supposa que l'oeil était composé d'un grand nombre de récepteurs lumineux répondant chacun à une excitation chromatique unique qui serait retransmise au cerveau.

Young (1801) rejeta la position de Newton en proposant trois types de récepteurs, chacun répondant à une des couleurs principales. Un peu plus tard, von Helmholtz précisait qu'il existe dans la rétine trois types de récepteurs chromatiques. Ils absorbent une quantité variable de rouge, de vert et de bleu et transmettent directement ces signaux pour produire les différentes sensations de couleur au cerveau (Fig. 12).

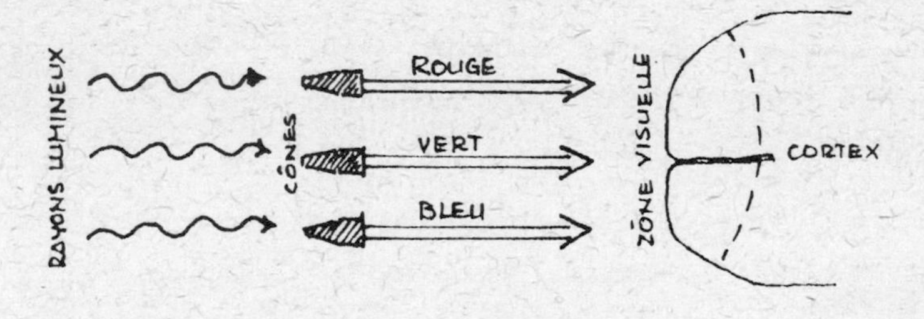

Fig. 12 - Théorie Young-Helmholtz

Selon Helmholtz, un cône n'est pas excité par une couleur unique. Il l'est plus fortement par l'une d'elles. Une lumière rouge exciterait plus fortement les récepteurs sensibles au rouge et faiblement les autres, donnant ainsi la sensation de rouge. Ce principe serait le même en ce qui concerne le jaune qui, selon lui, exciterait modérément les récepteurs sensibles au rouge et au vert et légèrement les violets, produisant ainsi une sensation de jaune ; le blanc ne serait que la réponse simultanée aux trois couleurs.

En 1964, une preuve complémentaire à la théorie de Young-Helmholtz fut mise à jour grâce à deux équipes de chercheurs : la première était composée de MacNichol jr. et Marks (1964) ; la seconde, de Wald et Brown (1964).

Grâce à l'étude de l'absorption de cônes isolés de la rétine, ils identifièrent *trois sortes de pigments sensibles à la lumière*. Un étant sensible à la bande du bleu, l'autre à la verte et un autre à la rouge (Fig. 13).

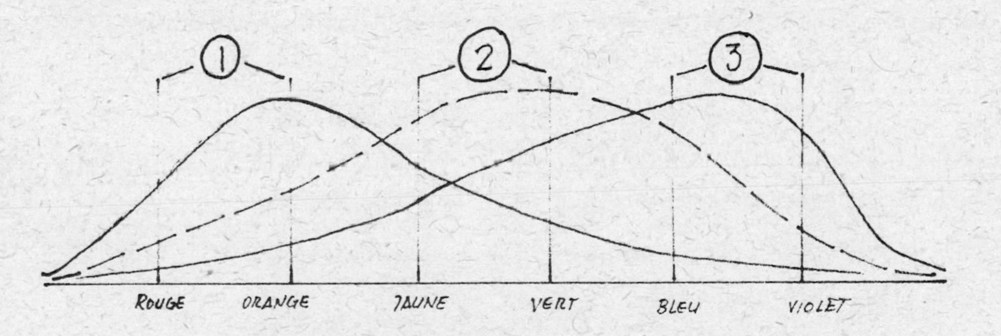

Fig. 13 - Courbes d'excitabilité de chacun des trois sortes de récepteurs rétiniens aux couleurs fondamentales. 1. sensibilité au rouge ; 2. au vert ; 3. au bleu.

Dans certaines formes de visions chromatiques défectueuses (8% chez les hommes ; 1% chez les femmes) dont la *protanopie* et la *deutéranopie*, il y a cécité au rouge-vert alors que dans la *tritanopie* il y a cécité au jaune-bleu (daltoniens).

Les aveugles au rouge-vert ne perçoivent que deux couleurs fondamentales : bleu et jaune, ce qui leur fait confondre le rouge, le bleu-vert, le gris. C'est le chimiste John Dalton, qui était lui-même atteint de cette cécité, qui lui donna le nom de *daltonisme*.

2.2.1.2 Mécanisme de l'action photochimique de la lumière sur les pigments rétiniens

L'excitation de la rétine est de nature photochimique. *La rhodopsine*, ou *pourpre rétinien*, se situant sur le segment externe des bâtonnets, se colore en rouge dans l'obscurité. Cette coloration disparaît lorsque l'oeil est exposé à la lumière. Nous sommes en présence d'une décomposition chimique provoquée par la lumière.

La rhodopsine provient de l'union de la *vitamine A* ou rétinol avec une lipoprotéine, l'opsine. La vitamine A (carotène) joue donc un rôle important dans la vision. Une avitaminose diminuerait les facultés visuelles à la lumière faible.

Alors que la rhodopsine, pigment contenu dans les bâtonnets, est relativement facile à extraire, il en est tout à fait autrement en ce qui concerne les pigments contenus dans les cônes.

Un de ces pigments a pu être isolé : l'*idopsine*. Elle a été extraite d'un oeil de poulet.

On a détecté dans la fovéa de l'oeil humain deux sortes de pigments spéciaux, l'un responsable de la détection des couleurs vertes, et l'autre des rouges.

2.2.1.3 Persistance des sensations lumineuses

Les sensations visuelles ne disparaissent pas immédiatement après que l'excitant a cessé d'agir. La sensation persiste pendant une durée d'environ 1/10 de seconde. Si les sensations visuelles se succèdent à une cadence inférieure au dixième de seconde, nous aurons une impression visuelle continue (principe du cinéma).

Remarque : La *fovéa* ne contient que des cônes. Cependant, sa surface étant très réduite, elle a, par conséquent, un champ de vision très limité (25 cm^2 [4 po^2] à 2,50 m [8 pi 2 po] de distance). Pour remédier à cette limitation, le globe oculaire bouge presque constamment afin d'envoyer des images sur cette concentration de cônes. Il y a, bien entendu, une répartition des cônes sur toute la surface de la rétine, mais leur faible densité ne permet pas une vision claire et nette, puisqu'ils sont mélangés avec des bâtonnets. En réalité, la zone périphérique ne sert que pour détecter primitivement les stimuli visuels, pour attirer l'attention sur un objet, permettant à l'oeil de se déplacer afin que l'image tombe sur la fovéa où l'acuité est maximum.

Puisque la fovéa ne contient que des cônes, il lui est pratiquement impossible de discerner quoi que ce soit en lumière très faible. Donc, il faudra que l'oeil se déplace un peu de façon à avoir une vision oblique, et que les images viennent frapper les bâtonnets dispersés à la périphérie de la rétine (Fig. 14).

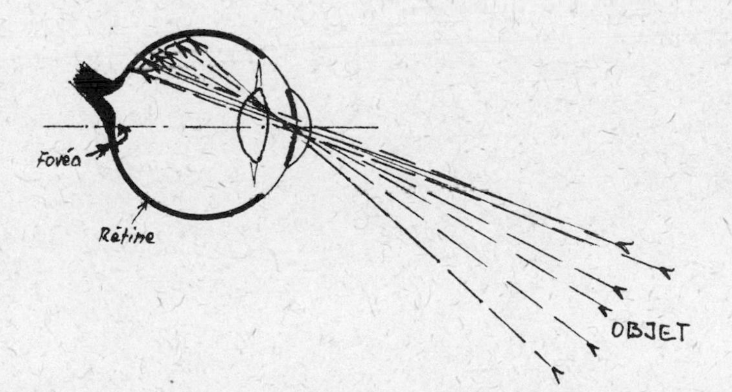

Fig. 14 - Vision en faible luminosité

2.2.2 Formation des images sur la rétine

Chaque point lumineux d'un objet venant traverser l'ensemble cornée-humeur aqueuse est dévié à l'intérieur de l'oeil selon le principe de réfraction. Il y a une seconde déviation lorsque les rayons lumineux pénètrent à l'intérieur du cristallin, et le même phénomène se reproduit une troisième fois, lorsque ces mêmes rayons traversent le corps vitré. Étant donné les courbures de la cornée et du cristallin, ainsi que les différents indices de réfraction de l'ensemble cornée-humeur aqueuse, du cristallin et du corps vitré, chaque point d'un rayon lumineux est dévié de telle sorte que tous convergent vers la rétine de façon à reproduire l'image (Fig. 15).

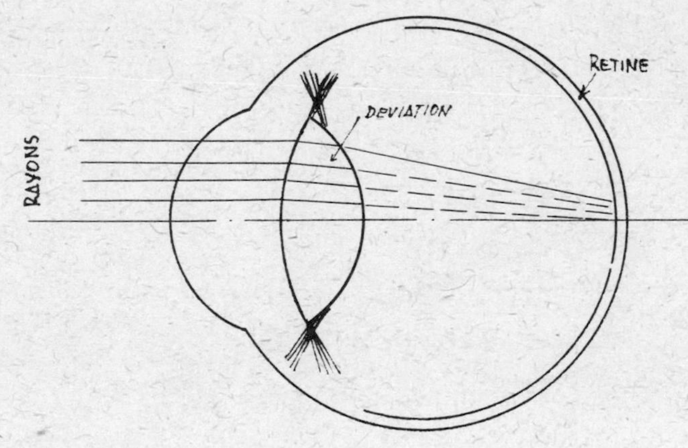

Fig. 15

Après avoir été déviée par le milieu transparent de l'oeil, l'image est reproduite inversée sur la rétine, plus petite que l'objet réel. L'activité cérébrale qui intervient dans la perception des messages visuels, en relation avec les autres sens, et l'apprentissage fait au cours de la croissance, permet de reconnaître les objets sous leurs dimensions et positions réelles.

Accommodation à la vision de loin

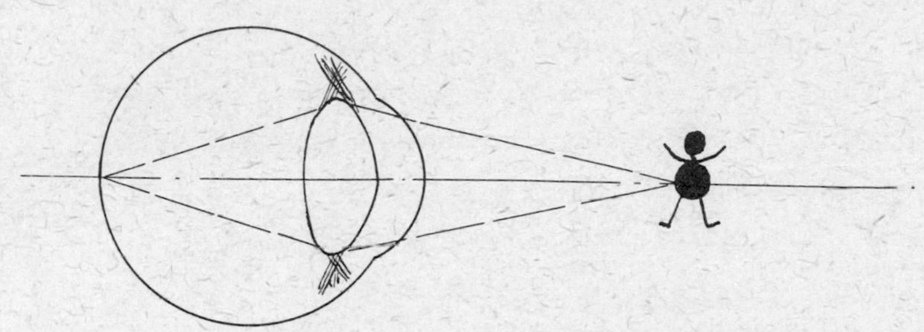

Accommodation à la vision proche

2.2.3 Accommodation

L'oeil humain normal - oeil dit emmétrope - est capable de voir converger exactement sur la rétine tous les points d'un rayon d'une source lumineuse quelconque située à 65 m et plus (220 pieds environ) sans qu'il y ait *accommodation*.

L'accommodation est un ajustement de l'image sur la rétine de façon qu'elle soit nette, par un changement de la courbure du cristallin sous l'influence des muscles ciliaires. (Il y a en réalité, relâchement du muscle ciliaire qui détend le cristallin qui se bombe.)

Ce mécanisme permet à l'oeil de voir un objet avec netteté à une distance qui n'est pas illimitée.

Par exemple, le point le plus rapproché que l'oeil peut voir avec un maximum d'accommodation se situe, pour l'oeil jeune *normal*, à environ 12 cm (5 pouces), puis vers 50 ans, à 40 cm (16 pouces). En deçà, la vision devient insupportable.

Le mécanisme s'effectue par voie réflexe, mais il peut être aussi partiellement volontaire.

2.2.4 Défauts de la vision

Hypermétropie : Diamètre antéropostérieur de l'oeil trop court. Fatigue due à l'accommodation constante du cristallin. Le sujet deviendra presbyte plus tôt qu'un sujet normal. Il y a aussi défaut de convergence du milieu interne de l'oeil (Fig. 19 et 20).

Presbytie : Déficience d'un oeil normal due à l'âge. (Fig. 19 et 20).

Dans les deux cas - presbytie et hypermétropie - les sujets ont de la difficulté à voir des images nettes de près.

Myopie : Anomalie de la vision due au fait que le diamètre antéropostérieur de l'oeil est trop long (Fig. 17 et 18).

Le myope ne voit avec netteté que les objets rapprochés.

Astigmatisme : Défaut dû à des différences de convergences du milieu interne de l'oeil (Fig. 16).

Fig. 16 - *Astigmatisme* : le sujet ne voit pas tous les contours d'un objet avec netteté

Ces défauts de vision sont corrigés par l'adjonction de verres optiques correcteurs (Fig. 17, 18, 19 et 20, p. 196).

2.2.5 Les voies optiques

C'est l'ensemble des neurones transmettant les impressions visuelles reçues par la rétine au niveau des photorécepteurs, au centre cortical de la vision.

Les photorécepteurs, cônes et bâtonnets, captent les sensations lumineuses et les "transductent" en influx nerveux.

Cet influx nerveux est ensuite transmis à une première couche de cellules (1er neurone), les *cellules bipolaires*, puis à une seconde couche (2e neurone), les *cellules ganglionnaires*, puis aux prolongements de ces cellules ganglionnaires qui viennent former le *nerf optique* (Fig. 21).

Chaque oeil possédant son nerf optique, les deux se rejoignent pour former le *chiasma optique* (Fig. 21, p. 197).

Au niveau du chiasma optique, il y a *décussation des fibres du nerf optique* (Fig. 22, p. 197).

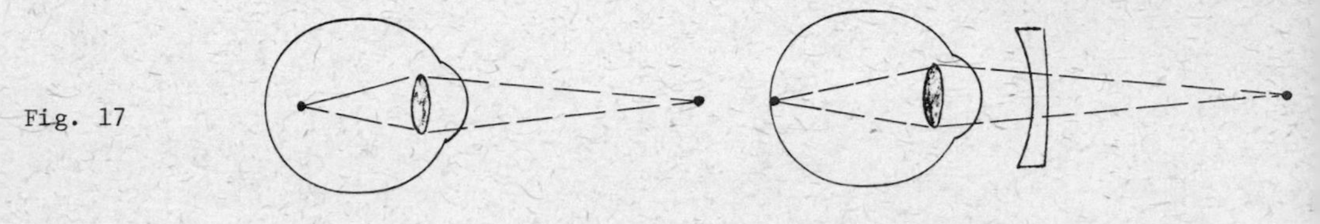

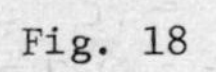

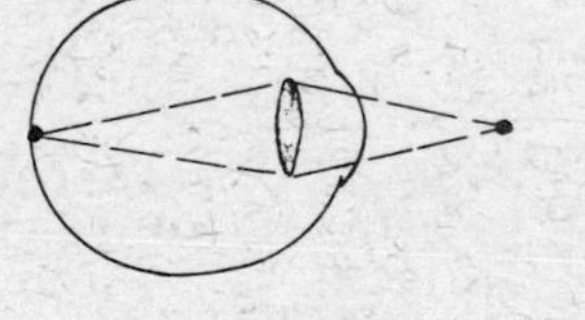

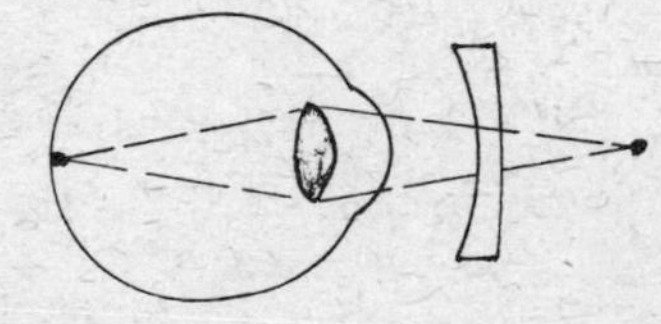

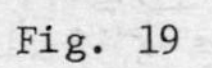

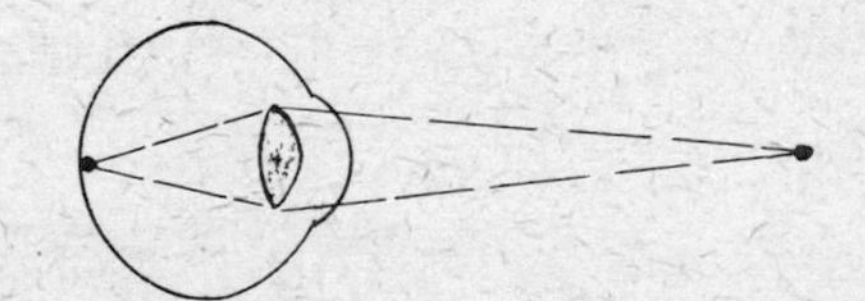

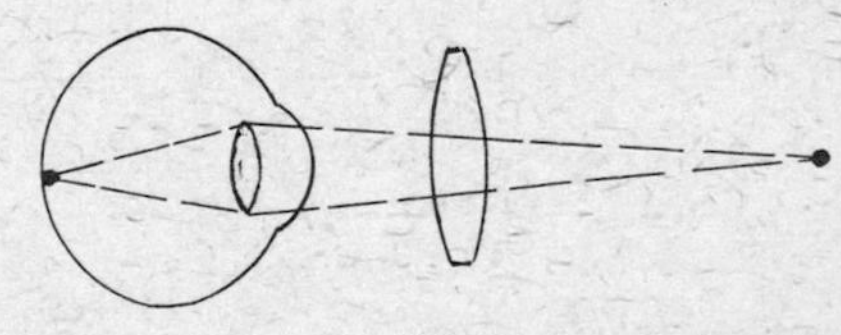

Fig. 20

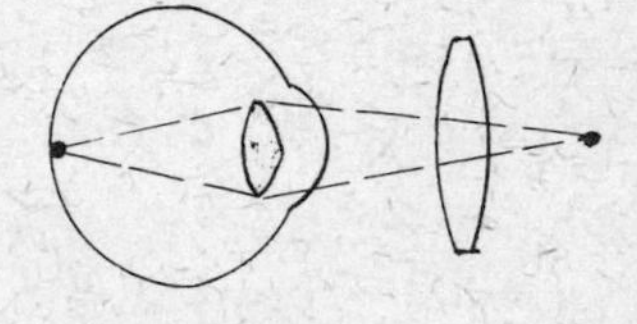

Fig. 17, 18, 19, 20 - Défauts et corrections de la vue

Les fibres venant des *rétines temporales* passent dans le chiasma du même côté.

À la sortie du chiasma, les fibres forment les *bandelettes optiques*.

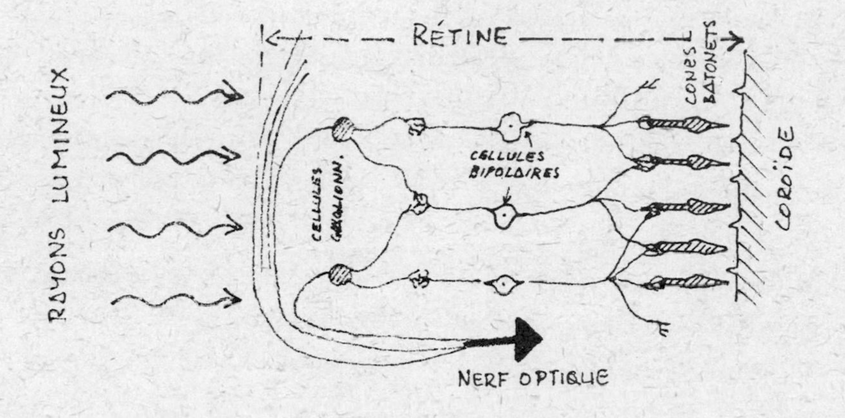

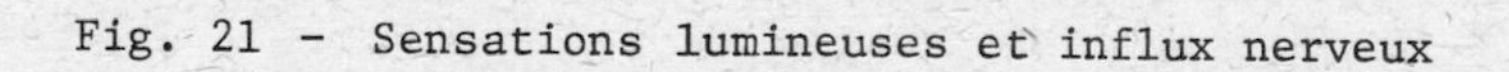
Fig. 21 - Sensations lumineuses et influx nerveux

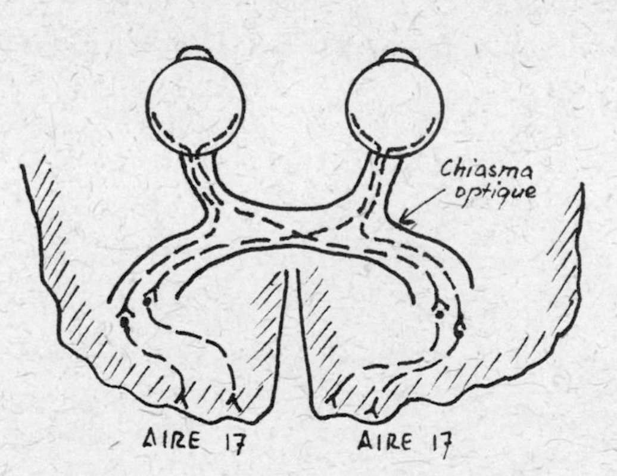

Fig. 22 - Chiasma optique, bandelette et aire 17

Puisqu'il y a décussation au niveau du chiasma, la bandelette optique gauche aura des fibres venant des deux hémirétines gauches, et la bandelette droite, des fibres des hémirétines droites. Ces bandelettes se terminent au niveau du *corps genouillé latéral* situé dans le thalamus[1]. Ensuite, du corps genouillé partent des prolongements de neurones (3e neurone) qui se terminent dans l'*aire visuelle* du cortex occipital (aire 17).

On peut dire que chaque point sur la rétine se projette sur un point correspondant de l'aire visuo-sensorielle. Il est possible de le confirmer en implantant des électrodes extrêmement fines dans les zones visuelles du cortex, qui permettent d'enregistrer les ondes électriques produites par les stimulations visuelles d'une partie bien précise de la rétine.

Ainsi, il a été possible d'étudier, de façon expérimentale, l'effet provoqué par des lésions des voies optiques, soit par accident, soit par maladie (Fig. 23), sur des animaux (chat, singe, en général).

En détruisant le cortex visuel d'un singe, on a remarqué que celui-ci devenait aveugle.

Une destruction de la zone visuelle du côté gauche, provoquera une hémianopsie. Le sujet ne verra plus l'objet placé à sa droite (Fig. 23 C).

2.2.6 Zones visuelles corticales

La zone visuelle corticale est située sur la partie occipitale du cerveau. Elle est entourée des zones visuo-psychique et visuo-gnosique dans lesquelles se font la synthèse des sensations élémentaires et la reconnaissance des objets produisant les stimuli. Des lésions produites par accident ou expérimentalement provoquent

---

1. On retrouve également des fibres allant au noyau prélectal servant aux réflexes pupillaires et aux tubercules quadrijumeaux servant aux mouvements conjugués des yeux.

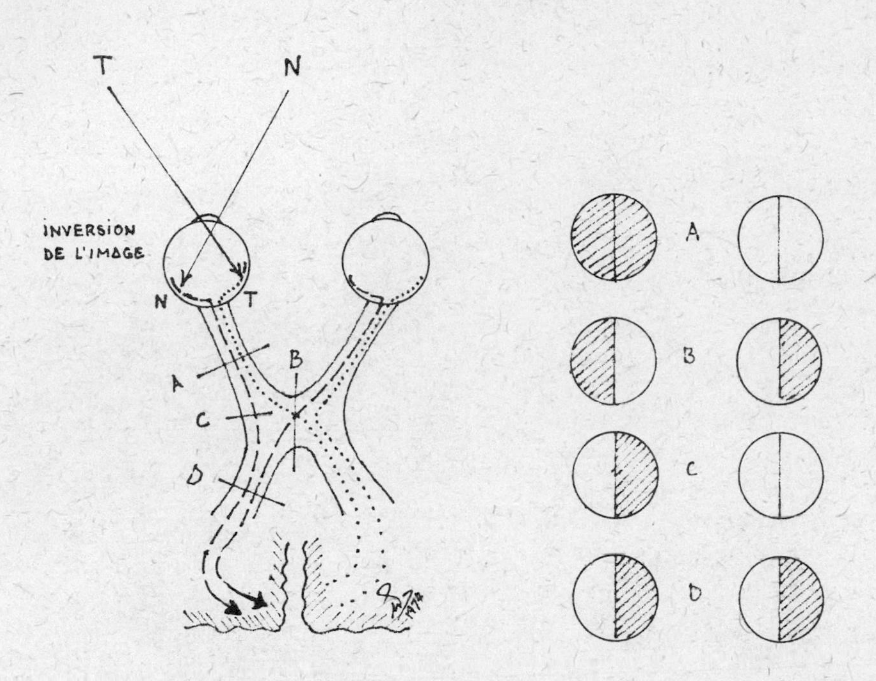

Fig. 23 - Différentes lésions des voies optiques (d'après Ruch et Fulton, *Medical Physiology and Biophysie*, 17e éd., Saunders, 1960)

Une lésion en A : donne une cécité complète de l'oeil gauche ;

B : hémianopsie bitemporale ;

C : hémianopsie nasale unilatérale ;

D : hémianopsie côté droit de chaque oeil.

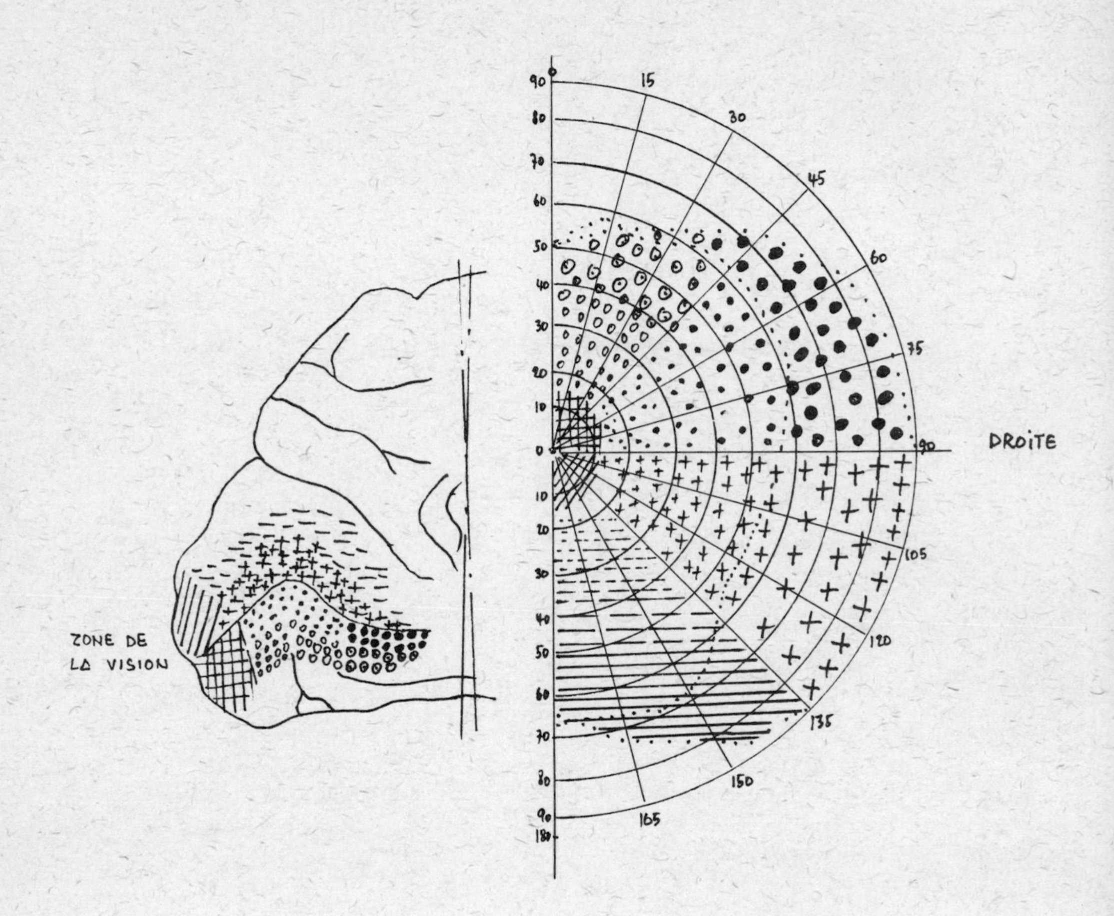

Fig. 24 - Projection de la rétine sur le cortex visuel
(de Holmes, 1945)

l'*agnosie visuelle* ou cécité psychique (le sujet ne reconnaît plus l'objet par la vue).

Une agnosie visuelle portant non pas sur l'objet lui-même mais sur son symbole graphique est la *cécité verbale*.

> Un individu lisant un texte en français serait dans l'impossibilité de le comprendre comme si celui-ci était écrit en une langue étrangère qu'il n'aurait jamais appris à lire ou écrire[2].

Les sujets atteints de cécité verbale ne sont pas des aphasiques, ils conservent leur langage oral (Bresse).

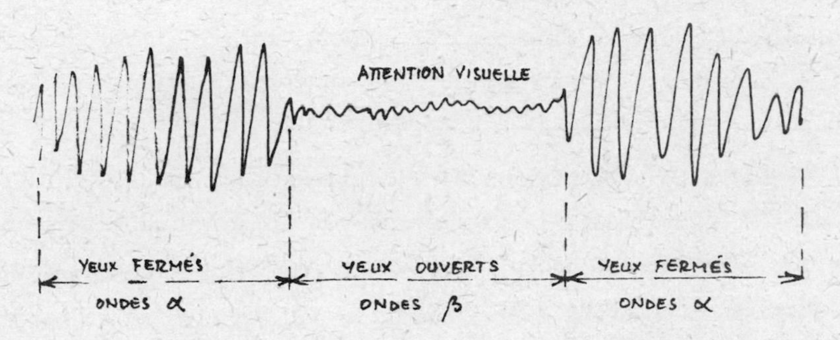

Fig. 25 - Électro-encéphalogramme au repos (Bresse, 1968)

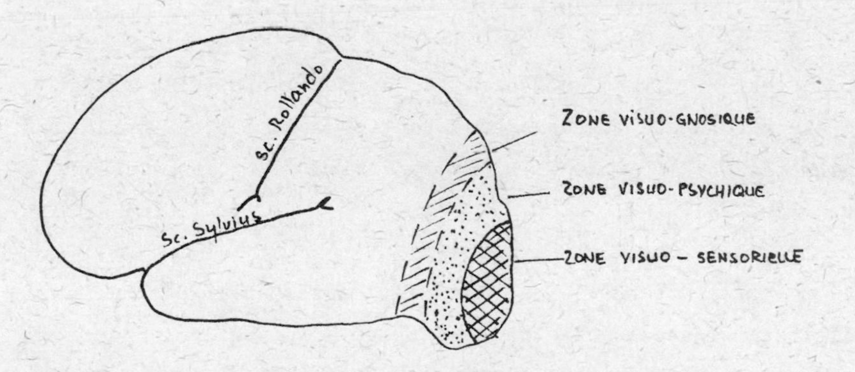

Fig. 26 - Zones visuelles

2. Delmas, "Voies et centres nerveux", dans G. Bresse, *Morphologie et physiologie animale*, Paris, Larousse, 1968.

Il est possible d'enregistrer au moyen d'un électro-encéphalogramme les modifications électriques créées au niveau du cortex visuel (Fig. 25).

2.3 *La sensibilité auditive*

2.3.1 Notions élémentaires d'acoustique

L'acoustique n'est pas un phénomène relié uniquement aux sons audibles, mais également à ceux qui ne le sont pas.

Les sons sont le produit de vibrations mécaniques, liquides ou gazeuses. L'amplitude, la vitesse de vibration et la vitesse de propagation sous forme d'onde (air : 344 m/s) sont des paramètres qu'il est possible d'identifier et qui, de ce fait, permettent une classification des divers sons (Fig. 27).

Avec l'âge, la sensibilité aux aigus baisse. Bekesy (1957), en testant plusieurs sujets dans la quarantaine pendant 5 ans, remarque une diminution de 80 Hz par 6 mois.

2.3.2 L'audition

C'est au niveau de l'oreille, divisée en oreille externe, moyenne et interne que les sons sont tout d'abord captés, amplifiés et transductés en influx nerveux, en direction de la zone corticale auditive (Fig. 28).

2.3.2.1 Cheminement d'un son

Oreille externe - Les sons sont captés au niveau du pavillon auditif qui les concentre et les dirige à l'intérieur du conduit auditif où ils parviennent au tympan. Les sons étant des ondes de vibrations, en entrant en contact avec le tympan, elles le font vibrer. Le tympan, étant une membrane fibreuse extrêmement tendue, reproduit exactement (dans le cas d'un tympan normal) les vibrations de l'air et les transmet à l'oreille moyenne.

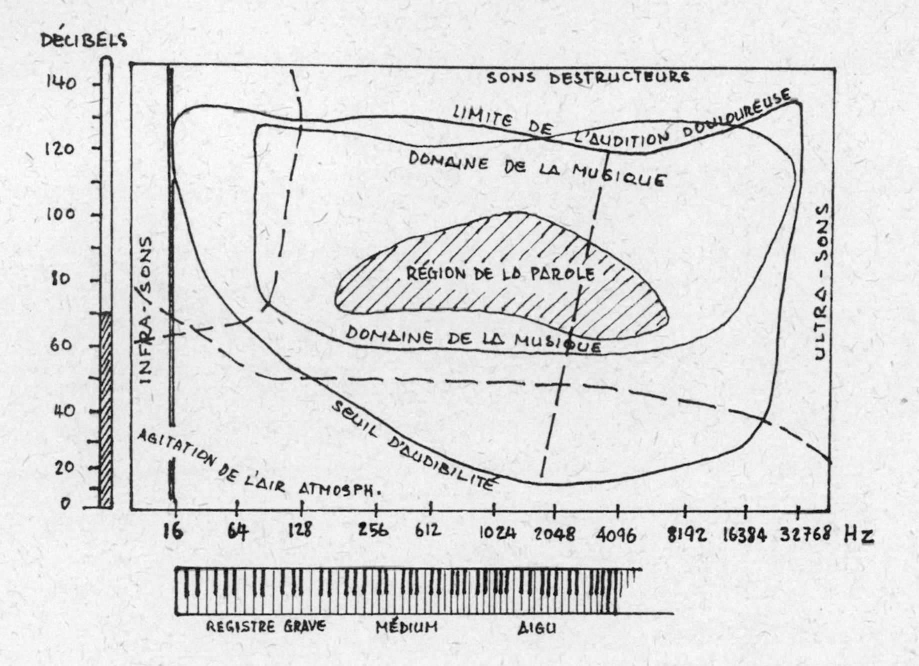

Fig. 27 - Classification des sons (Alpha, 1968)

On classe les sons en trois catégories :

- Infrasons (moins de 16 Hz)
- Sons audibles par l'homme (16 - 20 000 Hz)
- Ultrasons (+ 20 000 Hz).

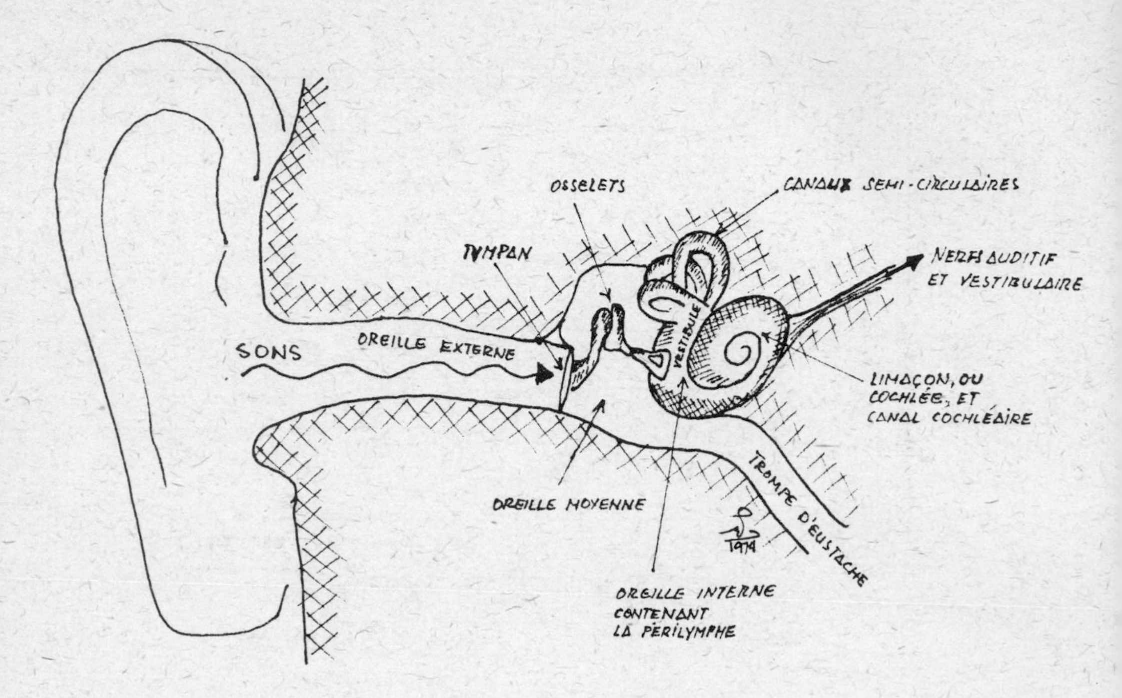

Fig. 28 - L'oreille

Oreille moyenne - Elle se compose de la chaîne des osselets qui transmettent les sons à la fenêtre ovale. Lorsque les osselets sont en activité, le dernier d'entre eux, l'étrier, vient s'enfoncer dans la fenêtre ovale et compresser la périlymphe de l'oreille interne à la fréquence des ondes reçues par le tympan. Donc, la "chaîne" tympan, marteau, enclume, étrier ne fait que relayer les sons à l'oreille interne.

Il faut noter aussi que d'un côté comme de l'autre du tympan, il y a égalité de pression d'air, et ceci, grâce à la trompe d'Eustache, qui est une canalisation reliant la caisse du tympan au rhinopharynx et qui s'ouvre périodiquement avec la déglutition (expérience du changement d'altitude et de la compression ou décompression dans l'oreille interne).

La destruction des osselets ou du tympan ne supprime pas totalement l'audition. Il est possible de transmettre les sons au liquide de l'oreille interne par l'intermédiaire des os du front.

Oreille interne - Elle reçoit et transmet les vibrations sonores de la fenêtre ovale à la périlymphe et ensuite à l'endolymphe par l'intermédiaire des parois souples du labyrinthe membraneux pour, finalement, exciter les organes récepteurs de l'audition.

Une défectuosité d'étanchéité au niveau de la fenêtre ovale provoque l'écoulement de la périlymphe et, par le fait même, la surdité absolue.

a) Les récepteurs auditifs

L'organe de Corti est le récepteur de l'audition. Il se situe à l'intérieur de la cochlée (Fig. 29).

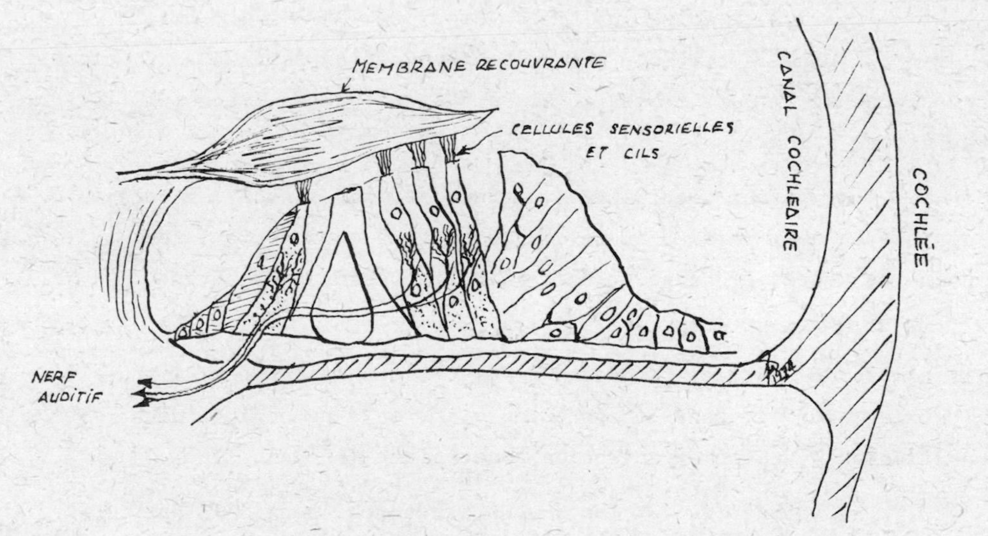

Fig. 29 - L'organe de Corti

b) Théories de l'audition

Les théories de l'audition s'attachent principalement à définir le processus de différenciation des tonalités, c'est-à-dire établir la façon dont des sons de hauteurs différentes peuvent produire des sensations différentes.

Il semblerait établi que l'organe de Corti ne fonctionne pas en totalité pour un son donné. Selon Kaiser (1967), il y aurait déformation par pression de l'organe de Corti, et l'élément déformé serait constitué par les cils des cellules sensorielles, elles-mêmes enfoncées entre les cellules de soutien.

Les cils entrent en contact avec la membrane tectoriale ou membrane de Corti. Les vibrations de pression dans le canal cochléaire déplacent les membranes tectoriale et basilaire avec leurs cellules de soutien. Les mouvements réciproques de ces deux formations plient les cils des cellules sensorielles ; ainsi prend naissance l'influx nerveux auditif à l'extrémité distale de la cellule sensorielle.

2.3.2.2 Voies auditives (Fig. 30)

Dans la cochlée, les hautes fréquences sonores sont perçues au niveau de la partie basale, alors que les basses fréquences le sont au niveau apical.

Les noyaux cochléaires ventraux et dorsaux sont également subdivisés en deux parties ayant des connexions caractéristiques, soit pour les hautes fréquences, soit pour les basses fréquences.

Au fur et à mesure que l'on avance dans les voies auditives, le nombre de neurones répondant à des fréquences données diminue (Mathieu, 1972). Dans le cortex du chat, on a pu définir deux aires corticales avec une organisation tonotopique (Kaiser, 1966).

Aire auditive I : les hautes fréquences sont à la partie antérieure, les basses à la partie postérieure.

Aire auditive II : le contraire (Kaiser, vol II, p. 669-733).

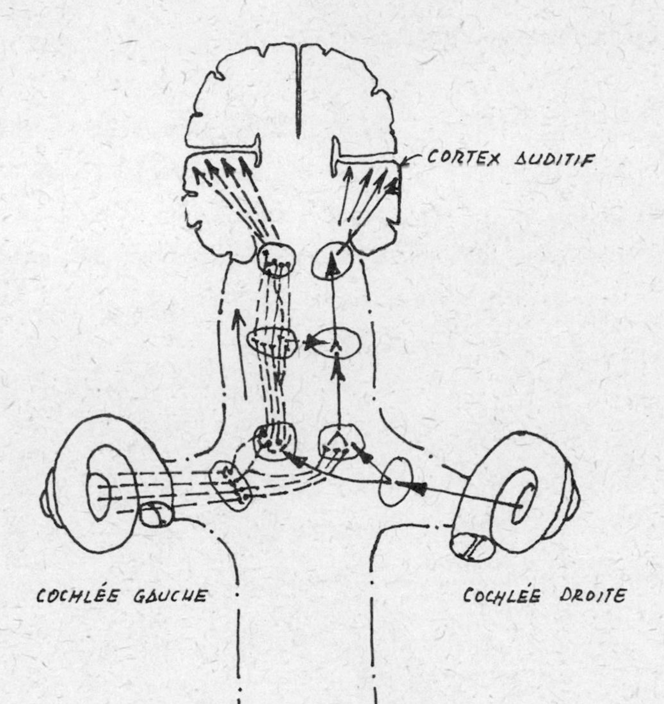

Fig. 30 - Schéma des voies auditives

Remarque

S'il est possible de localiser la direction d'où provient un son, il semblerait que ce soit d'abord dû à la disposition des deux oreilles chez l'homme. Chez d'autres animaux, les oreilles ont la possibilité de pivoter individuellement.

La participation du cerveau a, bien entendu, également son importance, surtout en ce qui concerne les différences de temps d'arrivée d'un son à une oreille, puis à l'autre, pour l'orientation de la provenance de ce son.

3 - SENSIBILITÉ PROPRIOCEPTIVE

Introduction

Les muscles, tendons, os, articulations sont le siège de certains récepteurs sensibles : les *récepteurs proprioceptifs* qui peuvent renseigner de façon consciente ou non, sur l'état de tension d'un muscle, la position des membres dans l'espace, la posture (Fig. 31).

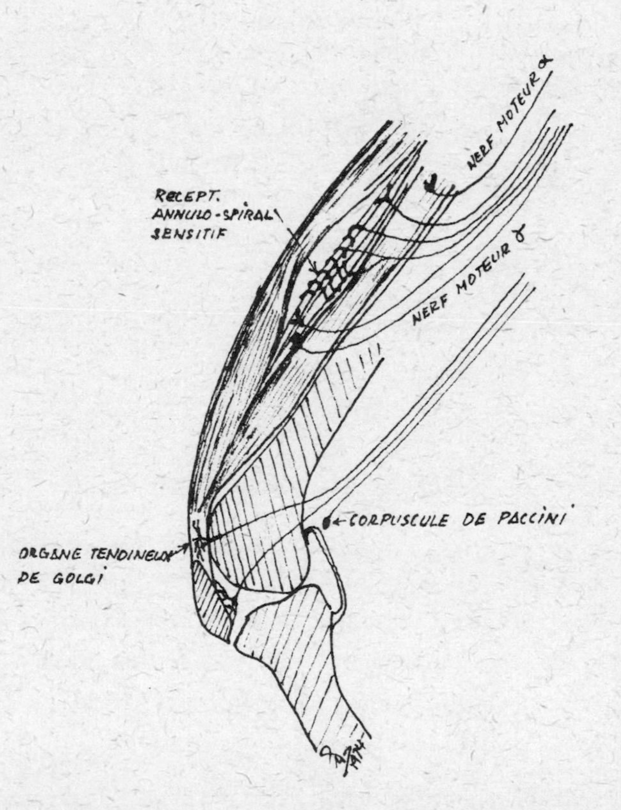

Fig. 31

L'excitation des récepteurs proprioceptifs est d'ordre réflexe : *réflexes proprioceptifs*. On peut également relier à la fonction proprioceptive, les récepteurs stimulés par les changements de position du corps dans l'espace, situés dans l'oreille interne.

3.1 *Les récepteurs proprioceptifs*

a) Les fuseaux neuro-musculaires

Les fuseaux neuro-musculaires sont constitués par un faisceau de 4 à 10 fibres musculaires entouré d'une gaine conjonctive, et sensible uniquement à l'étirement.

Situés à l'intérieur même d'un muscle, les fuseaux neuro-musculaires reçoivent une innervation motrice par l'intermédiaire de fibres de faible diamètre.

Les récepteurs sensibles à l'étirement sont constitués par les ramifications d'une fibre afférente de gros diamètre, enroulées autour des fibres du fuseau, d'où leur nom de *terminaison annulo-spiralée* (Fig. 32).

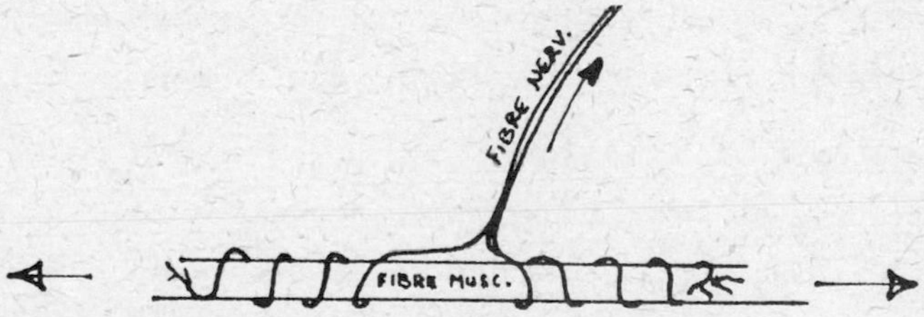

FIBRE NERV.

FIBRE MUSC.

Fig. 32

Une faible activité électrique se manifeste à l'état de repos dans le nerf sensitif. Engendrées lors de l'étirement, les décharges d'influx augmentent rapidement et durent aussi longtemps que l'étirement persiste, agissant ainsi comme facilitateur de l'étirement et, à l'extrême, comme préventif de la rupture musculaire.

b) Les organes tendineux de Golgi

Ce sont des récepteurs sensibles à l'étirement et à la contraction musculaire. En fait, ils mesurent l'état de tension du muscle. Ces récepteurs sont situés à l'insertion musculaire et à l'attache tendino-osseuse (Fig. 33).

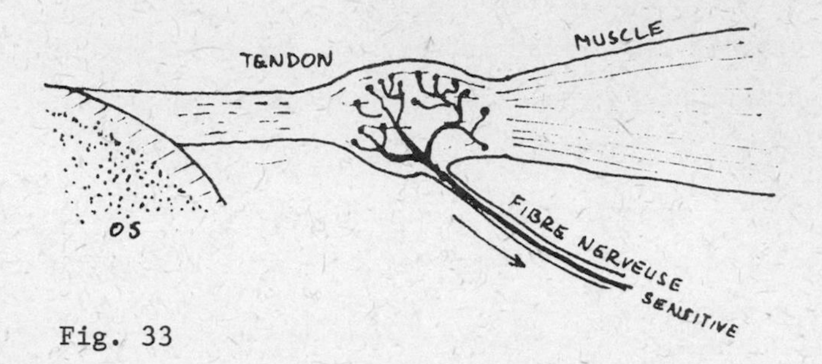

Fig. 33

c) Corpuscules de Vater-Pacini

Ils sont logés dans les tendons, capsules articulaires et dans le périoste de l'os ; ils sont stimulés par des pressions, en particulier celle du squelette au niveau des articulations. Ils ont la même constitution que ceux situés au niveau de la peau.

d) Récepteurs vestibulaires

Le vestibule et les canaux semi-circulaires contiennent les récepteurs renseignant sur la position de la tête dans l'espace et sur les nouvements de celle-ci (voir Fig. 28).

- Le système récepteur statique perçoit les diverses positions de la tête dans l'espace (système otolithique). Il se situe dans l'utricule et le saccule vestibulaire (oreille interne) (Fig. 34a).
- Le système récepteur dynamique cinétique renseigne sur les mouvements de la tête. Il est situé dans les canaux semi-circulaires (Fig. 34b).

Le système vestibulaire est particulièrement développé chez le chat. On peut le mettre à l'épreuve en tenant un chat à bout de bras, les pattes en l'air et en le lâchant d'une certaine hauteur, il retombera toujours sur ses pattes.

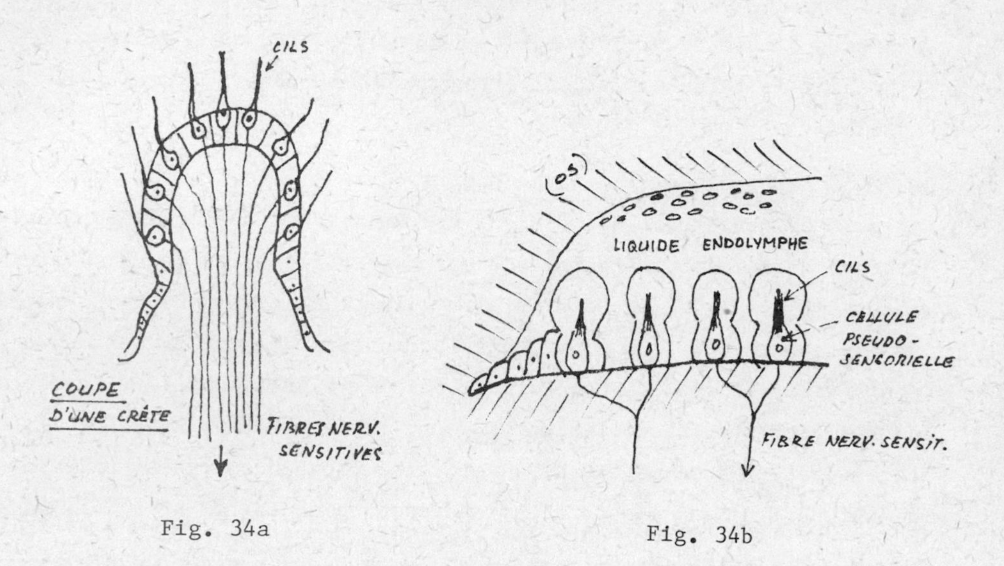

Fig. 34a

Fig. 34b

3.2 *Fonction des sens proprioceptifs*

Ayant un rôle réflexogène, les sens proprioceptifs contribuent à la coordination posturale de l'organisme. Des stimulations d'origine musculaire déclenchent des réflexes toniques agissant sur le sarcoplasme des muscles.

Ces faits sont observables dans l'activité du maintien ou fixation *des attitudes*.

> Lorsque l'on modifie passivement chez un sujet la position d'une articulation, il se produit dans les muscles qui, normalement, règlent cette position, un état de contraction tonique qui tend à fixer cette attitude[3].

Les propriocepteurs jouent également un rôle important dans la coordination des mouvements. Plusieurs groupes musculaires étant mis à contribution lors de l'action d'un levier osseux, une coordination s'avère nécessaire entre les muscles en contraction (fléchisseurs par exemple), les antagonistes (extenseurs dans ce cas) et les muscles

3. "Principe de Foix et Thévenard", dans G. Bresse, *op. cit.*

synergiques de soutien du mouvement. Cette régulation se fait par réflexes d'origine proprioceptive, la contraction de l'agoniste déclenchant le relâchement de l'antagoniste, ou contraction des autres muscles.

La preuve de l'origine proprioceptive de cette régulation est mise en évidence par le *tabès* qui est une affection d'origine syphilitique détruisant les ganglions spinaux et les voies de la sensibilité somesthésique, musculaire, articulaire et tendineuse. Le sujet ne peut coordonner ses mouvements locomoteurs et produit des mouvements saccadés et désordonnés. Il doit être très conscient de chacun de ses gestes afin de bien poser ses pieds à plat sur le sol ; il peut suppléer à ce manque de sensibilité proprioceptive avec l'aide de la vue. Dans l'obscurité, il ne peut se mouvoir.

La sensibilité proprioceptive est mise en évidence dans la perception des positions et mouvements segmentaires du corps, et des efforts musculaires. Grâce aux sens stathésiques, il est possible, même dans l'obscurité, de situer la position de notre corps ou de nos membres dans l'espace.

La précision de cette sensibilité peut être mesurée par l'erreur angulaire de la position donnée à un des membres supérieurs par un sujet auquel on a demandé de reproduire une attitude segmentaire qu'il avait prise antérieurement, et après que celle-ci eut été modifiée par l'expérimentateur.

Le sens kinesthésique perçoit donc, de façon extrêmement précise, les mouvements actifs ou passivement subis. Les seuils angulaires varient de 15' à 1°30'.

On remarque que les articulations du bras sont les plus sensibles.

Le sens de l'effort musculaire volontaire a été rapporté par James (1881), et sa thèse a été confirmée par une expérience de Renquist et Mali (1927) : deux mouvements identiques sont réalisés par un sujet ; la vitesse, l'amplitude et la masse soulevée sont identiques, mais les causes du mouvement ne sont pas les mêmes. Dans un cas, le mouvement est dû à un effort volontaire, dans l'autre, à une excitation électrique directe des muscles. Cependant, dans les deux cas, les impressions de force déployée sont équivalentes. Par conséquent, nous jugeons de l'intensité de nos efforts musculaires volontaires par des sensations venant des groupes de muscles qui entrent en jeu dans nos actions (théorie périphérique de l'effort musculaire).

Ces notions peuvent être illustrées par le phénomène de Kohnstamm. Si on fatigue les muscles du bras en l'appuyant, de toute sa longueur, fortement et longtemps contre un mur, on voit ensuite le bras se soulever jusqu'à la hauteur de l'épaule, si un expérimentateur amorce ce mouvement par un léger soulèvement. *Cela revient à dire que le sujet est incapable de proportionner l'effort aux masses à soulever si les muscles sont fatigués, et il ne peut plus alors juger réellement des efforts qu'il fournit.*

4 - LOIS DE LA SENSATION

4.1 *Lois psychophysiques* (sensation-excitant)

Le récepteur sensoriel n'est excité que si le stimulus répond à certaines conditions, dont celle de seuil en particulier.

4.1.1 Seuil absolu d'intensité :

Valeur minimale de l'intensité du stimulus pour qu'il y ait perception de quelque chose. Ce seuil varie avec les sujets, avec la région sensorielle, avec l'excitant... (récepteurs de pression sensibles à un poids de 2 mg).

4.1.2 Seuil différentiel :

Accroissement minimal de l'intensité d'un stimulus pour qu'on apprécie une différence de sensation d'avec le stimulus antérieur.

Loi de Weber. Il existe, pour chaque sensation, un rapport constant entre l'intensité d'une excitation et l'accroissement minimum qu'il faut donner à cette excitation pour qu'elle soit ressentie sous la forme d'une nouvelle sensation. (Valeurs de seuils différentiels : sensations lumineuses : 1 à 2% ; pression : 5 à 10% ; audition : 10 à 20% ; chaleur : 13% ; odorat : 25 à 30% ; goût : 3 à 100%.)

4.1.3 Loi de Fechner : la sensation varie comme le logarithme de l'excitant

Cette loi n'est applicable que pour des intensités moyennes de l'excitant. Elle représenterait une forme d'adaptation biologique de l'organisme au milieu : l'impression croissant beaucoup moins vite que l'excitant, cette inertie de l'organisme peut être considérée comme une défense contre les variations excessives des excitants physiques qui agissent sur lui.

4.2 *Lois psychophysiologiques* (sensation - impression)

Lois de Müller (spécificité des sens) :

- Un même excitant appliqué à des récepteurs sensoriels différents produit des sensations différentes (une excitation électrique du nerf acoustique et du nerf optique va produire une sensation de bruit dans le premier cas, une sensation lumineuse dans le deuxième.

- Des excitants différents appliqués au même récepteur sensoriel produisent des sensations identiques (une excitation chimique, électrique ou un choc sur le nerf optique provoquent des sensations lumineuses).

Chaque organe sensoriel réagit de façon spécifique à un stimulus. La sensation dépend de la structure de l'organe sensoriel.

4.3 *Lois psychologiques* (sensation - état psychique)

La sensation varie avec l'état psychique du sujet.

Notions de contrastes :

- Contraste quantitatif simultané : une flamme de bougie paraît plus vive dans le noir qu'en plein jour.

- Contraste quantitatif successif : passer dans une pièce modérément éclairée qui paraîtra sombre si l'on vient de l'extérieur ensoleillé, mais lumineuse si l'on vient d'une pièce sombre (paradoxe des mains trempées dans des eaux de températures différentes, puis identiques).

- Contraste qualitatif simultané : deux couleurs complémentaires se renforcent si elles sont juxtaposées (rouge - vert).
- Contraste qualitatif successif : air de musique banal jugé agréable quand on quitte un endroit bruyant.

Le même excitant ne produit pas la même sensation chez des individus de la même espèce, à plus forte raison chez des espèces différentes. L'essentiel est que ce qui est perçu comme identique ou différent par une personne le soit aussi par les autres. Ceci permet l'édification de concepts et de mots, et la communication.

BIBLIOGRAPHIE

ASTRAND, P. Q., *Textbook of Work Physiology*, New York, McGraw-Hill, 1972.

BARTLETT, N. R., *Vision and Visual Perception*, New York, Graham Editor, 1966.

BEKESY, von G., "The Ear", *Psychobiology, Scientific American*, San Francisco, W. H. Freeman Co., 1966, p. 254-263.

BRESSE, G., *Morphologie et physiologie animale*, Paris, Larousse, 1968.

COUMENTOU, M., *les Examens sensoriels*, Paris, P. U. F., 1959.

GELDARD, F. G., *The Human Sens*, New York, Wiley and Sons, 1966.

HELD, R., "Plasticity in Sensory Motor Systems", *Psychobiology*, San Francisco, 1966.

HUBEL, D. H., "The Visual Cortex of the Brain", *Psychobiology. Scientific American*, San Francisco, W. H. Freemann Co., 1966, p. 271-278.

LANGWORTHY, O. R., *The Sensory Control of Posture and Movement*, Baltimore, Williams et Wilkins Co., 1970.

MATHIEU, A. M. et A. COURTOIS, *Physiologie du système nerveux*, Montréal, Librairie de l'Université de Montréal, 1972.

MORGAN, C. T., *Physiological Psychology*, Toronto, McGraw-Hill, 1965.

MULLER, C. G. et M. RUDOLPH, *l'Optique*, Paris, R. Lafont, "Sciences", 1969.

PRITCHARD, R. M., "Stabilized Images on the Retina", *Psychobiology. Scientific American*, San Francisco, 1966, p. 315-321.

ROSENZWEIG, M. R., "Auditory Localisation", *Psychobiology. Scientific American*, San Francisco, 1966, p. 265-269.

SHERRER, J., *Physiologie du travail*, Paris, Masson, 1967, t. I et II.

STEUT, G. S. "Cellular Communication", *Scientific American*, septembre 1972, vol. 227, n° 3, p. 43-51.

VIAUD, G., Ch. KAYSER, M. KLEIN et J. MEDIONI, *Traité de psychophysiologie*, Paris, P. U. F., 1963, t. I.

— *Traité de psychophysiologie*, Paris, P. U. F., 1967, t. II.

Chapitre 2

LA PERCEPTION

Robert Rigal

PLAN

1. PHÉNOMÈNES PHYSIOLOGIQUES

    1.1 *Nature du système sensoriel*

    1.2 *État physiologique du sujet*

    1.3 *L'âge*

    1.4 *Aires corticales somato-gnosiques*

2. PHÉNOMÈNES MÉCANIQUES

    2.1 *Éloignement de l'objet*

    2.2 *Conditions physiques du milieu*

    2.3 *Utilisation d'instruments d'observation*

3. PRINCIPALES THÉORIES SUR LA PERCEPTION

    3.1 *Théorie de la forme ou Gestalt*

        3.1.1 Structuration spontanée

        3.1.2 Dissociation figure-fond

        3.1.3 Généralisation perceptive

        3.1.4 La prégnance

        3.1.5 Loi de la "bonne forme"

    3.2 *La phénoménologie*

    3.3 *Approche psychologique de Piaget*

        3.3.1 Les effets primaires, ou effets de champ

        3.3.2 Les activités perceptives

    3.4 *Théories contemporaines de l'apprentissage perceptif. Théories de la réponse orientée*

        3.4.1 Théories d'imitation motrice : position soviétique

        3.4.2 Théorie physiologique de Hebb

        3.4.3 Théories discriminatives

4. ONTOGÉNÈSE DE LA PERCEPTION

5. PERCEPTION ET APPRENTISSAGE SCOLAIRE

   5.1 *Programmes perceptifs*

   5.2 *Perception visuelle et lecture*

      5.2.1 Préparation à la lecture

      5.2.2 Les méthodes de lecture

      5.2.2.1 Les méthodes globales

      5.2.2.2 Les méthodes analytiques

      5.2.3 Les moyens pédagogiques

6. PERCEPTION ET ACTIVITÉS SPORTIVES

7. CONCLUSION

BIBLIOGRAPHIE

Toute connaissance du milieu extérieur ou intérieur provient du décodage et de l'interprétation des messages sensoriels issus des différents récepteurs sensoriels répartis à travers tout le corps. Ces influx nerveux qui constituent ce que l'on désigne généralement sous le nom de sensations donneront naissance aux perceptions qui consistent en une prise de conscience des événements extérieurs. Ce processus aboutit à la connaissance, par le sujet, de son environnement.

Bien que les processus élémentaires de la perception puissent nous paraître simples, plusieurs théories se font concurrence au niveau des explications relatives à la reconnaissance des objets ou des formes. Reconnaissons-nous une fois pour toutes ou faut-il reconnaître chaque fois ?

Les perceptions s'élaborent à partir de sensations : elles seront sujettes à un certain nombre de lois, physiologiques ou psychologiques, que nous aborderons également.

Les perceptions visuelles et auditives se trouvent à la base des apprentissages scolaires. Les premières ont fait l'objet de nombreux programmes perceptifs sur lesquels nous donnerons quelques informations.

1 - PHÉNOMÈNES PHYSIOLOGIQUES

Des conditions particulières peuvent influencer les perceptions les rendant différentes d'un individu à l'autre.

1.1 *Nature du système sensoriel*

Le système sensoriel varie d'un individu à l'autre, et le même objet, par exemple, n'est pas vu de la même façon par un homme, un oiseau, une abeille.

1.2 *État physiologique du sujet*

La perception peut être modifiée par des altérations des organes sensoriels, telles la myopie, la surdité ou l'absorption de drogues.

1.3 *L'âge*

Les perceptions sont plus complètes au fur et à mesure qu'un individu vieillit, elles sont également plus sélectives. Certaines illusions perceptives peuvent décroître avec l'âge.

1.4 *Aires corticales somato-gnosiques*

Au niveau de ces aires, l'influx nerveux provenant des aires somesthésiques est décodé pour permettre la connaissance du milieu. Des lésions au niveau de ces aires peuvent empêcher toute reconnaissance.

2 - PHÉNOMÈNES MÉCANIQUES

2.1 *Éloignement de l'objet*

Les dimensions apparentes d'un objet se modifient avec la distance. Lorsqu'une personne est loin, nous compensons la sensation visuelle en la percevant plus grande qu'elle ne devrait l'être, en fonction de l'image rétinienne. Le phénomène de la lune ou du soleil qui paraissent plus grands à l'horizon qu'au zénith appartient à ce processus : il s'expliquerait par le fait que nous possédons des références horizontales (Solhkhan et Orbach, 1969) ou que nos yeux effectuent de grands mouvements vers le haut.

2.2 *Conditions physiques du milieu*

La luminosité peut modifier la perception ainsi que certains milieux réfringents ou déformants dans lesquels se situe l'objet perçu. L'illusion classique du bâton plongé dans l'eau et qui paraît brisé à l'endroit de l'immersion, en constitue un exemple. Bien que nous sachions qu'il n'est pas cassé, que des lois physiques expliquent ce phénomène, nous le percevons malgré tout, brisé.

2.3 *Utilisation d'instruments d'observation*

À l'aide de moyens techniques (lunettes, microscope, télescope) nous pouvons grossir un objet et y percevoir de nouveaux détails.

3 - PRINCIPALES THÉORIES SUR LA PERCEPTION

Sans nous replonger dans les grands débats philosophiques sur le caractère inné ou acquis de la perception, mentionnons simplement que les explications relatives à l'origine des perceptions oscillaient entre deux pôles ; pour les "nativistes", dont Hering, la perception résultait de mécanismes innés, alors que pour les "empiristes", dont Helmholtz, seules les expériences acquises, liées par des associations étaient à l'origine des perceptions. À la question "Comment connaissons-nous le monde qui nous environne ?", les nativistes répondaient que cette connaissance des objets était innée, alors que, pour les empiristes, elle résultait de l'expérience seule, les sensations élémentaires se groupant, s'associant progressivement entre elles pour conduire à la connaissance. Nous verrons que les différentes théories présentées ci-après prennent leurs fondements dans l'un et l'autre pôle.

3.1. *Théorie de la forme ou Gestalt*

Élaborée en 1912 et fondée sur la convergence des travaux de Wertheimer et de Köhler, cette théorie met l'accent sur le fait que la perception ne résulte pas de la réunion d'éléments préalables qui seraient les sensations, mais qu'elle constituerait un tout, une totalité organisée qui s'imposerait au sujet. On peut ensuite la disséquer en caractères ou unités élémentaires, par analyse, mais le tout n'est pas égal à la somme des parties.

L'école gestaltiste estime que le facteur presque unique de la perception est constitué par les tendances autonomes de l'organisme. Les "effets de champ" désignent les modalités de la structuration du milieu : le champ perceptif tend à s'organiser de lui-même par l'interaction des éléments en présence. Ce sont ces "effets de champ" qui ont été regroupés sous un ensemble de lois.

3.1.1 Structuration spontanée

Les éléments perceptifs isolés ont une tendance naturelle à la structuration. Dans la figure 1, les points sont perçus par groupes de dix points verticaux, à cause de leur disposition. Ce principe s'applique très couramment en mathématiques où, pour lire les grands nombres on fait intervenir une disposition particulière des chiffres. 6539400721 se lit plus difficilement que 6 539 400 721. Au niveau de l'apprentissage de la lecture, par la méthode globale, les lettres constituent des ensembles, les mots, qui se dissocient les uns des autres par leurs formes.

Fig. 1 - Structuration spontanée d'un ensemble d'éléments

3.1.2 Dissociation figure-fond

Les figures ont tendance à former une unité qui se détache sur un fond non structuré. Lorsque l'on veut faire ressortir des idées fondamentales d'un texte, il suffit de souligner les mots ou de les écrire de façon différente du reste du texte. Dans un certain cas, il peut se produire une alternance figure-fond : les deux parties du champ perceptif peuvent jouer alternativement le rôle de "figure" ou de "fond".

Dans la figure 2b, on perçoit alternativement une croix de Saint-André se détachant sur un fond de cercles concentriques ou une croix de Malte se détachant sur des rayons d'un cercle. Dans la figure 3, il y a deux femmes.

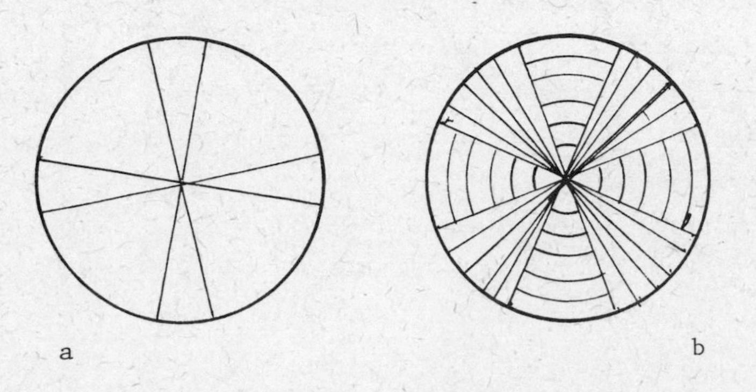

Fig. 2 - Loi d'alternance figure-fond

3.1.3 Généralisation perceptive

La perception d'une forme implique la perception d'une signification. Des généralisations peuvent se produire d'une structure à l'autre, par association d'une signification à une structure. Des rats conditionnés à établir une distinction entre un trait vertical et un trait horizontal en établiront une, également, entre deux séries de carrés ou de cercles placés horizontalement et verticalement. Le conditionnement se situe au niveau de la perception de structures organisées, verticales et horizontales.

3.1.4 La prégnance

Il s'agit de la facilité avec laquelle une forme est perçue comme figure par rapport au fond.

Fig. 3 - "Ma femme et ma belle-mère" (Boring, 1930)

3.1.5 Loi de la "bonne forme"

Une forme bien structurée s'impose de façon plus prégnante. Parmi les caractéristiques d'une "bonne forme" il est possible de citer la simplicité, la régularité, la symétrie, l'ordre, la continuité...

Ces formes conservent leurs caractéristiques malgré les modifications mineures. C'est ainsi que dans la figure 4 présentée pendant un laps de temps très court avec un tachistoscope, la majorité des sujets perçoivent une bonne forme, un cercle, et non un cercle avec un trcu.

Fig. 4 - Image utilisée dans l'étude des "bonnes formes"

Différentes critiques ont été adressées aux principes de la Gestalt, où le sujet est subordonné à des lois de champ qui s'imposent à lui de l'extérieur, diminuant ou annulant même son activité constructive. Piaget (1967) centre la critique de la Gestalt sur l'insuffisance de la notion d'équilibre dont cette théorie semble se satisfaire, équilibre qui n'a rien d'une équilibration progressive par autorégulation mais qui est une simple balance de forces, au sens usuel en physique. D'après lui, ni la biologie ni la psychologie des fonctions cognitives ne peuvent se contenter de "formes données" une fois pour toutes, le problème central, dans les deux cas, étant celui de la genèse des formes et de leur élaboration à partir d'un fonctionnement. La perception se caractérise comme une prise de contact directe entre, d'une part, les activités perceptives qu'exerce le sujet en prolongement des schèmes assimilateurs d'action (mise en relation) et, d'autre part, les objets du milieu atteints par l'intermédiaire du donné sensoriel en sa matière figurale.

3.2 *La phénoménologie*

Énoncés par Merleau-Ponty (1945) les principes de la phénoménologie sont assez voisins de ceux de la théorie de la forme, mais on accentue le rôle médiateur du corps entre le percevant et le perçu. Selon lui, il y aurait, dans toute perception :

- une structure immédiate ; la chose perçue est une structure présente, accessible à l'inspection du corps ;

- un corps qui sert de système de référence ; la perception dépend de la situation du corps, de notre engagement dans l'action. Il est difficile, lorsque nous sommes dans le métro, de savoir si c'est notre train ou le train voisin qui démarre. Si je regarde quelqu'un dans mon wagon, j'ai l'impression que c'est la rame dans laquelle je suis qui démarre ; si je cherche quelqu'un dans la rame d'à côté, c'est elle qui semble s'en aller.

L'importance du mouvement, dans la perception, résulte du fait que nous transposons sur l'objet, une action possible. Dans toute perception il y aurait une représentation d'une expérience motrice, vécue ou imaginaire.

3.3 *Approche psychologique de Piaget*

Piaget (1961) envisage les stades de la perception des formes d'une façon beaucoup plus psychologique. Selon lui, la forme perçue est la combinaison de la présence simultanée des éléments de la figure et de leurs relations spatiales avant toute activité perceptive exercée par le sujet. Cette combinaison peut, par contre, être l'objet d'une analyse avec action du tout sur les parties.

Au niveau des perceptions les explications des illusions ont toujours posé des difficultés. Selon Piaget, deux catégories de phénomènes entrent en ligne de compte au niveau de l'explication psychologique des illusions optico-géométriques.

3.3.1 Les effets primaires, ou effets de champ

Ces effets résultent de la centration visuelle de la figure ; l'effet de champ se rapporte aux interactions immédiates qui se produisent entre les éléments perçus simultanément lors d'une seule fixation du regard. Ces effets de champ, relatifs aux illusions optico-géométriques, conservent les mêmes propriétés qualitatives à tous les âges et diminuent légèrement en intensité de 5-6 ans à l'âge adulte. L'évolution quantitative se fait de façon très régulière ce qui empêche de parler de stades.

Un élément commun à toutes les illusions optico-géométriques est que la déformation constatée résulte toujours d'un effet de contraste.

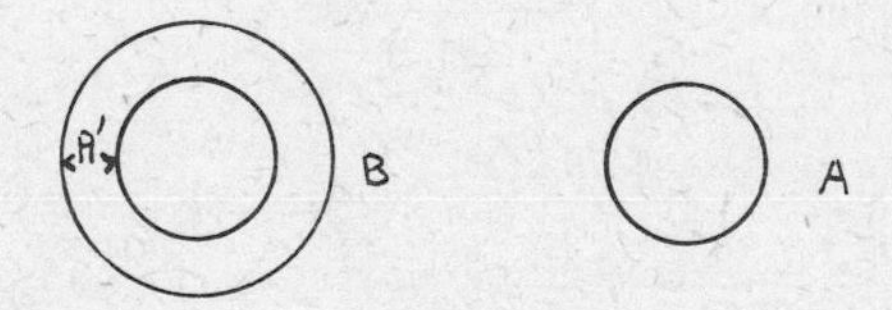

Dans l'illusion des cercles de Delboeuf, ci-dessus, le petit cercle A n'est pas agrandi subjectivement par assimilation avec le grand cercle concentrique B, mais c'est la différence A' entre les 2 cercles qui est dévaluée par A quand A > A', ce qui a pour effet d'agrandir subjectivement A et de rapetisser B, avec inversion quand A < A'. Les éléments centrés par le regard (fovéa) sont surestimés par rapport à ceux qui ne le sont pas (périphérie). C'est ainsi que lorsqu'on demande à un sujet de trouver un poids identique à un poids étalon, l'effet de centration sur le poids étalon va aboutir à une surestimation de ce dernier. Il se produit également une erreur temporelle, l'élément présenté en dernier étant surestimé par rapport au premier. La durée de la centration, son intensité, la netteté objective (distance du sujet, éclairage, etc.) exercent aussi une grande influence sur les déformations.

Au niveau de l'illusion de Muller-Lyer, la petite base A du trapèze est surestimée lorsqu'on augmente la grande B, l'illusion étant maximale lorsque le rapport est égal à 2. Étant donné que la

valeur absolue des illusions diminue avec l'âge, on peut supposer qu'il existe un facteur génétique de compensation par coordination de deux centrations ou décentrations. Tout dépend de la distance qui sépare les deux objets, l'étalon et la variable : la comparaison est immédiate et globale s'il existe une proximité, ou s'effectue par transport si les objets sont éloignés, ce qui entraîne une surestimation.

3.3.2 Les activités perceptives

"Les processus intervenant au sein des perceptions dans la mesure où il s'agit de relier les centrations ou leurs produits à des distances dans l'espace ou le temps excluent une interaction immédiate. Telles sont les activités d'exploration, de transport et de transposition spatio-temporelles ou purement temporelles de mise en référence (coordonnées perceptives), de schématisation, etc." (Piaget, 1961, p. 172). Comme ces activités augmentent avec l'âge, on comprend que les effets primaires diminuent en même temps. Le syncrétisme perceptif enfantin provient de la priorité de la proximité, de la difficulté d'extension active du regard. Lorsqu'on demande à un enfant de 6 ans de comparer la longueur de deux lignes inégales, on constate que les transports d'une ligne à l'autre sont 2 à 3 fois moins nombreux que les déplacements le long de la même ligne. Les progrès réalisés au cours de la croissance proviennent, non pas d'un accroissement de la mobilité oculaire, mais de la coordination de l'activité. Les progrès de l'exploration accomplis avec l'âge peuvent expliquer la baisse de certaines illusions.

Ces constatations relatives à la surestimation des éléments centrés ont été appliquées à d'autres perceptions. La "centration de l'attention" a été mise en évidence par Fraisse, Ehrlich et Vurpillot (1956), dans une expérience utilisant des projections tachistoscopiques de 1/10e de seconde de deux segments de droite à comparer. En indiquant au sujet quel segment il doit fixer, on constate une surestimation de ce segment, alors qu'à partir du moment où il n'y a pas de fixation imposée et que les segments sont éloignés il se produit une dissociation centration du regard-centration de l'attention qui produit une sous-estimation du segment central fixé par le sujet.

Il se produit également une suraudition mélodique par rapport à l'harmonie par centration de l'attention au niveau des éléments les plus différenciés par les valeurs temporelles, qui forment alors la "figure" se distinguant du fond.

Toute perception est un processus actif de construction. Cependant Piaget établit une différence entre perception et construction intellectuelle logique. La perception dépend fondamentalement des informations sensorielles reçues par le sujet. Ces sensations s'organisent progressivement en schèmes à partir de l'activité sensori-motrice du sujet et de la répétition de situations identiques, par assimilation. Les schèmes, au fur et à mesure de leur disponibilité, dirigent l'exploration. Il en résulte que les activités perceptives deviennent moins autonomes et sont dirigées par des processus intellectuels, tandis que se complète le développement intellectuel de l'enfant.

RÉSUMÉ

Les illusions optico-géométriques décroissent avec l'âge et l'expérience. Piaget a utilisé les concepts de centration, transport, exploration, comparaison, assemblage, bref des activités perceptives qui sont sensori-motrices et qui construisent des schèmes, des structures généralisées auxquels sont assimilées de nouvelles situations équivalentes, dans l'étude des illusions optico-géométriques. Selon lui, il faut distinguer les schèmes empiriques (dérivés d'objets réels : mains, visages, animaux, etc.) des schèmes géométriques (dérivés de formes générales, catégories, etc.), les deux pouvant conduire à des déformations perceptives corrigées.

Les schèmes empiriques sont la règle des perceptions habituelles. Ils sont le résultat de l'action de perceptions primaires sur les nouvelles perceptions d'objets qui sont catégorisées conceptuellement. Ils sont le produit d'activités perceptives de transport et de transformation temporelle, et le nombre de répétitions joue un rôle ainsi que l'intérêt de l'observateur.

Les schèmes géométriques ont des propriétés identiques mais la distinction entre distorsion et compensation est particulièrement importante. Équivalence et symétrie les caractérisent, les comparaisons compensant les erreurs momentanées dues à la centration.

Piaget divise les illusions optico-géométriques en deux catégories :

- les illusions primaires qui dépendent des effets de champ se produisant au cours d'une fixation très brève (tachistoscope). Elles résultent d'un effet de centration avec sur ou sous-estimation des éléments fixés (Muller-Lyer, Delboeuf). Elles tendent à diminuer avec l'âge en raison de l'augmentation de la décentration et des activités perceptives.

- les illusions secondaires qui résultent d'activités perceptives d'exploration, comparaison, etc. Elles augmentent avec l'âge (Oppel-Kundt, Ponzo) parce qu'elles s'appuient sur des facteurs cognitifs.

La théorie psychologique de Piaget est très élaborée mais demeure d'une généralisation délicate au niveau de la perception de stimulations écologiques valides, isolées des situations de laboratoire. Elle repose sur l'enrichissement des informations sensorielles par le raisonnement du sujet ; si le champ perceptif possède en lui-même une certaine organisation, l'action du sujet peut mener à sa restructuration.

Fig. 5 - Exemples de modifications du champ perceptif
entraînant des illusions perceptives

3.4 *Théories contemporaines de l'apprentissage perceptif*

Théories de la réponse-orientée. Ces théories partent de l'hypothèse que l'association est le mécanisme essentiel de l'intégration (conditionnement stimulus-réponse de Pavlov). Ces théories se divisent en deux groupes : celui qui considère que la perception dérive d'une copie motrice isomorphe d'événements ou d'objets (à partir de la manipulation d'objets s'acquièrent les notions de courbe, droite, anneau...), et celui qui considère la perception comme une discrimination aidée par la médiation de la réponse (vue - kinesthésie).

3.4.1 Théorie d'imitation motrice : position soviétique

Leontiev a élaboré une théorie selon laquelle le réflexe conditionné est considéré comme le mécanisme de base de l'intégration et du développement de la perception. Les processus mentaux internes, incluant la perception, sont considérés comme des transformations de processus qui se sont initialement produits par l'action sur des objets externes. Selon Leontiev (cité par Gibson, 1969), la manipulation d'objets avec la main est le premier stade dans le développement de la perception de l'objet suivi par celui des mouvements des yeux. Au cours du stade suivant, l'opération perd progressivement le caractère d'une action externe sur des objets, mais la structure de l'opération demeure la même, reproduisant celle des opérations externes correspondantes. Le stade final consiste dans un raccourcissement du processus complet, qui s'automatise et se transforme en un stéréotype dynamique. Le stéréotype est un reflet du monde extérieur appuyé sur l'action.

Zaporozhets (cité par Gibson, 1969) classe les actions en deux groupes : *exécution* et *direction*. Le premier est le réflexe conditionné classique, le deuxième le réflexe d'exploration. Les activités exploratrices médient la perception des objets externes et des événements, formant ainsi une copie de l'objet.

Le développement de la perception d'un objet résulte d'une interaction entre les mouvements d'exploration de la main et de l'oeil. Au début, les mouvements des yeux chez le bébé sont incoordonnés. La main éduque l'oeil, en touchant l'objet. L'oeil suit la main, et son exploration correspond de plus en plus à la forme de la figure perçue. L'oeil accomplit ensuite l'exploration tout seul et finit par anticiper le mouvement d'exploration de la main. La perception visuelle est un mouvement d'exploration réduit, formé à partir d'une activité pratique en obtenant progressivement une indépendance relative.

Critiques : si la théorie s'applique aux formes et aux poids, comment l'appliquer aux couleurs, par exemple ? Même s'il existe une corrélation entre le contour des objets et les mouvements d'exploration à un stade du développement, cela ne veut pas dire qu'il existe une relation de cause à effet qui appuierait cette théorie.

3.4.2 Théorie physiologique de Hebb

Selon Hebb (1949, 1958), il est difficile d'admettre une prédominance sensorielle, une conduction linéaire des récepteurs aux effecteurs (la conduction sensorielle est sous la dépendance de processus centraux, substance réticulée, relativement indépendants de motivations, d'activation, de freinage). En outre, le système nerveux central est continuellement actif : les messages sensoriels ont pour effet de désynchroniser les productions d'ondes, non de les produire.

Selon Hebb, il existerait deux stades dans la perception des formes :

- celui de l'*unité* qui n'est primitive que lorsqu'elle est déterminée par des facteurs sensoriels différenciant radicalement la figure et son environnement. La différence de brillance qui oppose une tache d'encre sur une page blanche constitue une unité sensorielle distinguée à la fois par l'enfant, l'aveugle-né, l'animal élevé dans l'obscurité. Les figures linéaires, même les plus simples, ou les figures ambiguës ne présentent pas toujours avec leur environnement des oppositions d'ordre sensoriel. Lorsqu'elles apparaissent distinctes à l'observateur, c'est en raison de leur familiarité, de leur signification. Des facteurs de groupement pourraient jouer un grand rôle en faveur d'une ségrégation primitive par proximité. Fraisse (1959) a montré que l'on pouvait induire chez les sujets une attitude aboutissant à voir plus groupés des stimuli où la proximité avait été associée à un indice sensoriel tel que la couleur (présentation au tachistoscope, 0,7cs à 30cs, de cartes grises sur lesquelles on a dessiné deux points blancs et deux points noirs, les premiers étant plus écartés que les seconds avec parfois des planches ne comportant qu'un seul point de chaque couleur, ou des points équidistants). Le sujet doit dessiner ce qu'il a vu. L'écartement plus grand des points se retrouve également dans les planches ne comportant qu'un point. Brunswik (cité par Francès, dans Piaget-Fraisse, 1963) avait mis en évidence que deux lignes ou deux points appartenant à un même objet paraissent en moyenne plus proches que deux points correspondant à deux objets différents.

- celui de l'*identité* : on dit qu'une figure a de l'identité lorsqu'elle apparaît tout à fait semblable à certaines figures et dissemblable à d'autres, et que l'on peut la faire entrer dans une famille : carré, cercle, losange, triangle. Le sujet retient mieux une telle figure qu'une autre n'ayant pas d'identité ou n'appartenant pas à une catégorie familière.

Unité et identité évoluent au cours de la croissance. Chez l'aveugle opéré, chez qui existe l'unité, l'identité ne s'établit que très progressivement (impossibilité pendant plusieurs semaines de distinguer un cercle d'un carré).

Deux mécanismes semblent intervenir dans la formation de l'identité :

- développement d'un semble de cellules : la répétition d'une activité affectant plusieurs cellules voisines modifie la résistance synaptique des cellules corticales mises en jeu par la stimulation. Ceci produit des changements pratiquement permanents avec facilitation du passage de l'influx nerveux par l'apparition de boutons synaptiques (aires 17-18) ;

- la succession de phases : mise en jeu des mouvements oculaires par fixation d'un point, puis mouvements des yeux au cours de l'exploration des autres parties de la figure. Si la fixation part d'un autre point de la figure, sa nouvelle exploration mettra en jeu certaines des cellules intervenues la première fois. De proche en proche, le même ensemble de cellules sera stimulé, quel que soit le point de départ de la fixation : la perception totale d'une figure inclut une succession de phénomènes corticaux avec des composantes motrices.

Cette théorie repose sur l'intégration, à travers la répétition et l'association, mais les éléments intégrés sont des processus neuraux. Il y a une suggestion d'imitation motrice, les mouvements des yeux produisant des excitations nerveuses, établissant des circuits au niveau des cellules qui permettront la perception des formes.

Les travaux expérimentaux confirment difficilement cette approche. Elle est d'abord limitée à la vue. Tous les animaux ne possèdent pas le type de mouvements oculaires décrits par Hebb, tout en percevant correctement les formes.

3.4.3 Théories discriminatives

Pour Gibson (1969), l'apprentissage de réponses discriminatives ne repose pas sur le même mécanisme que la copie du stimulus car il n'est supposé aucune ressemblance entre la réponse et la stimulation ou objet distal. C'est la réponse elle-même, quelle qu'elle soit, qui est censée établir la discrimination.

Dans le cas du chien conditionné à saliver à la vue d'un cercle, la présentation d'une ellipse le fera également saliver. Mais on peut le conditionner à différencier le cercle de l'ellipse.

S'agit-il ici d'un cas d'apprentissage perceptif dans le sens que la possibilité discriminative du chien a été augmentée ? Peut-être que le chien n'a appris qu'à attacher des réponses différentes à des figures semblables qu'il pouvait parfaitement distinguer dès le début. On ne sait pas non plus s'il pourrait transférer cette discrimination s'il devait apporter d'autres réponses aux deux formes. C'est ce point qui sépare les psychologues qui parlent de perceptions différenciées de ceux qui parlent de réponses discriminatives.

RÉSUMÉ

Selon Gibson (1969) les différentes théories contemporaines peuvent être classées en trois groupes.

- Orientation cognitive : le concept de base est la déduction, en mettant l'accent sur la construction d'une représentation conceptuelle des objets externes ou des événements.

- Orientation vers la réponse : deux sous-groupes. Dans l'un, l'imitation motrice ressemble aux théories de l'organisation de modèles où toute perception est sous-tendue par une représentation, cette dernière provenant d'une activité motrice. L'autre groupe voit dans le développement perceptif une augmentation de la discrimination, l'augmentation résultant de l'association de réponses produisant une stimulation supplémentaire.

- Orientation vers le stimulus : le développement perceptif est une amélioration de la discrimination de l'information qui est présente dans la stimulation. La différenciation de la perception se produit quand la réponse à différents aspects de l'information dans le stimulus devient plus sélective et spécifique.

4 - ONTOGÉNÈSE DE LA PERCEPTION

La perception ne constitue pas une donnée immuable ; elle varie, au cours de la vie d'une personne, entre certaines limites. Toutefois il existe au départ certains caractères innés dans la perception ; l'apprentissage établit par la suite des différences perceptives entre les individus avec un perfectionnement progressif des perceptions.

Dans une étude effectuée sur le picorement chez les poussins, Fantz (1961) a mis en évidence des caractéristiques innées chez les poussins dans la discrimination des formes. Dès leur naissance, 1 000 poulets ont été plongés dans l'obscurité, sans aucune nourriture. Lors de leur première exposition à la lumière, on leur a présenté des aliments de même taille mais de formes variées, allant de la sphère à la pyramide. Dès le début, ils "choisirent" les grains ronds de préférence aux autres (Fig. 6).

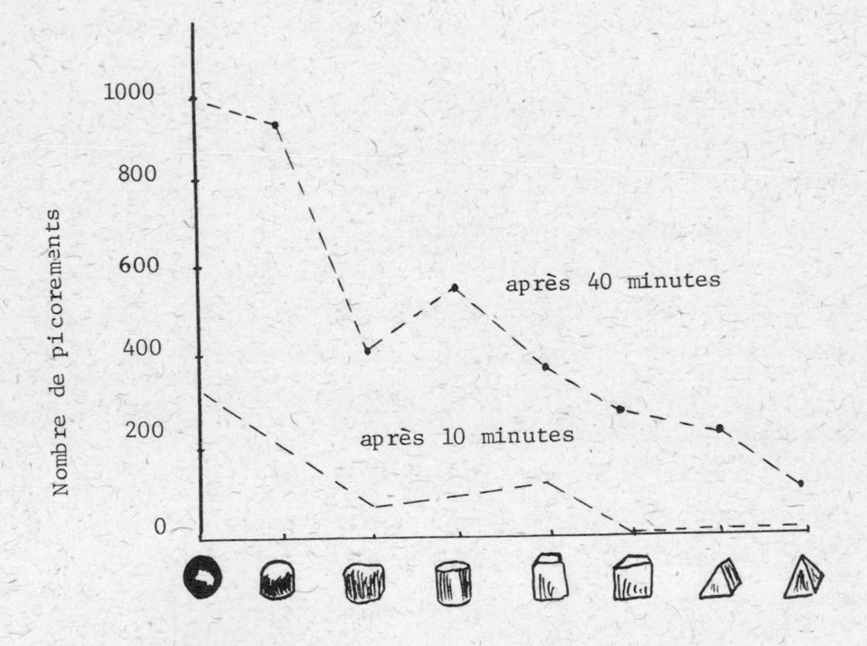

Fig. 6 - Influence de la forme des grains sur le picorement de jeunes poussins (Fantz, 1961)

Au cours d'une autre étude, Fantz (1963) a mis en évidence qu'un visage schématisé (Fig. 7a) retenait plus longtemps l'attention visuelle des nouveaux-nés qu'une configuration dans laquelle les éléments du visage sont organisés de façon anarchique (Fig. 7b) ou absents (Fig. 7c). La complexité et le réalisme du visage sont favorables à une durée de fixation plus longue.

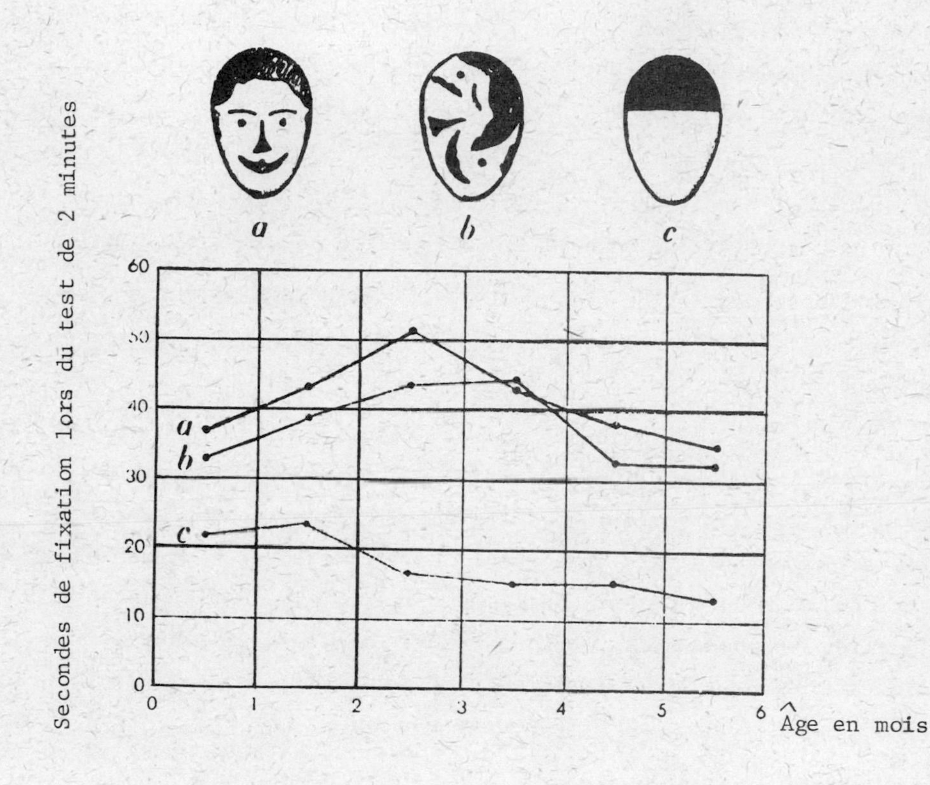

Fig. 7 - Influence de la ressemblance d'un visage schématisé sur le temps de fixation chez les nourrissons (Fantz, 1963)

Ces expériences tendent à montrer que dès le début il y aurait perception discriminative des formes. Dans la première expérience, le processus expérimental ne laisse aucun doute sur la validité d'une telle conclusion. Par contre, dans la deuxième, l'absence de relief dans la présentation des visages en carton ne permet pas une telle généralisation. Il aurait été préférable de sculpter différentes formes, de tailles semblables, dont la ressemblance avec un visage humain aurait été plus ou moins précise.

S'il existe une discrimination visuelle des formes au niveau du visage, l'enfant n'en effectue pas pour autant une différenciation des visages des personnes qui vivent avec lui, et vers 2 ans il appelle encore "papa" un grand nombre de personnes.

La perception visuelle se développe rapidement suivie par les informations tactiles et kinesthésiques. La manipulation progressive systématique des objets fournit à l'enfant un grand nombre de sensations qui se coordonneront entre elles permettant la maîtrise du milieu.

Au niveau de l'ontogénèse de la perception on devrait inclure les perceptions spatiales et temporelles. Ces dernières feront l'objet de chapitres spécifiques.

Bien que nous possédions tous à la naissance le même équipement sensoriel, nous en faisons des utilisations différentes, selon le milieu culturel dans lequel nous évoluons. Les personnes vivant dans les sociétés primitives perçoivent des éléments qui nous échappent totalement. À l'intérieur de la même culture des différences individuelles se manifestent, soit en fonction du milieu (sensibilité musicale, artistique...), soit en fonction de la profession (un peintre perçoit plus de couleurs différentes que nous).

5 - PERCEPTION ET APPRENTISSAGE SCOLAIRE

5.1 *Programmes perceptifs*

Toute connaissance provient de perceptions. Au moment où l'enfant entre à l'école il est essentiel de tenir compte de cet élément et de proposer à l'enfant des situations qui faciliteront cette acquisition de connaissances. Différents programmes susceptibles de développer la perception, en particulier la perception visuelle, ont été élaborés. Frostig (1972) propose, dans son programme de développement de la perception visuelle, un ensemble d'exercices susceptibles de développer la coordination oculo-motrice, la perception figure-fond, la constance perceptive, la perception de la position et de la relation spatiales. Plusieurs applications et études du programme ont été réalisées et évaluées. Dans une analyse effectuée en vue de déterminer si la capacité en lecture est reliée à la perception spatiale, Jacobs (1967) a appliqué, pendant une année scolaire, le programme proposé par Frostig à 250 enfants de 4 à 7 ans. Les résultats obtenus ont mis en évidence : a) que les gains perceptifs ont été plus importants dans le groupe expérimental que dans le groupe témoin ; b) que dans le groupe expérimental, les gains sont plus élevés pour les enfants de 1re année que pour ceux de la maternelle ou de la prématernelle (ceci pourrait provenir du fait que le programme appliqué à tous les enfants, à la prématernelle et à la maternelle se rapproche énormément de celui de Frostig) ; c) qu'en première année la différence entre le groupe contrôle et le groupe expérimental est plus marquée aux tests de constance perceptive, de perception de la position et de la relation spatiales ; d) que le programme perceptif a eu peu de répercussions sur le plan de l'apprentissage de la lecture, les scores du groupe expérimental n'étant pas significativement plus élevés que ceux du groupe témoin. Toutefois il n'est pas possible de conclure d'après cette étude qu'un programme perceptif a ou non une action sur l'apprentissage de la lecture : ceci devrait se faire à partir d'une étude longitudinale.

Dans une étude semblable menée par Olson (1966) avec des enfants de 2e année, l'auteur a mis en évidence l'existence de corrélations significatives entre les résultats en lecture et ceux obtenus au test de Frostig.

Il existe également d'autres programmes identiques poursuivant les mêmes buts et s'adressant à des enfants âgés de 5 à 7 ans (Maney, 1964 ; Leclercq-Regnier, 1971 ; Bucher, 1972).

5.2 *Perception visuelle et lecture*

5.2.1 Préparation à la lecture

Avant de commencer tout apprentissage en lecture, il faudrait s'assurer d'abord que les enfants sont prêts à apprendre à lire avec le minimum de difficultés. En plus des difficultés de prononciation associées aux lettres, il existe une difficulté fondamentale : celle de la distinction des lettres les unes des autres quant à leur forme ou à leur orientation. Si, au cours des tests mesurant la préparation d'un enfant (Frostig, Ilg et Ames), cet enfant confond par exemple deux chaises orientées comme suit 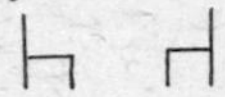 , il n'est pas utile d'insister sur l'apprentissage de la lecture ; en effet, en réunissant le bas des chaises, on obtient un  et un  , et nous connaissons suffisamment les problèmes que posent ces lettres en lecture ! (*bobine* écrit ou lu *dodine*). Si des confusions se produisent au niveau de la différenciation de figures simples, il vaut mieux attendre une année de plus et profiter de ce laps de temps pour effectuer des exercices perceptivo-moteurs.

5.2.2 Les méthodes de lecture

De façon générale, on divise les méthodes de lecture en méthodes globales et méthodes analytiques, les premières étant fondées sur la perception des mots, les autres sur la reconstitution de mots à partir de lettres.

5.2.2.1 *Les méthodes globales*

Leurs principes théoriques reposent sur les travaux de la Gestalt. Les formes, en l'occurrence les mots, s'imposent de l'extérieur, et l'enfant percevrait l'ensemble des lettres, non chaque lettre. C'est ainsi que "papa" serait distingué de "locomotive" uniquement au niveau de la perception visuelle. L'enfant associe une signification au mot, à l'image graphique du mot. Des erreurs peuvent être commises quant à la différenciation des mots lorsque leur image est trop voisine : *papa* et *pépé*. Il découle de ces faits qu'au début de l'apprentissage il faut présenter à l'enfant des mots qui sont vraiment différents les uns des autres, c'est-à-dire respecter simplement des lois de la théorie de la forme. Un autre problème qui se présente avec ces méthodes est la difficulté qu'éprouvent les enfants à reconnaître un mot lorsqu'on change les caractères des lettres, par exemple, entre "papa" et "PAPA", il n'y a pas beaucoup de similitude.

5.2.2.2 *Les méthodes analytiques*

L'accent se trouve ici placé sur la distinction des lettres qui s'associent ensuite pour former des syllabes, puis des mots. Toute lecture d'un mot s'effectue par découpage de ce mot, en ses unités les plus simples, regroupées en syllabes pour reconstituer le mot. Lorsque l'enfant se trompe, il peut reprendre l'analyse systématique du mot et se corriger.

5.2.3 Les moyens pédagogiques

En ce qui concerne la différenciation des lettres, l'acquis joue un grand rôle. Les différentes théories abordées plus haut apportent divers éléments intéressants que l'on peut utiliser au commencement de l'apprentissage en lecture.

Les théories d'imitation motrice accentuent la nécessité de coordonner les mouvements d'exploration de la main avec ceux de l'oeil. La manipulation des lettres sculptées ou découpées dans du carton permet à l'enfant de s'imprégner de la forme de la lettre ; il l'isole progressivement des autres formes tout en s'imprégnant de l'idée de la lettre et en diminuant l'intervention du geste. L'illustration de lettres avec son corps peut être aussi envisagée.

Pour Piaget, la perception est un phénomène cognitif : il se produit une assimilation de l'entrée sensorielle à un schème. Le schème résulte de l'expérience sensori-motrice, d'un apprentissage. Lorsque l'enfant se trompe dans la reconnaissance des lettres, c'est qu'il n'a pas fait suffisamment d'exercices perceptifs lui permettant de dissocier un schème d'un autre. La reprise d'expérimentations doit alors être envisagée.

Les principes de la théorie de la forme comportent également des éléments importants à retenir. La présentation des mots devra se faire dans des conditions évitant toute confusion possible (respecter les lois figure-fond, prégnance). Il faudra laisser les mots à la vue de l'enfant pour qu'il puisse établir les différences existant avec d'autres mots.

6 - PERCEPTION ET ACTIVITÉS SPORTIVES

Ce vaste problème ne peut pas se traiter de façon très approfondie dans le cadre limité de notre étude. Nous ne présenterons ici que quelques éléments pouvant servir de points de départ à une discussion.

En ce qui concerne l'initiation aux sports collectifs, le débutant se trouve inondé de perceptions en plus d'être confronté à ses problèmes moteurs. Dans l'ensemble des stimulations visuelles et auditives, il lui faudra progressivement sélectionner celles qui lui seront nécessaires pour pouvoir s'intégrer au jeu et avoir ainsi une action efficace. Toute action repose sur la perception de la situation. Se basant sur plusieurs expériences, Malho (1965) montre que la rapidité et la valeur de la perception de la situation de jeu sont étroitement liées aux connaissances et à l'expérience du joueur. La perception de la tactique s'améliore avec l'augmentation des expériences tactiques. En ce qui concerne la prise d'informations visuelles, il faut insister sans cesse sur la nécessité d'élargir le champ visuel du joueur et de l'orienter de telle sorte qu'il ait la plus grande partie du terrain de jeu sous les yeux. Ici aussi les principes théoriques trouvent leur application. Dans les jeux collectifs, il est fondamental que les équipes soient clairement distinguées au niveau des maillots. Ceci facilite grandement la reconnaissance de ses coéquipiers et la mise en place des structures de jeu.

Une autre question peut être également soulevée sur le plan de l'activité physique : que penser du rôle des démonstrations et de l'utilisation des moyens audio-visuels dans l'acquisition d'habiletés motrices ?

7 - CONCLUSION

La perception est une prise de connaissance du milieu environnant par sélection et association des informations. Comportant une part d'inné, elle peut faire l'objet d'apprentissages.

Les théories relatives à l'explication de son origine et de son évolution mettent l'accent tantôt sur la passivité du sujet, les formes s'imposant à nous de l'extérieur, tantôt sur le rôle que joue l'intelligence au niveau de la sélection et de la reconnaissance de l'information, tantôt sur le rôle essentiel de l'activité motrice associée aux sensations visuelles se coordonnant pour permettre la connaissance.

La perception constitue la clé de voûte des apprentissages scolaires. De nombreux programmes de développement perceptivo-moteurs aident l'enfant à satisfaire les conditions préalables nécessaires à une entrée sans problème dans le domaine scolaire. Le contrôle de ces conditions éviterait souvent les problèmes d'apprentissage.

BIBLIOGRAPHIE

BORING, E. G., "A New Ambiguous Figure", *American Journal of Psychology* , 1930, vol. 42, p. 444-445.

BUCHER, H., *Exercices d'analyse perceptive et d'orientation spatiale*, Paris, Fernand Nathan, 1972.

FANTZ, R. L., "The Origin of Form Perception", *Scientific American*, 1961, vol. 204, p. 66-72.

- "Pattern Vision in Newborn Infants", *Science*, 1963, vol. 140, p. 296-297.

FRAISSE, P., "Mise en évidence d'un apprentissage perceptif des groupements par proximité", *Année psychologique*, 1959, vol. 59, p. 373-380.

FRAISSE, P., S. EHRLICH et E. VURPILLOT, "Etude de la centration perceptive par la méthode tachistoscopique", *Archives de psychologie*, 1956, vol. 35, p. 193-214.

FROSTIG, M. *et al.*, *Marianne Frostig Developmental Test of Visual Perception*, Palo Alto, Calif., Consulting Psychologists Press, 1963.

FROSTIG, M., D. HORNE et A. M. MILLER, *Images et modèles. Programme de développement de la perception visuelle*, Montréal, McGraw-Hill, 1972.

BIGSON, E. J., *Principles of Perceptual Learning and Development*, New York, Appleton Century-Crofts, 1969.

HEBB, D. O., *The Organisation of Behavior : a Neuropsychological Theory*, New York, Wiley and Sons, 1949.

- *A Textbook of Psychology*, Philadelphie, Saunders, 1958.

ILG, F. L. et L. B. AMES, *School Readiness. Behavior Tests used at the Gesell Institute*, 3e éd., New York, Harper and Row, 1973.

JACOBS, J. M., "An Evaluation of the Frostig Visual Perceptual Training Program", *Educational Leadership*, 1967, vol. 25, p. 332-340.

LECLERCQ, H. et P. RÉGNIER, *Éducation perceptivo-motrice*, Paris, Fernand Nathan, 1971.

MAHLO, F., "Problèmes théoriques de l'entraînement tactique aux sports collectifs", *Document I.N.S.*, n° 289, Paris.

MANEY, E. S., *Visual Readiness Skills*, Pasadena, Calif., The Continental Press Inc., 1964.

MERLEAU-PONTY, M., *la Phénoménologie de la perception*, Paris, Gallimard, 1945.

OLSON, A. V., "Relation of Achievement Test Scores and Specific Reading Abilities to the Frosting Development Test of Visual Perception", *Perceptual and Motor Skills*, 1966, vol. 22, p. 179-184.

PIAGET, J., *les Mécanismes perceptifs*, Paris, P. U. F., 1961.

\- *Biologie et connaissance*, Paris, Gallimard, 1967.

PIAGET, J., P. FRAISSE, E. VURPILLOT et R. FRANCÈS, *Traité de psychologie expérimentale : la perception*, Paris, P. U. F., 1963.

SOLHKHAH, N. et J. ORBACH, "Determinants of the Magnitude of the Moon Illusion", *Perceptual and Motor Skills*, 1969, vol. 29, p. 87-98.

Chapitre 3

LA PERCEPTION DE L'ESPACE

René Paoletti

PLAN

4. ONTOGÉNÈSE DES RELATIONS SPATIALES

4.1 *Considérations préalables sur le développement cognitif, relativement à l'organisation de l'espace chez l'enfant*

4.1.1 Espace perceptif ou figuratif

4.1.2 Espace représentif

4.2 *Relations spatiales*

4.2.1 Rapports topologiques

4.2.2 Rapports projectifs

4.2.3 Rapports euclidiens ou métriques

4.3 *Les relations spatiales en éducation psychomotrice*

BIBLIOGRAPHIE

Pour pouvoir appréhender l'ensemble d'une situation et décider d'un comportement intentionnel adéquat, l'homme a besoin, à tout moment de sa vie active, de percevoir les relations spatiales et temporelles existant, d'une part, entre les objets environnants ou les événements et lui-même, et, d'autre part, entre les objets ou les événememts eux-mêmes.

La perception spatiale représente un champ majeur d'études et de recherches en raison de l'importance qu'elle revêt, non seulement dans le comportement moteur d'adaptation de l'homme à son milieu, mais encore dans le développement de certaines formes de raisonnement chez l'enfant, telles que les opérations logico-mathématiques.

Cette étude se propose donc d'apporter certains éléments de réponse aux questions suivantes :

- Comment se définit généralement l'espace ? Quelles en sont les composantes ?
- Par quels dispositifs sensoriels l'homme appréhende-t-il les composantes de l'espace physique ?
- Comment se développe la perception de l'espace du point de vie psychophysiologique ?
- Quelles sont les relations spatiales caractéristiques du développement cognitif chez l'enfant ?
- Que recouvrent les termes d'orientation et de structuration spatiales en éducation psychomotrice ?

AVERTISSEMENT

La position d'un objet dans l'espace se définit par rapport à trois axes perpendiculaires ou coordonnées : la verticale, l'horizontale et un axe que l'on pourrait nommer axe de "profondeur" en référence aux deux premiers. Pris deux à deux, ces axes déterminent trois plans. Lorsque nous écrivons sur un pupitre (ou au tableau), notre plume (ou notre craie) se déplace sur un plan ou surface, et nous n'avons besoin que de deux axes pour localiser un point sur ce plan. Par contre, lorsque nous décrivons un volume avec nos mains, nous utilisons les trois coordonnées de l'espace. Le premier exemple se rapporte à l'espace à deux dimensions, le second à l'espace à trois dimensions.

Pour la commodité de l'étude, cette différenciation sera conservée : à l'espace à deux dimensions seront associées les notions de formes planes, contours, grandeurs telles qu'elles apparaissent dans le dessin par exemple, et la notion d'orientation du corps par rapport aux axes vertical et horizontal ; à l'espace à trois dimensions seront rattachées les notions de profondeur et de volume.

1 - ESPACE À DEUX DIMENSIONS

Les coordonnées de cet espace sont la verticale ou axe de gravité et sa perpendiculaire, l'horizontale. Les tenants de la théorie de la forme (*Gestalt theory)* considèrent que ces deux axes s'établissent en dehors de nous-mêmes et que, conséquemment, l'appréhension de cet espace bidimensionnel repose sur des mécanismes visuels. Cependant, on peut penser que la station érigée, chez l'homme, n'est pas étrangère à la perception de la verticalité (Forgus, 1966). Les paragraphes suivants permettront d'éclaircir ce point, bien que les études sur la vision soient considérablement plus nombreuses que celles consacrées au sens tactile et kinesthésique.

1.1 *Discrimination visuelle de l'espace à deux dimensions*

Une des questions fondamentales de la perception visuelle de l'espace concerne le plus petit détail qui peut être décelé ou, en d'autres termes, la notion d'*acuité visuelle*, qui correspond au plus petit angle visuel. La vision normale distingue un objet vu sous un angle de 1 minute (soit 1/60 de degré)[1] : le même angle est occupé par de petits objets près de l'oeil ou de plus gros objets plus loin de l'oeil.

L'acuité visuelle n'est pas limitée par la grosseur des récepteurs rétiniens (que l'on peut rapprocher du terme "finesse du grain" en photographie) mais plutôt par des facteurs externes comme la longueur d'onde et l'intensité de lumière réfléchie par l'objet, le contraste figure-fond, la durée d'exposition, etc.

Pour mesurer l'acuité visuelle, on utilise la table de Snellen, constituée de rangées de lettres de plus en plus petites. L'épaisseur des lettres de
la ligne 1 correspond à un angle de 1 minute à 62 m (200 pieds)
4 - - - 15 m (50 pieds)
7 - - - 6 m (20 pieds)
9 - - - 3 m (10 pieds).
Normalement pour le test, le sujet doit se tenir à 20 pieds (6 m) du tableau, et la lecture sans erreur de la ligne 7 correspond à 20/20 (c'est-à-dire qu'à 20 pieds, le sujet lit des lettres qui sont normalement discriminées à 20 pieds). La vision subnormale peut correspondre à 20/50 (à 20 pieds le sujet lit des lettres qui sont normalement discriminées à 50 pieds).

Une autre question intéressante à noter sur la perception visuelle de l'espace est relative au processus de fixation et à la façon de déplacer son regard pour voir une forme. Lorsqu'un sujet regarde un objet, ses yeux sont animés de deux types de mouvements.

1.1.1 Mouvements involontaires microscopiques

Ils se manifestent au moment même où le regard est fixé sur un petit détail (Cohen, 1969 ; Pritchard, 1971). Ces mouvements per-

---

1. Sous des conditions favorables, un trait de 1,5 mm (1/16 de pouce) de large est observable à 750 m (1/2 mille) de distance (Cohen, 1969 ; Day, 1969).

mettraient, selon Yarbus (1967), de faire travailler les cellules rétiniennes successivement. Cet auteur pense en effet que, sous une stimulation constante, ces cellules fovéales se fatiguent et qu'elles ont besoin d'une période de restauration pour assurer à nouveau leurs fonctions.

1.1.2 Mouvements volontaires

Ils sont nécessaires pour concentrer successivement les divers détails d'un objet sur la fovéa qui représente une très petite surface. Si cet objet est compris tout entier dans un petit angle, ces mouvements n'ont pas lieu d'être. Ces mouvements conduisent donc à une fixation nouvelle sur un point différent du champ visuel, à la fréquence de 2 ou 3 à la seconde, et sont si rapides qu'ils ne représentent que 10% du temps d'exposition (Noton et Stark, 1971). Ces mouvements de déplacement du point de fixation sont exécutés d'une façon particulière, caractéristique à la fois des sujets et des formes observées. Cette façon de déplacer le regard (*scanning*) a été étudiée au moyen d'un dispositif instrumental fixé sur la cornée de l'oeil des sujets. Yarbus (1967) a démontré par des enregistrements qu'il existait pour chaque dessin regardé des points de fixation sur les traits caractéristiques, et Noton et Stark (1971) ont observé que le déplacement du regard, et les points de fixation se faisaient, dans 65% des cas, suivant un ordre spatio-temporel particulier qu'ils ont appelé *feature ring* (Fig. 1). Ces deux auteurs ont émis l'hypothèse suivante : quand un sujet voit un objet pour la première fois, puis s'y habitue, il acquiert une façon de le voir : les informations sur le dessin sont prises suivant un certain ordre de priorité, et le shème moteur du déplacement des yeux correspondant est mémorisé (à rapprocher de la notion d'engramme). Si bien que la reconnaissance d'un dessin parmi d'autres différents pourrait être facile par comparaison entre la façon immédiate de le voir et le schème moteur créé antérieurement. Les auteurs ajoutent d'autres observations : si différents dessins sont présentés au sujet, le déplacement des yeux correspondant à chacun

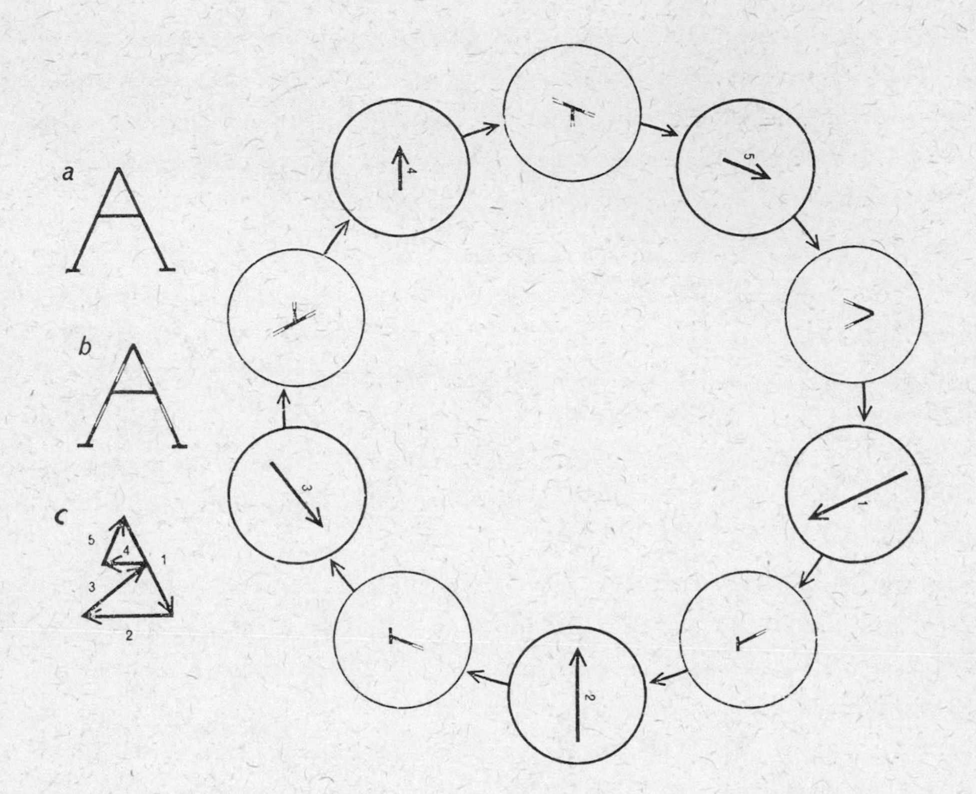

Fig. 1 - La reconnaissance de la lettre A (*a*) est fondée sur les traces sensorielles mnémoniques des angles et extrémités qui en constituent les traits caractéristiques (*b*), et des traces motrices qui correspondent au déplacement de l'oeil d'un trait à l'autre (*c*). (Extrait de Noton et Stark, 1971, p. 224.)

d'eux suivra un modèle différent, ce qui les incite à dire que la façon de déplacer les yeux n'obéit pas à une habitude fixée comme la lecture chinoise (... ou européenne, pourrait-on ajouter) et que le *feature ring* n'est pas réglé non plus une fois pour toutes par la disposition ou la physiologie des cellules réceptrices rétiniennes.

Les techniques des recherches sur les points de fixation du regard pourraient être utilisées pour vérifier (et découvrir) les critères de discrimination des formes planes, contours et dessins *(patterns)*. Depuis plusieurs décennies, les chercheurs travaillent pour connaître d'un point de vue pratique, les formes de lettres, les modèles de distribution, les symboles et signes qui sont le plus facilement discernables dans un contexte perturbant, et, d'un point de vue théorique, les traits fondamentaux et les critères qui permettent la discrimination entre les formes (Day, 1969). Par exemple, le nombre de côtés d'une figure, la symétrie, la variation des angles et le rapport $\frac{(\text{périmètre})^2}{\text{surface}}$ représentent des critères théoriques de discrimination des formes. Plus concrètement, des expériences sont sans cesse effectuées pour concevoir des tableaux de bord, une signalisation routière, etc., qui puissent être lus dans des conditions de faible luminosité et de temps d'exposition courts (Fig. 2). De même, les responsables de matériel didactique, de programmes filmés pour enfants devraient bénéficier de ces moyens de recherche nouveaux. Il va sans dire que la publicité a su depuis longtemps se tenir au courant des recherches en psychologie expérimentale, pour retenir ce qui

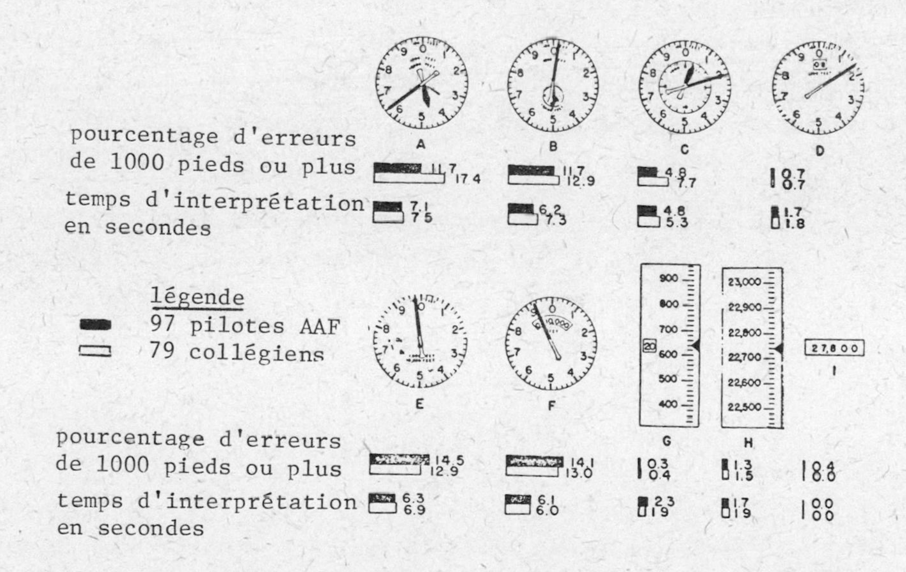

Fig. 2 - Rapidité et précision de la lecture de l'altitude par l'utilisation de différents types d'instruments. (Extrait de Grether, 1949, p. 365.)

"accroche l'oeil" du consommateur. Voici, à titre d'exemple, un classement de ces critères, selon Cohen (1969) :

1) la grandeur,
2) la nouveauté (caractère insolite),
3) la répétition (80 objets identiques),
4) l'isolement (de figures sur fond neutre),
5) l'intensité (luminosité),
6) le mouvement (sur fond immobile).

1.2 *Discrimination tactile de l'espace à deux dimensions*

La peau comme la rétine est constituée d'une mosaïque de récepteurs dont la densité est variable d'une région à l'autre (cf. le schéma de l'homunculus sensible) si bien que le seuil de discrimination spatiale de deux contacts sur la peau ne sera pas le même partout : il faut que ces points soient distants d'au moins 40 mm sur la cheville pour qu'ils soient perçus isolément, de quelques millimètres sur le bout des doigts et les lèvres, et de 1 mm (seuil le plus bas) sur le bout de la langue (Day, 1969). Cependant, par l'exercice, ce seuil peut être abaissé comme dans le cas d'aveugles qui lisent du bout des doigts le Braille (écart de 1 mm entre les points en relief).

1.3 *Discrimination tactilo-kinesthésique spatiale*

Très souvent dans les jugements discriminatifs spatiaux, chez aveugles, les sens tactile et kinesthésique sont associés pour former le sens tactilo-kinesthésique ou *haptic sense*. Les tests de reconnaissance stéréognostique des formes y font essentiellement appel.

1.4 *Discrimination kinesthésique et labyrinthique de l'espace à deux dimensions*

1.4.1 Déplacement segmentaire

L'acuité kinesthésique spatiale peut être mesurée dans le cas de reproduction de déplacement linéaire ou curviligne sur un plan. Sur une distance de 10 cm (4 pouces), l'erreur moyenne est de 1,5 cm (9/16 de pouce), sur une distance de 40 cm (16 pouces), cette erreur est d'environ 3 cm (1 po 3/16) (Brown *et al.*, 1948). Marteniuk *et al.* (1972) apportent une précision supplémentaire en concluant, à l'issue de leur recherche, que les petits déplacements sont surestimés tandis que les grands sont sous-estimés. Enfin, plus l'intensité musculaire déployée dans le déplacement est grande (augmentation de la résistance au déplacement) plus la précision des reproductions spatiales augmente (Weber, 1926).

1.4.2 Déplacement généralisé

Beritachvili (1963), par de nombreuses expériences au cours desquelles des sujets aveugles, sourds et normaux, les yeux bandés, devaient refaire en marchant des parcours d'orientation précis, a mis en évidence les résultats suivants :

> Des enfants normaux (6-7 ans), les yeux bandés, perçoivent la distance parcourue et les changements de rotation au moyen des récepteurs labyrinthiques et projettent dans l'espace l'image du chemin parcouru (p. 233).
> ... les enfants sourds avec des labyrinthes ne fonctionnant pas, âgés de 10 à 12 ans, sont incapables de refaire les yeux bandés, le chemin qu'on leur a fait parcourir même à plusieurs reprises (p. 239).

Ayant tenté la même expérience avec des enfants devenus aveugles très jeunes, Beritachvili ajoute : "... ces enfants s'orientent dans l'espace sur la base des impressions acoustiques et labyrinthiques beaucoup mieux que ne le font des enfants normaux les yeux bandés" (p. 233).

Ainsi, il apparaît que le labyrinthe (canaux semi-circulaires de l'oreille interne), en cas de privation visuelle, joue un rôle prépondérant dans la discrimination des changements produits ou subis au cours de déplacements généralisés.

1.5 *Relations vision et sens tactile et proprioceptif*

Vision et sens labyrinthique. Si l'on demande à des sujets assis de regarder à travers une ouverture une chambre qui a été inclinée à leur insu, et de déterminer ce qui leur semble être la verticale, on observe que, dans la plupart des cas, les sujets se fient à des indices visuels en établissant la verticale par rapport aux parois de la pièce ; ceci est d'autant plus net que la chaise, sur laquelle les sujets sont assis, est inclinée du côté inverse à celui de la chambre (Asch et Witkin, 1948; cf. fig. 3). Dans des conditions normales et pour la plupart des individus, le cadre de référence visuel est un déterminant de la perception spatiale plus fort que le cadre de référence postural.

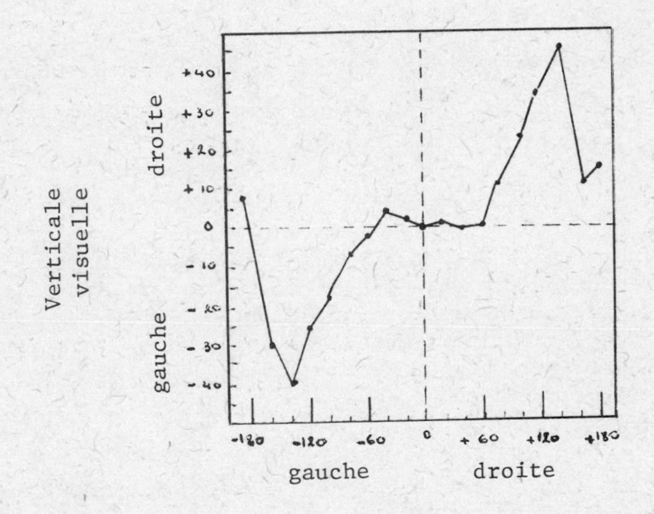

Fig. 3 - Inclinaison du corps - La verticale visuelle comme fonction de l'inclinaison du corps entre 0° et 180°. Quand le corps est incliné entre 0° et $50\text{-}60^{\circ}$, la verticale visuelle est inclinée dans le sens opposé ; pour des angles plus grands, la verticale visuelle est établie dans la même direction que l'inclinaison du corps. (Extrait de Day, 1969, p. 63.)

Vision et kinesthésie. Des expériences prolongées sur des sujets portant des verres déformants montrent que ces sujets apprennent à ajuster leurs réponses kinesthésiques au monde qui visuellement a changé (Forgus, 1966).

Vision et tact. Quand la vision et le toucher sont en contradiction (utilisation de lunettes diminuant la grandeur apparente des objets), la vision l'emporte sur les impressions ressenties par contact (Rock et Harris, 1967).

Ainsi, dans des conditions normales, la vision est déterminante dans la perception de l'espace. Si le cadre spatial est amoindri, le système de référence posturale peut alors être utilisé efficacement : telle est la conclusion de Mann *et al.* (1948) après une expérience au cours de laquelle leurs sujets, assis sur des chaises inclinées et plongés dans l'obscurité, réussirent à établir à la verticale deux lignes lumineuses obliques et à redresser très précisément leur siège à l'horizontale.

2 - ESPACE À TROIS DIMENSIONS

2.1 *Généralités*

En plus de la capacité de distinguer des détails contenus dans un plan de l'espace, tout individu normal possède aussi celle d'apprécier ces détails quand ils sont disposés en profondeur : ce type d'acuité (*depth acuity*) est dite stéréoscopique dans le cas de vision binoculaire.

La perception de la profondeur est fondée sur un certain nombre d'indices essentiellement visuels qui donnent un effet de champ. Comment se rend-on compte de la profondeur ?

Indices primaires :
1) ajustement du cristallin (accommodation et convergence) :
2) disparité binoculaire (voir fig. 4) :
3) distance subjective (cf. illusions optiques).

Indices secondaires :
1) localisation profonde par rapport à la ligne d'horizon (plus un objet est près de la ligne d'horizon, plus il paraît loin de nous) ;
2) taille perçue d'un objet familier (dimension réelle connue) ;
3) gradients de texture et de densité (en perspective, le nombre de croix d'un cimetière militaire devient de plus en plus dense avec la distance).

Indices tertiaires :

1) superposition ou interposition (un objet masqué en partie par un autre objet paraît plus lointain) ;
2) perspective aérienne (les objets lointains apparaissent plus bleus ou plus violets) ;
3) espace rempli et espace vide (le premier paraît plus profond que le second) ;
4) lumière et ombre (une lumière incidente projetant l'ombre des objets donne une impression de profondeur) ;
5) brillance relative (une surface mate apparaît plus profonde qu'une surface brillante) ;
6) taille des objets en perspective (ce qui est plus petit paraît plus lointain) ;
7) perspective linéaire (convergence de lignes parallèles) ;
8) parallaxe de déplacement (en mouvement, ce qui est plus lointain paraît plus statique que ce qui est proche).

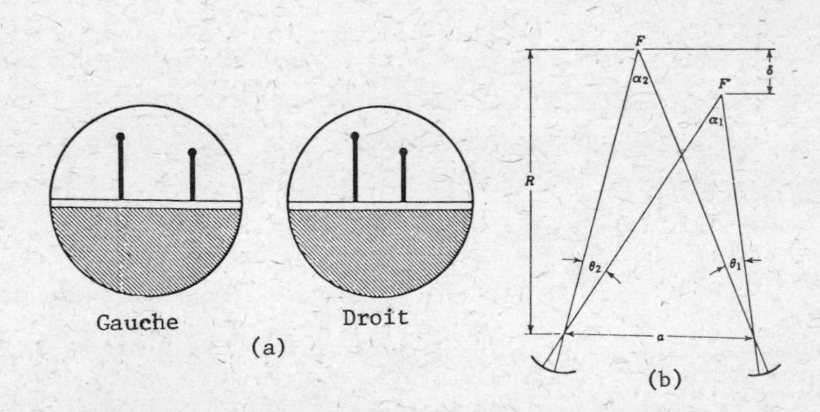

Fig. 4 - Discrimination visuelle de la profondeur. (a) Vues de l'oeil gauche et de l'oeil droit de deux mâts derrière un mur : l'intervalle entre les mâts est vu plus petit par l'oeil droit. (b) Explication : F est plus loin que F', et l'angle visuel θ_1 (oeil droit) correspondant à l'intervalle entre les mâts qui est plus petit que l'angle visuel θ_2 (oeil gauche). (Extrait de Day, 1969, p. 47.)

2.2 *Discrimination visuelle de la profondeur*

L'acuité visuelle de la profondeur est 20 fois meilleure à deux yeux (vision stéréoscopique) qu'à un oeil. Ce résultat peut être vérifié par une expérience qui consiste à regarder à travers une ouverture rectangulaire de 20 x 12 cm (8 x 5 po), 2 barres verticales dont l'une peut être avancée ou reculée. Un sujet placé à 6 m (20 pi) distingue avec ses deux yeux une différence de profondeur entre la position des deux barres quand celles-ci sont distantes de 1,5 cm (9/16 po), alors qu'avec un oeil, il faut 28,5 cm (11¼ po) d'écart entre les barres (Day, 1969). Ce seuil de discrimination des différences de profondeur peut cependant varier en fonction de la distance de vue, des longueurs, épaisseurs et écart latéral de barres, de la luminosité du fond, etc.

L'explication de la disparité binoculaire qui entraîne la discrimination de la profondeur relative d'un objet par rapport à un autre est illustrée par la figure 4).

2.3 *Discrimination et localisation spatiales auditives*

Le seuil de discrimination spatiale de deux sources sonores est défini par l'angle formé, au centre de la tête, par les lignes convergentes de projection des deux sources sonores qui sont juste assez éloignées l'une de l'autre pour qu'on puisse les différencier dans l'espace quand elles sont présentées successivement (Day, 1969, p. 48).

L'acuité auditive de profondeur, ou localisation d'un son, est fondée sur les différences dans les caractéristiques du son qui parvient à chacune des deux oreilles[2]. En effet, si la source sonore n'est pas à égale distance des deux oreilles, le son qui atteindra une oreille sera différent de celui qui arrivera à l'autre oreille : on observera des différences d'intensité et de phase que la figure 5 permet de comprendre aisément.

---

2. Il existe une analogie avec les yeux en ce sens qu'il est plus difficile de localiser un son d'une oreille qu'avec les deux (Rosenzweig, 1961).

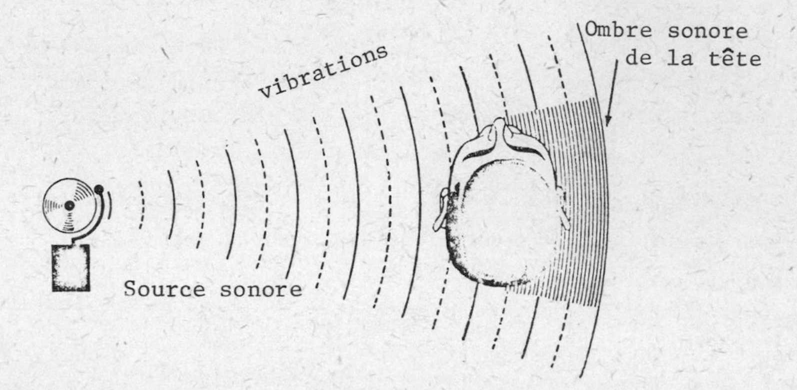

Fig. 5 - Localisation binaurale d'un son. Le son qui atteint l'oreille la plus éloignée est moins intense à cause de l'ombre "sonore" de la tête, plus tardif et déphasé par rapport au son qui parvient à l'oreille la plus proche. (Extrait de Day, 1969, p. 14.)

Ainsi, percevoir l'espace consiste à percevoir les traits, formes et contours d'une surface, d'un volume, localiser les objets entre eux, les situer par rapport à nous et nous orienter par rapport à eux.

Parmi tous les facteurs qui influencent toutes ces composantes il en est un extrêmement important : l'âge.

3 - DÉVELOPPEMENT PSYCHOPHYSIOLOGIQUE DE LA PERCEPTION SPATIALE

3.1 *Technique d'observation*

Les premières informations sur l'espace, recueillies par le nourrisson, sont relatives au mouvement de la tête vers l'objet et, plus précisément encore, à la fixation de cet objet : si l'enfant oriente son regard plus souvent vers un objet que vers un autre, on peut penser qu'il devrait le percevoir. Après avoir procédé à des expériences sur de jeunes singes, Fantz (1961) a mis au point une technique d'observation de l'intérêt visuel manifesté par le nourrisson. On place au-dessus du berceau de l'enfant une sorte de plafond auquel ont été suspendus divers objets. Par une ouverture laissée dans ce plafond, l'observateur a la possibilité de voir les yeux de l'enfant, et en particulier d'y distinguer le reflet des objets dans ses yeux : l'objet qui apparaît au centre de la pupille est considéré comme l'objet fixé, et les temps pendant lesquels il est fixé sont enregistrés.

3.2 *Perception visuelle des traits et contours d'une forme plane*

Fantz (1961), ayant fait des expériences avec 30 enfants de 1 à 15 semaines, a trouvé que les disques blancs à bandes noires sont fixés plus longtemps que ceux de couleur unie[3]. Entre trois dessins de visage, l'enfant regarde plus fréquemment le modèle le plus proche de la réalité (voir chap. 2, p. 241). Fantz pense que l'explication de cette discrimination serait d'ordre fonctionnel : l'oeil permettrait essentiellement de reconnaître.

3.3 *Constance de la forme*

Les caractéristiques de la constance de la forme chez l'enfant ont été étudiées par Bower (1966). Des enfants de 6 à 8 semaines ont été conditionnés, à la vue d'un cube de 30 cm (1 pied) de côté distant de 1 m (3 pi 3 po) (situation A), à tourner la tête d'un côté ou de l'autre ; rotation qui provoquait l'apparition d'une personne qui leur souriait, leur parlait (renforcement). Si le cube n'est pas présenté et que, malgré cela, l'enfant tourne la tête, il n'y a aucun renforcement. Une fois le conditionnement bien établi, l'expérimentateur place un cube de 90 cm (3 pi) à 3 m (10 pi) (situation B), ce qui correspond à l'image rétinienne du cube de 30 cm situé à 1 m (situation A). L'hypothèse de travail était que si l'enfant est incapable de percevoir la distance et la constance de la forme, on obtiendrait le même nombre de réponses dans la situation A que dans la situation B. Les résultats ont montré que l'enfant répond en terme d'image réelle (situation A) et non en terme d'images rétiniennes (situation B), ce qui a incité l'auteur à penser que la constance de la forme est largement innée. D'autres

---

3. À 1 mois, des bandes de 3,5 mm (1/8 pouce) de large sont distinguées à 3 m (10 pieds) (ce qui correspond à 1 degré ou 60 minutes d'angle visuel) ; à 6 mois, des bandes de 0,39 mm (1/64 pouce) de large sont vues à 3 m (10 pieds) (5 minutes d'angle) ; on se rappellera que pour l'adulte cet angle est de 1 minute. Ces progrès de l'acuité visuelle sont dus à la maturation.

modalités expérimentales furent introduites : en résumé, les conclusions furent que les enfants de 8 semaines perçoivent la constance de la taille et de la forme, beaucoup plus que ne le supposaient les tenants de la théorie du caractère acquis.

3.4 *Perception de la profondeur*

La question du caractère inné ou acquis de cette perception fut l'objet d'une étude importante menée par Gibson et Walk en 1960. Utilisant le dispositif schématisé à la figure 6, ils étudièrent les réactions d'enfants de 6 à 14 mois, qui, appelés par leur mère, devaient pour la rejoindre s'engager sur une vitre au-dessus du "vide". Sur les 36 enfants de l'expérience, 33 refusèrent de rejoindre leur mère, s'arrêtant au bord du vide. De ces observations, il ressort

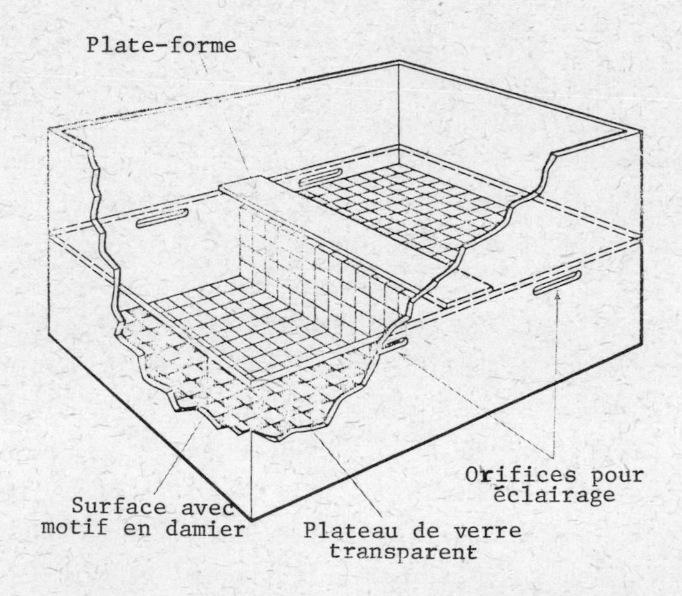

Fig. 6 - Dispositif dit de la "falaise visuelle" (*visual cliff*). (Extrait de Matheson *et al.*, 1970, p. 283.)

que la perception de la profondeur est plus innée qu'acquise et que chez l'homme la vision y est prédominante[4].

3.5 *Importance relative de l'inné et de l'acquis*

La question de savoir si nos habiletés à percevoir les aspects spatiaux de notre environnement sont totalement le résultat d'apprentissages ou si certaines d'entre elles sont innées constitue le sujet dominant des études sur la perception depuis ses origines, et demeure toute aussi entière en dépit de trois siècles de controverse (Kling et Riggs, 1971). C'est surtout à partir des expériences entreprises sur les animaux que l'on peut émettre certaines hypothèses sur ce sujet puisqu'on ne peut, par exemple, se permettre de procéder sur l'enfant à des expériences de privation sensorielle (comme l'élever dans l'obscurité pendant des périodes critiques de maturation visuelle) sans risques de conséquences dommageables.

3.5.1 Perception sans apprentissage initial

Une étude de Lashley et Russel (1934) a montré que des rats élevés dans l'obscurité, donc privés d'expérience visuelle, étaient capables d'évaluer la distance et de sauter avec précision d'une plateforme à l'autre (Fig. 7).

D'autres animaux, élevés dans l'obscurité, ont montré des réactions d'évitement du vide dans l'expérience de Gibson et Walk (1960), ce qui incite à penser que la perception de la profondeur est innée. Ces conclusions se retrouvent relativement bien confirmées chez l'enfant (Bower, 1966; Gibson et Walk, 1960). On peut encore ajouter que la localisation auditive, quoique imprécise, est innée chez l'enfant puisque Wertheimer (1961), avec un nouveau-né âgé seulement de 3 heures, a observé de nombreuses réponses de rotation de la tête en direction d'une source sonore.

3.5.2 Perception avec apprentissage

La discrimination entre des formes chez l'enfant est le résultat d'association des éléments de l'environnement extérieur rattachés

---

4. Chez les animaux, certaines espèces sont à dominance visuelle (poulet, certaines races de chiens, lapins...), d'autres sont à dominance tactile (rats).

Fig. 7 - Schéma de l'expérience de Lashley et Russell. (Extrait de Day, 1969, p. 163.)

à des données affectives (reconnaissance des visages par exemple). De façon générale, la reconnaissance des surfaces et volumes, l'appréciation des distances, sont le résultat de l'interaction des données de multiples champs sensoriels (informations visuelles, tactiles, kinesthésiques et labyrinthiques) que seul l'apprentissage peut réaliser, et ceci est d'autant plus vrai que les situations d'adaptation spatiale sont complexes.

3.6 *Développement des caractéristiques perceptuelles spatiales de l'enfant de 0 à 6 ans*

Les données reportées ici sont à compléter par l'addition des informations déjà fournies dans les chapitres précédents.

- Le nouveau-né ne peut pas très bien fixer son regard, mais peut localiser grossièrement un son.

- À 3 mois, l'enfant peut suivre un objet par rotation de la tête sur 180°.

- À 4 mois, tenant un objet, il peut le regarder occasionnellement.
- À 6 mois, il peut différencier les personnes qui l'entourent.
- À 7½ mois, la convergence des yeux vers les objets proches est bien établie.
- À 9 mois, il lui est possible de saisir et manger un aliment.
- À 1 an, ses yeux agissent de façon synchrone et son regard se fixe d'un objet à l'autre, si bien qu'il peut jouer avec plusieurs objets alternativement et les échanger avec une autre personne.
- À 3 ½ ans, il peut obéir à des ordres tels que "regarde ici !". De plus, la couleur est le principal critère de l'appariement des objets. Plus tard, le critère forme prendra plus d'importance.

4 - ONTOGÉNÈSE DES RELATIONS SPATIALES

4.1 *Considérations préalables sur le développement cognitif, relativement à l'organisation de l'espace chez l'enfant*

Piaget (1948) a établi des distinctions fondamentales entre ce qu'il appelle l'espace perceptif (sensori-moteur) et l'espace intellectuel (représentatif) caractéristiques de la génèse du mode d'organisation spatiale ; le premier se rattache à "l'aspect figuratif de la connaissance", le second se rapporte à "l'aspect opératif de la connaissance"; il faut noter que ces deux formes de la connaissance caractérisent généralement le développement cognitif de l'enfant, et seront invoqués tout autant dans la perception du temps.

L'espace figuratif est relatif à l'appréhension directe des formes et configurations, et relève de la perception directe ; l'espace représentatif est relatif aux opérations qualitatives et quantitatives de transformation des données de la perception immédiate et relève donc, si l'on peut dire, de l'intelligence.

4.1.1 Espace perceptif ou figuratif

Cet espace perceptif caractérise la période s'étendant de 0 à 7-8 ans qui comprend la période sensori-motrice (0 à 2 ans) et la période préopératrice ou intuitive (2 à 7 ans). Cet espace repose sur le vécu moteur et l'expérience perceptuelle immédiate qui ont pour effet de permettre à l'enfant de s'orienter dans toutes les directions de son environnement, ou, en d'autres mots, de construire son espace d'action en établissant des rapports spatiaux élémentaires. Cet espace se structure progressivement par une coordination de plus en plus complexe des actions et déplacements de l'enfant et engage, de ce fait, aussi bien ses fonctions perceptives que ses fonctions motrices (Laurendeau et Pinard, 1968, p. 13). Le caractère subjectif des jugements de l'enfant de cette période (égocentrisme) se retrouve au niveau perceptif spatial en ce sens qu'il considère l'espace suivant son seul point de vue.

4.1.2 Espace représentatif

À partir de 7-8 ans, l'enfant acquiert progressivement la possibilité d'analyser les données immédiates de la perception et d'élaborer des rapports spatiaux plus complexes impliquant, en particulier, la référence à des points de vue sur le monde autres que son propre corps (réversibilité des points de vue ou décentration), ce qui est à l'origine de l'objectivité des jugements, fondement du développement de la logique mathématique et de l'ouverture à la vie sociale.

4.2 *Relations spatiales*

Piaget (1948) distingue trois grandes catégories de rapports spatiaux : les rapports topologiques, projectifs et métriques (ou euclidiens).

4.2.1. Rapports topologiques

Ce sont les rapports qualitatifs élémentaires qui existent entre les objets :

1) voisinage : "proximité des éléments perçus dans un même champ" (p. 17) ;
2) séparation : dissociation de deux formes qui ne s'interpénètrent pas ;
3) ordre ou succession spatiale : "rapports entre éléments à la fois voisins et séparés lorsqu'ils sont distribués les uns à la suite des autres" (p. 18) (cf. sériation) ;
4) entourage ou enveloppement : à 1 dimension X X X, à 2 dimensions [X], à 3 dimensions 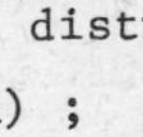 ;
5) continuité : limite du passage, séparation - voisinage.

Ces rapports topologiques sont caractéristiques de l'espace perceptif.

> ... La perception élémentaire et la manipulation de ces rapports... servent de point de départ aux notions représentatives plus ou moins structurées de l'espace intuitif jusqu'au moment où peuvent s'établir, vers l'âge de 7 ans, les premiers systèmes reversibles ou opératoires de l'espace topologique comme la partition et l'addition partitive (*i.e.* la notion de point et de continu), l'ordre de placement linéaire ou cyclique, la réciprocité des voisinages, les relations symétriques, et la multiplication des éléments ou des relations. (Laurendeau et Pinard, 1968, p. 17.)

La "perception stéréognostique" (intuition des formes) et "l'espace graphique" font intervenir cette catégorie de relations spatiales.

4.2.2 Rapports projectifs

Fondés sur l'espace topologique, les rapports projectifs répondent à "la nécessité de situer les objets ou les éléments d'un même objet les uns par rapport aux autres dans une perspective donnée..." (Laurendeau et Pinard 1968, p. 17). La notion de "droite projective" suppose la réversibilité des points de vue et dépasse en complexité la notion topologique de la ligne.

> ... pour transformer une simple ligne (seule envisagée par la topologie) en une droite, il est nécessaire d'introduire ou bien un système de points de vue (tels, par exemple que les éléments de la ligne se masquent les uns les autres selon une certaine perspective) ou bien un système de déplacements, de distances et de mesures : la représentation de la droite suppose ainsi l'espace projectif ou l'espace euclidien. Or cette représentation est loin d'être élémentaire,... (Piaget, 1948, p. 185).

Les conduites de "visées", les problèmes de l'appréhension des perspectives, des sections de volume, de "rabattements" et "développements" des surfaces, de l'orientation droite-gauche en miroir font intervenir les rapports projectifs qui nécessitent chez l'enfant les processus de représentation mentale (aspect opératif de la connaissance).

4.2.3 Rapports euclidiens ou métriques

Les rapports euclidiens répondent à la nécessité de coordonner "les objets eux-mêmes entre eux par rapport à un cadre d'ensemble ou à un système de référence stable qui exige au départ la conservation des surfaces et des distances" (Laurendeau et Pinard, 1968, p. 18). L'espace euclidien suppose donc, en plus, l'introduction de la mesure des longueurs, des surfaces, des volumes, etc., et se construit parallèlement à l'espace projectif. Toutes les notions de conservation de parallèles (construction de losange), de distances, surfaces, volumes (notion de similitude), les systèmes de référence et les coordonnées (horizontale et verticale) sont fondés sur les rapports euclidiens.

4.3 *Les relations spatiales en éducation psychomotrice*

Les termes organisation, orientation et structuration spatiales sont souvent employés en psychomotricité, et il est extrêmement important de bien comprendre le sens et la portée de ces concepts. Par organisation spatiale, il faut entendre l'ensemble des relations spatiales étudiées précédemment ; ce terme a donc une signification générale qui peut s'étendre à toutes les sphères de la motricité sans considération de l'âge ou de l'activité. L'organisation spatiale regroupe l'orientation spatiale et la structuration spatiale.

L'orientation spatiale, en psychomotricité, recouvre l'ensemble des manifestations motrices qui font appel essentiellement aux rapports topologiques. Ainsi les évolutions, groupements, localisations et orientations qualitatives, reconnaissance topographique des parties du corps... à l'aide de toutes les modalités sensorielles, qu'ils soient accomplis dans l'espace d'un gymnase ou dans l'espace graphique, sont autant d'exercices de l'orientation spatiale qui sont particulièrement recommandables avec des enfants, surtout jusqu'à l'âge de 7-8 ans et qui peuvent être poursuivis si nécessaires.

La structuration spatiale, enfin, fait intervenir les rapports projectifs et euclidiens, qui découlent des rapports topologiques et représente une étape supérieure qui, chez la plupart des adultes, n'est pas sans faille. Les notions de conservation de distance, surface, volume, vitesse, localisation suivant un système d'axes, d'appréciation et mesure de distance, de vitesse..., de visée, de réversibilité des points de vue, comme montrer la droite, la gauche chez autrui, aider et parer, imaginer ce que l'autre voit, ressent, lire un plan, une carte, les notions de double appartenance, d'inclusion, etc., constituent le sujet d'exercices variés rattachés à la structuration spatiale.

Il serait profitable, tant pour le professeur de l'élémentaire que pour celui qui se spécialise en motricité, d'inventorier tous les exercices d'orientation et de structuration spatiales proposés dans les ouvrages traitant de la préparation aux apprentissages scolaires ou d'éducation motrice, et de les classer conformément aux données théoriques précédemment exposées. L'application éclairée de ces exercices chez les enfants et l'observation de leur degré de réussite pourraient vraisemblablement apporter des éléments de connaissance de leur développement cognitif et de compréhension de certaines difficultés comportementales.

BIBLIOGRAPHIE

ASCH, S. E. et H. A. WITKIN, "Studies in Space Orientation. II. Perception of the Upright with Displaced Visual Fields and Body tilted", *Journal of Experimental Psychology*, vol. 38, p. 455, 1948.

BERITACHVILI, I. S., "les Mécanismes nerveux de l'orientation spatiale chez l'homme", *Neuropsychologia*, vol. 1, p. 233-249, 1963.

BOWER, T., "The Visual World of Infants", *Scientific American*, vol. 215, p. 80-92, 1966.

BROWN, J. S., E. B. KNAUFT et G. ROSENBAUM, "The Accuracy of Positioning Reactions as a Function of their Direction and Extent", *American Journal of Psychology*, vol. 61, n° 2, p. 167-182, 1948.

COHEN, J., *Sensation and Perception. I. Vision*, Chicago, Rand McNally, 1969.

DAY, R.H., *Human Perception*, New York, Wiley and Sons, 1969.

FANTZ, R. L., "The Origin of Form Perception", *Scientific American*, vol. 32, p. 334-340, 1961.

FORGUS, R. H., *Perception*, New York, McGraw Hill, 1966.

GESELL, A., F. ILG et G. BULLIS, *Vision, its Development in Infant and Child*, New York, Hoeber, 1949.

GIBSON, E. J., *Principles of Perceptual Learning and Development*, New York, Meredith Corporation, 1969.

GIBSON, E. J. et R. D. WALK, "Visual Cliff", *Scientific American*, vol. 202, p. 64-71, 1960.

GRETHER, W. F., "Instrument Reading : 1", *Journal of Applied Psychology*, vol. 33, p. 363-372, 1949.

KIDD, A. H. et J. L. RIVOIRE, *Perceptual Development in Children*, New York, International Universities Press, 1966.

KLING, J. W. et Lorrin A. RIGGS, *Experimental Psychology*, New York, Holt, Rinehart & Winston, 1971.

LAURENDEAU, M. et A. PINARD, *les Premières Notions spatiales de l'enfant*, Neuchâtel, Delachaux et Niestlé, 1968.

MANN, C. W. *et al.*, "The Perception of the Vertical. I. Visual and Non-Labyrinthine Cues", *Journal of Experimental Psychology*, vol. 39, p. 538-547, 1949.

MARTENIUK, R. G., K.W. SHIELDS et S. CAMPBELL, "Attitude, Position, Timing and Velocity as Cues in Reproduction of Movements", *Perceptual and Motor Skills*, vol. 35, p. 51-58, 1972.

MATHESON, D. W., R. L. BRUCE et K. L. BEAUCHAMP, *Introduction to Experimental Psychology*, New York, Holt, Rinehart & Winston, 1970.

NOTON, D. et L. STARK, "Eye Movements and Visual Perception", *Scientific American*, vol. 22, p. 219-227, 1971.

PIAGET, J., *la Représentation de l'espace chez l'enfant*, Paris, Presses universitaires de France, 1948.

PRITCHARD, R. M., "Stabilized Images on the Retina", *Scientific American*, vol. 14, p. 117-123, 1971.

ROCH, I. et C. S. HARRIS, "Vision and Touch", *Scientific American*, vol. 26, p. 267-277, 1967.

ROSENZWEIG, M. R., "Auditory Localisation", *Scientific American*, vol. 20, p. 203-208, 1961.

WEBER, C. O., "The Properties of Space and Time in Kinaesthetic Fields of Force", *American Journal of Psychology*, vol. 38, p. 597-606, 1926.

WERTHEIMER, M., "Psychomotor Coordination of Auditory and Visual Space at Birth", *Science*, vol. 134, p. 1692, 1961.

WHITTAKER, J. O., *Introduction to Psychology*, Philadelphie, Saunders, 1970.

YARBUS, A. L., *Eye Movements and Vision*, New York, Plenum, 1967.

Chapitre 4

LA PERCEPTION DU TEMPS

René Paoletti

PLAN

1. LA PERCEPTION DE L'ORDRE

   1.1 *Considérations générales théoriques*

   1.2 *Caractéristiques psychophysique de la perception de l'ordre*

2. LA PERCEPTION DE LA DURÉE

   2.1 *Considérations générales théoriques*

   2.2 *Problématique de la perception de la durée et facteurs de variation*

      2.2.1 L'âge

      2.2.2 La tâche

      2.2.3 Les caractéristiques du sujet

   2.3 *Composantes sensorielles de la perception de la durée*

3. LA NOTION DU RYTHME

   3.1 *Définition*

   3.2 *Classification des rythmes*

   3.3 *Perception du rythme et langage*

   3.4 *Rythme et motricité*

      3.4.1 Considérations théoriques

      3.4.2 Influence du rythme dans l'exécution d'activités motrices

      3.4.3 Relation rythme et apprentissage moteur

4. ONTOGÉNÈSE DE LA PERCEPTION DU TEMPS

   4.1 *L'appréhension de l'ordre*

      4.1.1 Stade préopératoire

         4.1.1.1 Indifférenciation de l'ordre spatial et de l'ordre temporel

Pour la plupart des gens, percevoir le temps revient à prendre conscience de l'écoulement de l'existence à partir des changements ou des événements qui se sont produits dans la période considérée ; ainsi, on s'aperçoit que les heures, les jours, les années passent quand on songe aux activités qui ont été accomplies, aux états successifs de la croissance d'un enfant, aux traits du visage qui s'accusent, etc.

Tous les événements caractéristiques ou tous ces changements, qui servent de points de repère dans le temps évanescent, se distribuent successivement et de façon irréversible ; ils constituent la première composante de la perception temporelle, l'*ordre*. Le temps physique mesuré en secondes, minutes, heures, etc., qui sépare deux points de repère temporels, représente la seconde composante de la perception du temps, la *durée*.

Fraisse (1967) précise que l'ordre, ou distribution chronologique des changements ou événements successifs, représente l'aspect qualitatif, et la durée, l'aspect quantitatif. La perception de l'ordre ne nécessiterait en effet aucune "activité perceptive" de la part du sujet (au sens où Piaget l'entend) : il s'imposerait de l'extérieur, par analogie avec les perceptions primaires (cf. séance sur la perception) et obéirait dans une certaine mesure aux principes de la *Gelstalt theory*[1]. Par contre, la perception de la durée résulte essentiellement d'une élaboration active de la part du sujet des données sensorielles pour apprécier l'intervalle temporel séparant deux changements.

---

1. L'agencement chronologique des événements dans le temps pourrait, en ce sens, être rapproché de la distribution linéaire de points dans l'espace, mais avec les réserves que souligne Fraisse (1967).

Pour des besoins d'analyse, l'ordre et la durée seront envisagés séparément dans les prochains paragraphes, mais on se souviendra que, dans la réalité de la perception du temps, chez l'adulte, il n'y a pas de dissociation.

Ce travail a pour but de fournir certains éléments de réponse aux questions suivantes.

- Quelles sont les caractéristiques psychophysiques de la perception de l'ordre ?
- Que signifie et implique la perception de la durée en psychologie ?
- Comment se définit le rythme ? Quelles en sont les applications ?
- Quelles sont les caractéristiques de l'évolution de la perception temporelle chez l'enfant ?
- Existe-t-il des relations entre le développement des perceptions de l'ordre et des durées et l'avènement de la logique dans le raisonnement de l'enfant ?

1 - LA PERCEPTION DE L'ORDRE

1.1 *Considérations générales théoriques*

Comme cela a été dit précédemment, la notion d'ordre se rapporte à la présence de points de repère dans une période de temps. Ces points de repère peuvent être :
a) dans le contexte normal de vie, des événements ou actions précises comme le découpage d'une journée en 3 repas, en un certain nombre de cours, etc. ;
b) dans un contexte expérimental, des sons, images ou contacts que l'on présente successivement au sujet pendant un intervalle de temps.

La perception de la succession des changements a fait l'objet de recherches en psychologie expérimentale, et les résultats obtenus révèlent certaines analogies avec la perception de l'espace. Selon Fraisse (1967), l'ordre serait perçu immédiatement, c'est-à-dire sans que le sujet ait à manifester la moindre activité perceptive, lorsque les stimulations successives sont capables de s'organiser elles-mêmes. Cependant, pour qu'il y ait perception d'une organisation, les stimulations doivent être de même nature (signaux sonores, lumineux mais pas les deux alternés).

> Dans l'organisation perceptive (spatiale ou temporelle), l'activité de notre esprit n'impose pas une forme à une matière. Quel que soit le domaine qu'envisage la science, l'ordre a ses lois propres et n'est pas surajouté à des éléments indifférents (Guillaume, 1946, p. 339-340). Cet ordre n'est pas saisi non plus à travers l'examen d'une représentation de données successives. S'il en était ainsi, nous pourrions après avoir perçu trois éléments successifs ABC, en rendre compte aussi aisément dans l'ordre ABC ou CBA ou BAC, etc. Or, il n'en est rien. Il est facile de reproduire des chiffres dans l'ordre où nous les avons entendus, et c'est l'attitude spontanée que l'on constate dès le plus jeune âge. Les reproductions dans un autre ordre sont beaucoup plus difficiles : nous avons alors besoin justement de faire appel au truchement d'une représentation. L'ordre est inhérent aux stimulations elles-mêmes et dans le cas du rythme, il est pratiquement toujours impossible de reproduire les éléments dans un autre ordre. (Fraisse, 1967, p. 79.)

Ainsi, la distribution de stimulations successives dans un intervalle temporel, de même que le contexte expérimental de présentation de ces stimulations (figure - fond), etc., entraînent des effets perceptifs, comparables à ceux énoncés par la psychologie de la forme (voir perceptions primaires et effets de champs). Parmi les modalités de l'agencement des stimulations, la distribution rythmique est particulièrement prégnante ainsi que le chapitre consacré au rythme le montrera.

1.2 *Caractéristiques psychophysiques de la perception de l'ordre*

De même qu'en perception spatiale fut posée la question de savoir quelle devait être la distance minimale séparant deux stimulations pour que celles-ci soient perçues isolément, de même dans la perception temporelle, les spécialistes ont cherché à déterminer l'intervalle minimal entre deux stimulations pour qu'elles soient perçues isolément et non en continuité. La réponse à cette question permet de caractériser l'acuité temporelle (Day, 1969).

Pour déterminer les seuils de perception de la succession, les chercheurs ont utilisé tous les sens capables de détecter les changements, soit l'audition, la vision, le toucher et la kinesthésie.

Dans le cas de stimuli identiques répétés, d'intensité équivalente, abordant l'organisation au même point, les seuils de discrimination de la succession sont sensiblement semblables pour l'audition et le toucher (≥ 1 cs) ; pour la vision, ce seuil est de 20 cs. Au-dessous de ces seuils, les stimulations sont perçues en continuité : il est intéressant de noter que, pour la vision, "l'optimum du mouvement apparent est réalisé quand l'intervalle atteint 6 cs (le cinéma a utilisé une cadence de 18, puis de 24 images par seconde, soit des intervalles de 5,5 cs et de 4 cs)" (Fraisse, 1967, p. 118).

Pour ce qui est de la kinesthésie, les modalités expérimentales diffèrent des précédentes ; elles nécessitent une situation où les stimuli ne sont pas de même nature. Ainsi, l'expérience consiste à appuyer sur une clé à la vue d'un signal sonore : le sujet doit juger de la simultanéité de son action par rapport à l'apparition de la lumière, et on constate que pour un écart ≥ 5 cs entre la lumière et le déclenchement du mouvement, il est capable de percevoir la succession.

2 - LA PERCEPTION DE LA DURÉE

2.1 *Considérations générales théoriques*

En physique, la durée représente la mesure en minutes et secondes, de l'intervalle temporel compris entre deux stimuli-limites ou correspondant à la longueur d'une stimulation de son début à sa cessation.

Du point de vue de la psychologie expérimentale, la perception de la durée tient, à la fois, d'une perception primaire dans le mesure où elle est étroitement liée à l'organisation de ses limites ou changements successifs, et d'une activité perceptive du sujet qui tente d'apprécier qualitativement ou quantitativement le temps par les méthodes de reproduction ou d'estimation.

Dans le cas où la durée perçue est relative à une organisation, on retrouvera des illusions temporelles semblables aux illusions spatiales. Voici quelques exemples cités par Fraisse (1967) :

> Comme dans l'illusion d'Oppel où un segment de droite divisé paraît plus long qu'un segment sans coupure, de même un intervalle temporel haché paraît plus long qu'un intervalle vide...
>
> Une loi perceptive fondamentale est de minimiser les petites différences (tendance à l'assimilation) et d'exagérer les différences sensibles (tendance au contraste). Or, cette loi se retrouve dans la perception des structures spatiales comme celle des structures temporelles...
>
> Si on fait entendre des structures rythmiques qui se répètent identiques à elles-mêmes, on constate que les sujets reproduisent avec précision les intervalles intérieurs à la structure, mais qu'ils ne tiennent pas compte spontanément de la durée de l'intervalle entre les groupes rythmiques...
>
> Si on change la durée d'un intervalle dans un groupe rythmique, la durée apparente des autres intervalles est modifiée (ainsi que le caractère de l'ensemble). En d'autres termes, la modification d'une partie entraîne une réorganisation de l'ensemble, ce qui est caractéristique des figures dans l'espace... (Fraisse, 1967, p. 83-84).

C'est ce qui fait dire à Fraisse (1967) que "la durée n'est donc qu'un des caractères de l'organisation du successif" (p. 85).

Dans le cas où la durée est appréciée qualitativement comme dans la méthode de comparaison de la durée relative de deux intervalles temporels, ou quantitativement comme dans la méthode d'estimation en secondes de la durée d'une section, le sujet manifeste une activité de recherche des points de référence, ou indices, et, par association, comparaison, etc., interprète les informations ainsi recueillies ; c'est à cette activité particulière du sujet que réfère essentiellement la perception de la durée telle qu'elle est envisagée dans les paragraphes suivants.

2.2 *Problématique de la perception de la durée et facteurs de variation*

Dès que les psychologues ont abordé le problème du temps, on a vu naître une distinction fondamentale entre une expérience primaire de la durée, attribuée à un "sens du temps", et notre idée rationnelle du temps. (Fraisse, 1967, p. 14.)

En effet, à travers les expressions "durée pensée" et "durée vécue" (Fraisse, 1967), ou "durée intérieure apparente" et "durée réelle" (Piaget *et al.*, 1962), les auteurs se sont toujours attachés à distinguer le "temps psychologique" du temps réel ou physique qui est mesuré par la seconde, l'heure. Carlson et Feinberg (1968) ajoutent que les études entreprises sur la notion de temps reviennent invariablement à placer un sujet dans un contexte expérimental particulier, et à comparer l'estimation subjective de la durée d'un intervalle et sa durée réelle. Les résultats de ces comparaisons sont exprimés en termes de surestimation ou de sous-estimation.

Ces recherches ont permis de déterminer un certain nombre de facteurs de variation de la perception de la durée, que l'on peut regrouper de la manière suivante.

2.2.1 L'âge

Avec l'âge, les appréciations de la durée s'améliorent (Axel, 1924 ; Jampolski, 1951 ; Goldstone *et al.*, 1958). Ainsi, à titre d'exemple, Gilliland et Humphreys (1943) notent qu'avec les méthodes d'estimation, production et reproduction, l'erreur moyenne des enfants de 5e année est environ le double de celle des adultes (37 à 48 % d'erreurs contre 15 à 31 %). Il semble que 16 ans soit l'âge où les appréciations de la durée se stabilisent (Smythe et Goldstone, 1957).

2.2.2 La tâche

De façon générale, les sujets sous-estiment la durée d'une tâche, si celle-ci est difficile mais faisable, ou encore si elle présente un caractère unitaire ; entre deux tâches, celle qui est subie avec succès semble passer plus vite (Harton, 1938). Il y a surestimation chaque fois qu'augmente soit le nombre de stimuli, soit la complexité du travail (Ornstein, 1968).

2.2.3 Les caractéristiques du sujet

L'état psychophysiologique du moment, le degré de motivation du sujet pendant la période de temps considérée, ainsi que son expérience, son intelligence, sa personnalité..., sont autant de facteurs de variation du temps psychologique qui font que le temps semble passer vite ou lentement, et que les chercheurs, dans les procédures expérimentales, doivent souvent minimiser.

2.3 *Composantes sensorielles de la perception de la durée*

L'observation attentive de l'activité d'un sujet confronté à un problème d'estimation d'un intervalle temporel renseigne sur les modalités sensorielles particulièrement utiles. En effet, l'activité perceptive peut être orientée soit sur l'utilisation des indices observables contenus dans la situation expérimentale proposée, soit sur la création d'indices personnels quand la situation expérimentale est neutre, c'est-à-dire n'offre pas d'indice.

Dans la première forme d'activité, les informations extraites de la situation sont d'ordre visuel, auditif et tactile (donc à rapprocher des composantes sensorielles de la perception des changements).

La seconde forme d'activité concerne la production d'indices à travers l'accomplissement d'une activité motrice : c'est ainsi que, quand on veut estimer une durée sans repère extérieur, on a tendance spontanément à compter, à frapper régulièrement du pied ou de la main. Tous ces mouvements répétés périodiquement auxquels on se réfère constituent donc une source d'indices kinesthésiques. Ces indices recouvrent les composantes motrices d'intensité ou force musculaire déployée, de direction (nombre des changements directionnels) et, dans une moindre mesure, de vitesse. L'influence particulière de certains de ces indices sera envisagée dans le paragraphe 4, sur l'ontogénèse de la perception temporelle.

Parmi toutes les modalités de distribution des changements successifs et de valeur des durées séparant ces changements, il en est une particulièrement privilégiée : la distribution régulière et périodique rythmique.

3 - LA NOTION DE RYTHME

3.1 *Définition*

Traduire en une définition satisfaisante le concept de rythme demeure une entreprise particulièrement délicate qui, en dépit des efforts des spécialistes par le passé, n'a pas encore abouti à l'unanimité souhaitée. Pour Fraisse (1956), les diverses définitions proposées tendent à se distribuer en deux pôles suivant que la forme du rythme fait apparaître plus nettement l'un ou l'autre des caractères de *structure* et de *périodicité.*

La structure peut être rapprochée de la notion d'ordre ou de groupement de stimuli, comme dans une série de frappes (. ...) ; la périodicité s'identifie à la répétition régulière de cette structure suivant des durées particulières (. ... .). En plus de ces composantes prégnantes d'ordre et de durée, le rythme implique généralement un phénomène concomittant d'accentuation, dont il sera plus particulièrement question au paragraphe 3.3.

Dans le langage courant, la notion de rythme est associée aux expressions cadence et tempo. Si l'on considère, en musique, que le rythme représente la répétition d'une structure fondée sur la succession de sons avec alternance de temps forts et faibles, la cadence représente le rythme de stimuli sonores que l'on impose de l'extérieur à un sujet (marche militaire) tandis que le tempo réfère à une prise de conscience individuelle de son propre rythme. Il existerait donc plusieurs types de rythmes qu'il convient de classer.

3.2 *Classification des rythmes*

Les auteurs distinguent généralement les rythmes intrinsèques et les rythmes extrinsèques. Les premiers peuvent être confondus avec les nombreux rythmes physiologiques ou rythme du fonctionnement d'un organe : rythme cardiaque respiratoire, celui de l'alternance du sommeil et de l'état de veille, rythme de l'activité motrice (marche, parole, rythme de l'activité nerveuse, etc. Les seconds sont extérieurs au sujet : il s'agit, par exemple, de la succession du jour et de la nuit, des saisons, la périodicité des variations de température, etc. Ces deux types de rythme s'influencent réciproquement, ainsi que le souligne Hennebert (1968) :

> ... on expose un patient à des sons rythmés d'une fréquence correspondant très exactement à celle du rythme cardiaque. On modifie ensuite très lentement et progressivement, soit en accélérant, soit en ralentissant, le rythme de la stimulation sonore, et l'on constate que le rythme cardiaque se modifie dans le même sens, ceci évidemment pour des écarts relativement modérés. L'inverse a été observé, c'est que la réceptivité d'un rythme sonore est meilleure lorsqu'elle concorde avec le rythme cardiaque... Jean-Sébastien Bach avait fait observer que, pour procurer la meilleure sensation esthésique à l'auditoire, il était nécessaire d'attaquer une exécution musicale avec un tempo plus lent dans la soirée qu'en matinée et que cette variation de tempo correspondait aux variations diurnes du rythme du pouls. Cette observation de Jean-Sébastien Bach est bien connue des exécutants qui savent qu'il faut changer suivant les circonstances et l'heure le tempo d'une oeuvre pour en donner le meilleur rendement ; cela est valable pour l'exécution d'oeuvres musicales tout autant que pour les représentations dramatiques. (p. 51)

Cette dernière observation pourrait faire l'objet d'une réflexion intéressante sur les modalités de notre intervention pédagogique en tant que professeur[2].

Ces rapports rythmes intérieurs-rythmes extérieurs constituent encore, de nos j ours, une orientation importante des recherches sur le rythme ; certaines constatations peuvent être considérés comme des principes de perception du rythme analogues aux perceptions primaires.

3.3 *Perception du rythme et langage*

Il est frappant de constater que le son, phénomène acoustique, stimulus par excellence de la sensation auditive, ne

---

2. Hennebert relate de nombreux autres faits, notamment sur l'influence de la résonance d'une salle et le débit de parole d'un orateur, qu'il serait profitable de lire.

> peut servir à la communication que s'il est découpé dans le temps avec des silences, des temps forts, des temps faibles, des variations d'intensité et que ce découpage représente une certaine périodicité, en un mot que s'il est rythmé. Tous les sons du langage et ceux de la musique présentent ce caractère qui semble exclusivement être le fondement de la communication sémantique ou esthétique pour reprendre une expression de Abraham Moles. (Hennebert, 1968, p. 67.)

Pour comprendre les rapports rythme-langage, il est nécessaire de connaître certains résultats de recherches expérimentales sur la perception du rythme et plus particulièrement sur l'importance du phénomène d'accentuation et de la durée relative des éléments constituant le rythme.

Si l'on fait entendre à un sujet une succession de sons à intervalles réguliers et si l'on accentue périodiquement un son sur deux (à la manière d'une mesure 2/4), on donne l'impression subjective de sons groupés par deux, chaque groupe étant apparemment séparé des autres par un silence plus long qu'il est en réalité. De même, si l'on fait entendre alternativement un son court et un son long à intervalles de temps égaux (- — - — - —), le sujet aura tendance, comme cela a été mentionné précédemment, à découper cette succession de sons en éléments structurés (- —), et la durée séparant chaque structure apparaîtra plus longue.

> En d'autres termes, l'intensité du son ou sa durée relative par rapport à d'autres, modifie subjectivement la longueur réelle du silence et réciproquement les silences qui séparent des stimulations sonores ont par leur durée une influence sur l'intonation et sur la durée des sons émis rythmiquement. (Hennebert, 1968, p. 55.)

Ces faits, associés aux résultats des études sur le sens mélodique, ont une grande importance dans les travaux de phonétique expérimentale.

> Frey de Londres (...) a montré que l'identification d'une consonne isolée est difficile à admettre par un physiologiste puisque sa durée est souvent inférieure à celle nécessaire pour l'identification tonale par la cochlée et par le système auditif dans son ensemble. Cependant, un

> (t) ou un (p) ou un (k) est identifié comme tel à cause du contexte immédiat des sons qui suivent en général et qui précèdent même souvent. Ce qui permet l'identification de ces consonnes, c'est la variation mélodique, c'est la variation d'intensité de la voyelle qui suit dans sa période toute initiale. La preuve en a été donnée par l'expérience qui consiste à exclure sur une bande magnétique ce qui représente acoustiquement la consonne et de constater qu'à l'audition subjectivement cette consonne réapparaît. Elle résulte de la variation d'intensité de la voyelle à laquelle la consonne est accolée. (Hennebert, 1968, p. 55-56.)

À ces faits riches d'enseignement pour l'apprentissage du langage s'ajoutent d'autres observations, résultats de recherche en audiométrie, qui ont été appliqués en rééducation. Ainsi, il a été mis en évidence qu'une stimulation sonore infraliminaire répétée d'une manière rythmée peut au bout d'un certain temps engendrer un phénomène d'attention qui fait qu'une perception auditive est possible, en faisant gagner de 3 à 6 dB au seuil d'audition binaurale. Si l'on reprend cette expérience avec des sons d'intensité encore plus faible (10 dB au-dessous du seuil normal) et qu'on exerce des stimulations cutanées synchrones des stimulations auditives, l'apparition de la sensation sonore est presque instantanée. (Il faut dire, une fois de plus, que ces expériences ne sont valables que si l'on utilise des sons rythmés.) En résumé,

> L'identité du rythme de deux stimulations auditive et cutanée exacerbe la capacité auditive qui s'améliore, ce qui permet une mémorisation meilleure de perception auditive isolée ultérieurement. (Hennebert, 1968, p. 56.)

On peut comprendre ainsi que l'application de ces découvertes en rééducation du langage s'est avérée fructueuse. On aura cependant conscience qu'"en audiophonologie, le rythme est certainement plus complexe, la périodicité moins rigoureuse, le contenu de chaque période... variable par l'accentuation, par la durée, par la tonalité de ses constituants" (*ibid.*, p. 48), et que le rythme existe au niveau du timbre, de la durée, du ton et de l'intensité de la voix (Malmberg, 1968, p. 40).

3.4 *Rythme et motricité*

3.4.1 Considérations théoriques

Ainsi qu'il a été démontré dans les pages précédentes, le rythme ne prend réellement toute son importance que dans le contexte spécifique de son application ; il représente, en effet, une modalité privilégiée et bien identifiable de la production humaine, et la motricité, caractéristique de la vie de relation, s'y trouve considérablement impliquée.

> Nous avons vu le sens fondamental du mot rythme se fixer avec Platon qui le définissait comme l'ordre d'un "mouvevent". Le mouvement rythmé nous fournit, en effet, l'expérience complète du rythme, avec ses composantes perceptives, motrices et affectives. (Fraisse, 1956, p. 4.)

Si la motricité révèle concrètement le rythme, réciproquement, dans de nombreux apprentissages impliquant l'activité motrice, on observe que le rythme est introduit presque spontanément par l'élève. L'interaction mouvement-rythme pourrait être résumée en ces termes : le mouvement permet au rythme de se manifester et bénéficie, en retour, de l'effet facilitateur ou prégnant de ce dernier.

Selon Meinel (1962), le rythme du mouvement représente une structure dynamique caractérisée par un changement périodique fluide de tension et de détente, qui concourt à une utilisation énergétique optimale. Ainsi, cet auteur considère-t-il comme mouvements non rythmiques des actes moteurs où l'alternance effort-relâchement est imparfaite, ou encore des mouvements caractérisés par une incoordination des diverses parties du corps nécessaires à son exécution : les premiers mouvements volontaires du nourrisson peuvent être classés dans cette catégorie. De même, peut être considéré comme non rythmique tout mouvement qui est accompli sous tension permanente, par exemple, certaines activités gymniques aux agrès qui nécessitent le maintien d'une "attitude sportive" en suspension ou en appui, et qui engendrent rapidement la fatigue.

3.4.2 Influence du rythme dans l'exécution d'activités motrices

Meinel voit, en effet, dans le caractère rythmique du mouvement une source d'économie énergétique considérable due à l'apparition périodique des phases de relâchement :

> La productivité énorme du muscle cardiaque au cours d'une longue vie n'est possible que parce que la phase de repos est deux fois plus longue que la phase de contraction active. Lors d'efforts plus considérables, le coeur bat plus vite, mais le changement rythmique travail et repos reste toujours à peu près un pour un. (p. 18.)

Partant de la motricité de relation, Meinel ajoute :

> Alexejew prétend que chez un excellent coureur, la phase d'appui (réception et impulsion) dure à peu près un tiers, la phase d'élan deux tiers. La phase d'élan donne un moment de repos relatif pour la musculature de la jambe. On devrait en tirer un maximum de profit. Plus rapide est la course, plus courtes sont les phases de détente et plus le coureur se fatigue rapidement. (p. 18.)

Outre l'effet d'économie par alternances de phases de relâchement, le rythme suscite, grâce au phénomène d'accentuation périodique, "une concentration (ou sommation) de toutes les forces à un point donné et provoque leur mise à profit maximale" (p. 12). Cet effet peut être observé tant chez un seul individu que dans un groupe de personnes qui, par exemple, tente de déplacer un objet lourd par des essais successifs de traction ponctués par des "ho ! hisse".

3.4.3 Relation rythme et apprentissage moteur

À partir de ces faits qui soulignent le bienfait du support rythmique de la motricité, et d'autres résultats de recherche qui ont mis en évidence que le rythme améliorait le rendement des ouvriers d'usine (Hough, 1943 ; Kerr, 1945 ; Moies, 1952), de nombreux auteurs ont émis l'hypothèse que le rythme pouvait donc constituer, par la même occasion, un facteur important de l'apprentissage moteur. Cependant, Bond (1959) et Schwanda (1969) affirment que, malgré les efforts pour vérifier cette hypothèse, on n'a pas encore découvert de relation significative. Cette absence de preuve pourrait être expliquée selon nous de la manière suivante : la démonstration de l'existence d'une relation rythme-apprentissage moteur implique, d'abord, que l'on classe les sujets en deux catégories, ceux qui ont un "sens du rythme" développé et ceux qui n'en ont pas, puis que l'on compare leurs performances dans la réalisation d'une activité motrice x qu'on leur a demandé d'apprendre. Pour mesurer ce sens du rythme, on se sert habituellement de tests comme celui de Seashore qui a mis en évidence, en 1927, un certain nombre de critères de l'habileté rythmique, mais il est vraisemblable qu'il existe d'autres critères particulièrement influants dans la motricité qui n'ont pas été considérés ; ainsi, le facteur économie dans l'activité motrice (par relâchements périodiques) et, conséquemment, celui d'application optimale de forces convergeant sur des temps forts périodiques n'ont pas été considérés alors qu'ils pourraient, peut-être, caractériser les individus qui ont ce "sens du rythme", d'autant plus que, selon Ruckmick (1913), la kinesthésie joue un rôle prépondérant dans la perception du rythme et son développement.

Voici à titre d'exemple, un aperçu des résultats des recherches de Seashore (1927) sur le rythme moteur, qui montre que l'étude de telles hypothèses n'a pas été envisagée.

Selon Seashore, la meilleure estimation de l'habileté dans le rythme moteur est fournie quand on connaît la performance dans la perception du rythme et la coordination musculaire[3]. La perception du rythme est mesurée principalement dans les épreuves consistant à maintenir un tempo, comparer deux durées, deux hauteurs de sons, faire une discrimination tonale : ceci représente le plan cognitif. La coordination musculaire peut se mesurer dans les épreuves de poursuite, de déplacement linéaire contrôlé et de fermeté de la main, et se rapporte donc au plan moteur. Seashore voit dans les aspects cognitif et moteur de cette habileté, l'influence de la mémoire kinesthésique ou capacité de saisir et de retenir une suite d'actions musculaires pendant une

3. Tous les résultats des études de Seashore ont été confirmés par les travaux de Smith (1957).

certaine période de temps, pour pouvoir ensuite répéter cette suite d'actions ou la comparer à une seconde présentation. Assurément, cette conclusion, rejoignant l'opinion de nombreux chercheurs, est très profonde mais on n'a pas, semble-t-il, fini d'explorer toute la richesse des modalités d'intervention de la kinesthésie dans le rythme.

Pour terminer, on se souviendra que les effets régularisateur, coordonnateur et excitant du rythme sur l'activité motrice, se retrouvent dans les états psychiques et intellectuels contemporains de l'effort physique (Hanebuth, 1964).

4 - ONTOGÉNÈSE DE LA PERCEPTION DU TEMPS

L'évolution de l'appréhension de l'ordre et de la durée s'opère suivant deux grandes étapes correspondant aux périodes préopératoire et opératoire. Les caractéristiques des relations temporelles seront envisagées à travers l'étude de l'appréhension de l'ordre, de la durée et des relations ordre-durée, à partir des travaux de Piaget (1946).

4.1 *L'appréhension de l'ordre*

4.1.1 Stade préopératoire

On peut dire, à partir des travaux de Piaget (1946), que les caractéristiques générales de ce stade sont la subordination des relations de succession temporelle aux relations d'ordre spatial et la dificulté d'établir les sériations chronologiques et logiques d'événements.

4.1.1.1 Indifférenciation de l'ordre spatial et de l'ordre temporel

Première expérience

On présente à des enfants, deux mobiles, I et II, qui se déplacent dans la même direction suivant des trajectoires parallèles, mais avec des vitesses différentes. I et II partent en même temps mais I, plus rapide, s'arrête le premier après avoir parcouru une grande distance, et II, plus lent, continue son déplacement après que I soit immobilisé mais parcourt une distance inférieure à celle de I. Les enfants, après avoir observé la scène, sont interrogés sur l'ordre temporel d'arrivée de I et II.

Dans les réponses des enfants aux différents sous-stades préopératoires, Piaget (1946) relève une indifférenciation initiale des successions temporelles et spatiales, puis un début de différenciation intuitive et un début de coordination opératoire entre les intuitions articulées de ces relations spatiales et temporelles.

Piaget fait observer qu'au niveau du vocabulaire, il pourrait exister des confusions entre les termes : "avant" peut vouloir dire "moins loin" ou au contraire "en avant", "premier" peut signifier "en tête" ou "en avant dans le temps" ; ceci se produirait surtout dans le cas où les mobiles se déplacent dans le même sens, c'est-à-dire où la référence à l'espace est directe. Cependant, si les mobiles se déplacent dans des directions opposées, l'auteur remarque que la différenciation verbale entre l'espace et le temps est faite par l'enfant mais que l'indifférenciation demeure logique.

Deuxième expérience

Les mobiles partent en même temps et s'arrêtent simultanément sur la même ligne : l'enfant reconnaît immédiatement la simultanéité des arrivées.

Troisième expérience

Les mobiles, animés de vitesses différentes, partent en même temps, s'arrêtent simultanément mais en des points différents : les réponses de l'enfant présentent à peu près les mêmes caractéristiques que dans la première expérience (pour plus de détails, voir paragraphe 4.3). (Ces trois expériences peuvent aussi servir à l'étude de l'évolution de l'appréhension de la durée.)

4.1.1.2 Difficulté d'établir la chronologie d'une série d'événements

Piaget présente à des enfants des images en désordre à sérier en une histoire simple. Le nombre absolu d'erreurs observées sur les 120 récits s'établit comme suit (p. 262) :

Âge :	4	5	6	7	8	9	10	11
Erreurs :	94	85	70	46	10	6	7	0

Avant 8 ans, les images à sérier sont disposées au hasard, et "l'enfant s'arrange fréquemment à imaginer une connexion syncrétique telle que cet ordre fortuit en soit justifié subjectivement" (p. 262). L'ordre n'est donc ni causal ni déductif, ce qui se traduit dans le langage de l'enfant par les conjonctions "et puis", caractéristiques de la simple réunion sérielle.

4.1.1.3 Difficulté d'établir la succession logique

Soit deux bocaux superposés de formes différentes. Le bocal supérieur (I) est rempli d'un liquide coloré et possède à sa base un robinet ; le bocal inférieur (II) est vide. L'expérience consiste à transvaser l'eau de (I) en (II), en 6 ou 8 fois (même quantité d'eau à chaque fois). On remet à l'enfant 6 à 8 feuilles sur lesquelles sont représentés les schémas des bocaux vides ; il y trace le niveau atteint par l'eau à chacune des étapes.

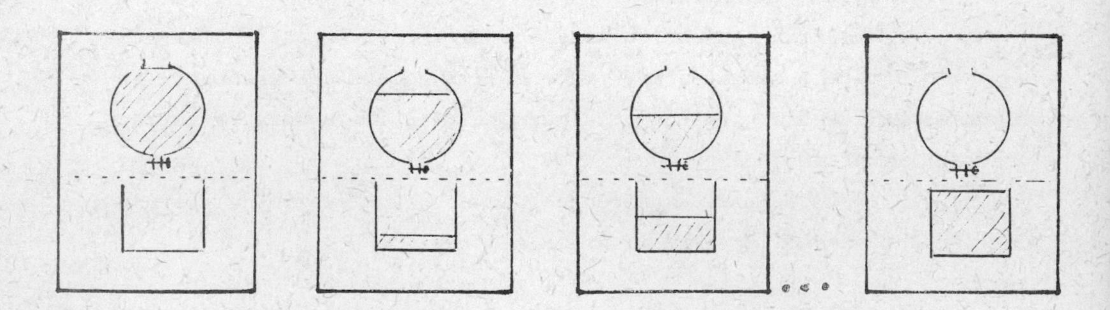

Dans un premier temps, on mélange les 6 feuilles et on demande à l'enfant de les replacer dans l'ordre correspondant aux 6 étapes du transvasement : sériation simple. Dans un second temps, on coupe chacune des 6 feuilles de façon à séparer le dessin de (I) du dessin de (II), on mélange les 12 demi-feuilles et on demande à l'enfant de reconstituer l'ordre initial : cette opération plus difficile est nommée cosériation opératoire "puisqu'il s'agit cette fois d'ordonner les niveaux de (I) en une série descendante, ceux de (II) en une série montante et de mettre les termes de ces deux séries en une correspondance bi-univoque[4]" (Piaget, 1946, p. 8). Confronté à des représentations configurales des niveaux, l'enfant est d'abord incapable de les rapporter à l'ordre temporel du transvasement. Puis, il devient capable d'effectuer une sériation simple. Enfin, il arrive empiriquement à reconstituer l'ordre des dessins séparés sans toutefois maîtriser les relations de succession et de simultanéité.

4.1.2 Stade opératoire

Vers 7-8 ans, généralement, l'enfant différencie l'ordre spatial de l'ordre temporel et, par raisonnement déductif, établit des relations de cause à effet entre divers événements successifs.

Ainsi, dans les expériences des mobiles, l'enfant tient compte de l'ordre de succession temporelle des départs et des arrivées (compensation), ce qui lui permet de comparer les vitesses et d'établir des relations de durée.

De même, la reconstitution d'une histoire à partir d'images est bien réalisée par l'enfant de cet âge, pour qui l'événement chronologiquement premier représente la cause de l'apparition du suivant.

Enfin, dans l'expérience des bocaux, l'enfant réussit la cosériation opératoire des dessins séparés, en établissent des corres-

---

4. Piaget précise que l'opération de sériation simple repose sur un groupement additif de relations tandis que la cosériation repose sur le groupement multiplicatif de relations temporelles.

pondances bi-univoques entre les phénomènes.

Ainsi, l'évolution de l'apprentissage de l'ordre suppose le développement d'un schème organisateur fondé sur des opérations réversibles :

> Ordonner les événements... c'est précisément de remonter des effets aux causes ou de descendre des causes aux effets selon toutes les combinaisons possibles jusqu'à ce que soit trouvée une solution cohérente avec l'ensemble des séries déjà construites : c'est en ce sens que l'ordre des successions suppose la réversibilité de la pensée. (Piaget, 1946, p. 263.)

4.2 *L'appréhension de la durée*

4.2.1. Stade préopératoire

La principale caractéristique de l'enfant de cet âge est que la durée est relative au contenu ou résultat de l'activité pendant la période temporelle considérée. En d'autres mots, l'enfant n'appréhende pas le caractère homogène de la durée, homogénéité qui repose sur l'idée de conservation.

Plus concrètement, la vitesse et le résultat du travail accompli, le nombre de changements, la difficulté ou l'ennui ressentis pendant une certaine durée vont infléchir considérablement la perception de la durée. L'adulte, comme cela a été dit précédemment, est lui aussi sensible à ces facteurs de variation mais, à la différence de l'enfant du stade préopératoire, il peut corriger ses impressions immédiates par référence à d'autres informations plus objectives. (Fraisse, 1967.)

4.2.1.1 Influence de la vitesse de l'action

> Nous le prions de dessiner sur un papier des barres bien faites et aussi soigneusement que possible. Nous l'arrêtons après 15" et le prions de dessiner les mêmes barres mais cette fois aussi vite qu'il peut. Nous l'arrêtons à nouveau après 15" et demandons si l'un des moments a été plus long que l'autre et lequel. (Piaget, 1946, p. 242.)

Pour tous les enfants de 4 à 5 ans, faire rapidement des barres prend plus de temps que les faire soigneusement. Le nombre de barres, ou changements ressentis, doit vraisemblablement influencer ce jugement (voir paragraphe 4.2.1.3).

4.2.1.2 Influence du résultat de l'action du point de vue spatial

Soit un réservoir contenant de l'eau qui s'écoule par un tube à deux branches (en Y) dans deux récipients A et B de formes différentes. Le débit des deux branches est identique, et il est contrôlé par le même robinet. On vide par étapes le grand réservoir dans A et B (pour un même volume d'eau, le niveau atteint dans les deux récipients est différent). Les questions posées à l'enfant concernent surtout le temps de remplissage de A et B, la simultanéité des durées d'écoulement, la quantité d'eau dans A et B (Piaget, 1946, p. 128-147).

Les réponses de l'enfant, au cours des divers sous-stades préopératoires, évoluent de la manière suivante : échec total, puis reconnaissance de la simultanéité des écoulements et affirmation du rapport "plus vite = plus de temps", enfin découverte empirique du synchronisme des durées.

4.2.1.3 Influence de la difficulté de l'action

On demande à l'enfant de placer régulièrement dans une boîte des plaquettes de plomb et des plaquettes de bois, en utilisant des pincettes. La durée des deux tâches est identique mais les estimations des durées par les enfants sont différentes : certains disent que le transport des plaquettes de plomb a été plus long parce que c'était plus difficile, d'autres affirment que le transport des plaquettes de bois a pris plus de temps, parce qu'ils avaient agi plus rapidement. Donc, chez l'enfant de cet âge, selon Piaget (1946), "plus vite" équivaut à "plus de temps". Pour Fraisse (1967), le nombre plus important de plaquettes de bois transportées intervient tout autant que la vitesse dans le raisonnement de l'enfant et "plus de changements" équivaudrait à "plus lent". Effectivement, on peut penser que, si l'appréhension du temps est liée à celle de l'espace dans la période préopératoire (cf. les 2 paragraphes précédents), la quantité des actions ou changements spatiaux constitue un indice aussi susceptible d'être utilisé par l'enfant que la qualité vitesse de l'action.

À travers ces expériences qui mettent en évidence que l'appréhension de la durée est subordonnée au contenu de l'action, on comprend mieux que l'enfant soit incapable de mesurer la durée, c'est-à-dire d'utiliser une unité de mesure abstraite dans les estimations, comparaisons, reproductions d'intervalles de temps, comme cela a été dit dans la deuxième partie de ce chapitre : "la perception de la durée".

4.2.2 Stade opératoire

Vers l'âge de 7-8 ans, généralement, l'enfant admet de plus en plus l'homogénéité de la durée, c'est-à-dire son indépendance par rapport à l'action qui la constitue. Ces progrès résultent de la mise en relation des multiples données de l'expérience (succession, simultanéité, vitesse, résultat) qui se fondent en un système de plus en plus cohérent.

C'est pourquoi, dans les expériences de dessin de barres, de transport de plaquettes de plomb et de bois, les impressions immédiates sont rectifiées : l'enfant constate qu'il y a moins de barres, moins de plaquettes de plomb, mais il reconnaît que la difficulté était plus grande, et l'estimation de durée s'en trouve modifiée.

Dans l'expérience du réservoir aux branches en Y, la découverte du synchronisme des durées, de toute empirique qu'elle était, se fonde maintenant sur l'idée de transitivité des relations d'égalité des durées et des quantités écoulées.

Ainsi, comme l'ordre, la durée est appréhendée par l'enfant selon un certain nombre d'étapes dont il est important de connaître la logique interne.

> D'une façon générale, l'organisation des durées obéit donc à un processus exactement parallèle à celui qui intervient dans la construction de l'ordre des successions. D'abord confondue avec l'espace parcouru, à cause des centrations sur les points d'arrivée, la durée se structure ensuite sous formes de synchronisations qui vont de pair avec la décentration des simultanéités, et d'un emboîtement par synchronismes partiels, qui résulte de la transitivité opératoire née elle-même d'une décentration analogue à celle qui permet le groupement des successions. (Piaget, 1946, p. 166.)

4.3 *L'appréhension des relations ordre-durée*

Dans leur genèse, les perceptions d'ordre et de durée sont non seulement parallèles, mais deviennent de plus en plus interdépendantes. L'évolution des modalités de la relation ordre-durée, qui furent déjà antérieurement l'objet de remarques, nécessite un rapide examen.

L'évolution de cette relation est caractérisée par le passage d'une différenciation à une coordination de plus en plus nette des notions d'ordre et de durée, correspondant à la transition des stades préopératoire et opératoire.

Cette assertion se trouve confirmée dans les expériences où les mobiles animés de vitesses différentes partent et arrivent en même temps : les premières réponses de l'enfant montrent qu'il ne "reconnaît ni la simultanéité des points d'arrivée, ni l'égalité des durées", ou bien "découvre la simultanéité, mais nie l'égalité des durées synchrones" (Piaget, 1946, p. 103). Un peu plus tard, l'enfant éprouvera la nécessité de fonder les rapports de succession sur ceux des durées, et réciproquement.

L'évaluation de l'âge, et la comparaison de l'âge de deux personnes ou de deux objets (arbres) sont encore plus significatives de l'évolution des relations ordre-durée. L'expérience des arbres à inégales vitesses de croissance, telle que décrite par Piaget (1946), est très caractéristique : on présente à l'enfant des dessins séparés représentant la croissance d'un pommier (P) et d'un poirier (R) (Fig. 1).

Chaque dessin correspond à une photographie de l'arbre prise chaque année (à 1, 2, 3 ans...). On lui demande, au début, de sérier les pommiers, puis on lui dit que quand le pommier a eu 2 ans, on a planté un poirier de 1 an. R_1 est alors placé au-dessus de P_2 ; R_2 au-dessus de P_3 etc. Deux questions sont posées à l'enfant,

1) Quel arbre est le plus âgé (ou le plus vieux), cette année : P_2 ou R_1 ; P_3 ou R_2 ; etc. ?
2) De combien d'années (ou "de combien d'âges") P (ou R) est-il plus vieux ? (p. 228).

Tant que les tailles sont proportionnelles aux âges, l'enfant n'éprouve aucune difficulté pour répondre, mais après P_4-R_3 il en va tout autrement, en particulier pour l'enfant du premier stade

> L'enfant a beau avoir sérié lui-même les "photos" et parfaitement compris le décalage des naissances, il a beau, même, être capable d'énoncer verbalement les âges respectifs de chacun des deux arbres à chacun de leurs "anniversaires" et, cependant il ne parvient pas à dissocier l'âge réel (par opposition à l'âge nominal) de la taille. D'une part, le sujet ne se soucie pas de l'ordre des naissances, comme s'il n'influençait en rien l'âge lui-même..., d'autre part, et c'est là le fait capital, la croissance plus rapide du poirier est interprétée comme intervertissant l'ordre des âges... (p. 230.)

Au deuxième stade "on constate en premier lieu l'indifférenciation initiale de l'âge et de la taille, etc., puis, selon que l'attention est centrée sur l'ordre des naissances ou sur la stature de l'arbre, le poirier est plus jeune ou plus vieux, sans conciliation possible" (p. 231). Enfin, au troisième stade, "toute contradiction est levée par le groupement des relations d'ordre et de durée d'une part, de temps, d'espace et de vitesse d'autre part (deux synthèses qui ne font qu'une d'ailleurs, puisque le temps est la coordination des mouvements" (p. 232).

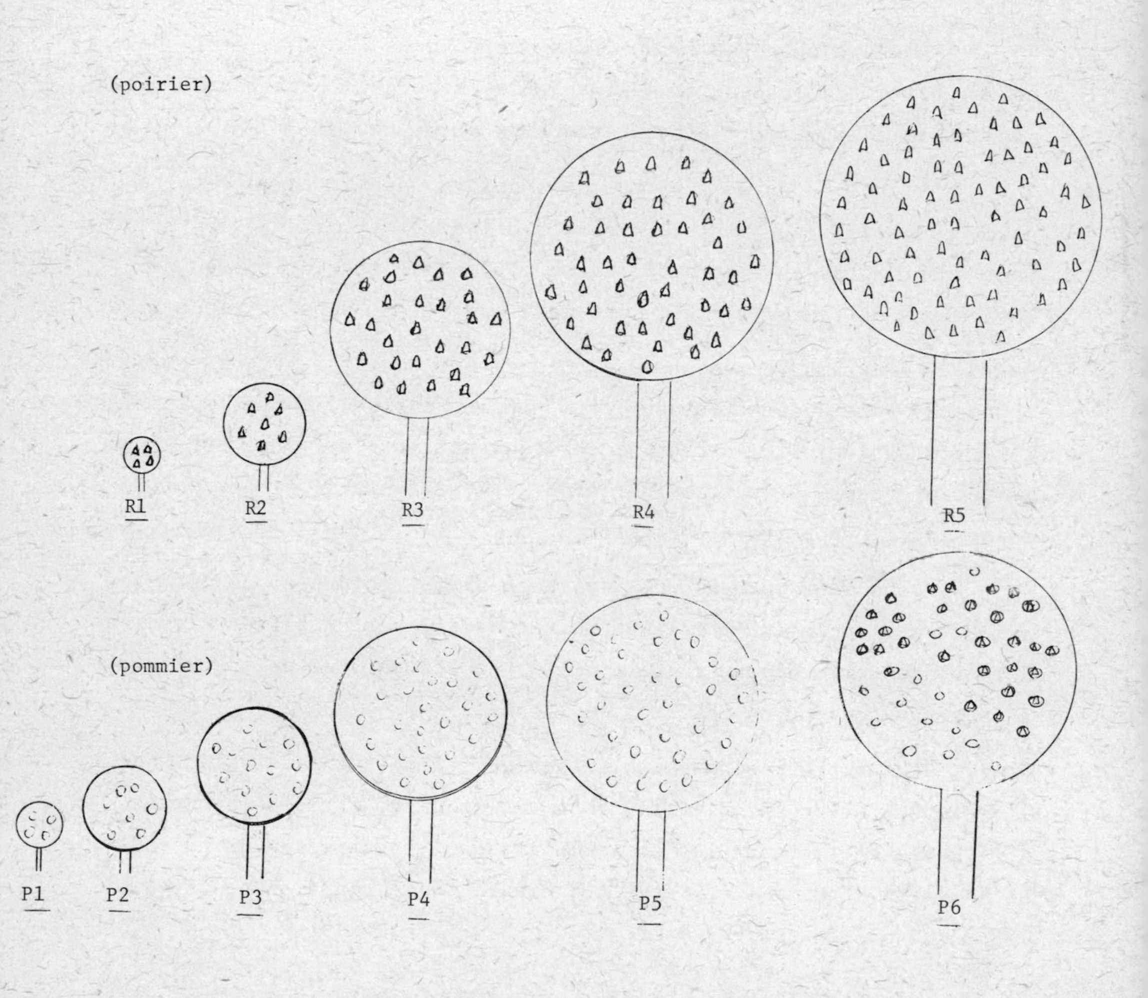

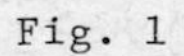
Fig. 1

CONCLUSION

Percevoir le temps revient à appréhender les rapports d'ordre et de durée de plusieurs phénomènes.

L'ordre caractérise la distribution dans le temps des événements ou stimuli successifs : il s'impose donc de l'extérieur, immédiatement, à la manière d'une perception primaire.

L'idée de durée séparant deux points dans le temps résulte d'une reconstruction mentale à partir d'indices extérieurs objectivement observables ou encore d'indices personnels ressentis : on parlera alors de temps psychologique par rapport au temps physique, réel.

Le rythme représente une combinaison caractéristique des rapports ordre-durée existant entre plusieurs stimuli : par ses caractères de périodicité, structure et accentuation, le rythme est extrêmement prégnant, en particulier dans les manifestations motrices humaines qu'il supporte et entretient.

Dans leur ontogénèse, les perceptions d'ordre et de durée suivent une évolution parallèle, caractérisée par un affranchissement de l'ordre temporel par rapport à l'ordre spatial, et de la durée par rapport au contenu ou résultat de l'action.

La compréhension de relations chronologiques et logiques de l'ordre des événements, et la conservation d'une durée homogène et abstraite représentent les caractéristiques essentielles du passage de l'aspect figuratif à l'aspect opératif de la connaissance, vers 7-8 ans.

BIBLIOGRAPHIE

AXEL, R., "Estimation of Time", *Archives of Psychology*, vol. 74, p. 1-77, 1924.

BOND, M. H., "Rhythmic Perception and Gross motor Performance", *Research Quaterly*, vol. 30, p. 259-265, 1959.

CARLSON, V. R. et I. FEINBERG, "Individual Variations fo Time Judgment and the Concept of an Internal Clock", *Journal of Experimental Psychology*, vol. 77, p. 631-640, 1968.

DAY, R. H., *Human perception*, New York, Wiley and Son, 1969.

FRAISSE, P., *les Structures rythmiques*, Paris, Erasme, 1956.

— *la Psychologie du temps*, Paris, Presses universitaires de France, 1967.

GILLILAND, A. R. et D.W. HUMPHREYS, "Age, Sex, Method and Interval as Variables in Time Estimation", *Journal of Genetic Psychology*, vol. 63, p. 123-130, 1943.

GOLDSTONE, S., W.K. BOARDMAN, et W.T. LHAMON, "Kinesthetic Cues in the Development of Time Concepts", *Journal of Genetic Psychology*, vol. 93, p. 185-190, 1958.

HANEBUTH, O., "Sur l'écriture et le sens du rythme dans les exercices physiques", *Revue de l'éducation physique*, vol. 4, n° 3, p. 185-191, 1964.

HARTON, J. J., "Time Estimation in Relation to Goal Organization and Difficulty of Tasks", *Journal of Genetic Psychology*, vol. 27, p. 63-69, 1942.

HENNEBERT, P., "Introduction biologique aux problèmes des rythmes", *les Rythmes*, supplément numéro 7 du *Journal français d'oto-rhino-laryngologie*, Lyon, Simep, 1968.

HOUGH, E., "Music as a Safety Factor", *Journal of the Acoustical Society of America*, vol. 15, p. 124, 1943.

JAMPOLSKI, P., "Une nouvelle épreuve psychomotrice", *Revue de psychologie appliquée*, vol. 1, p. 103-138, 1951.

KERR, W. A., "Experiments on the Effects of Music on Factory Production", *Applied Psychological Monographs*, vol. 5, p. 40-47, 1945.

MALMBERG, B., "Le rythme comme phénomène linguistique et phonétique", *les Rythmes*, supplément numéro 7 du *Journal français d'oto-rhino-laryngologie*, Lyon, Simep, 1968.

MEINEL, K., "Rythme et motricité", *Bewegungslehre*, Berlin, Volk und Wissen Volkseigener Verlag, 1962, p. 158-178.

MOIES, P., "Effects of Music upon Work, *Ergologie*, vol. 1, p. 97-102, 1952.

ORNSTEIN, R. E., *On the Experience of the Time*, Harmondsworth, Penguin, "Education", 1969.

PIAGET, J., *le Développement de la notion de temps chez l'enfant*, Paris, Presses universitaires de France, 1946.

PIAGET, J., Y. FELLER, et M. BOVET, "Perception de la durée en fonction des vitesses", *Archives de psychologie*, vol. 38, n° 151, 1962.

RUCKMICH, C. A., "The Role of Kinaesthesis in Perception of Rhythm", *American Journal of Psychology*, vol. 24, p. 305-359, 1913.

SCHWANDA, A., "A Study of Rhythmic Ability and Movement Performance", *Research Quarterly*, vol. 40, n° 3, p. 567-574, 1969.

SEASHORE, R. H., "Studies in Motor Rhythm", *Psychological Monographs*, vol. 36, n° 167, p. 142-189, 1927.

SMITH, O. W., "Relationship of Rhythm Discrimination to Motor Rhythm Performance", *Journal of Applied Psychology*, vol. 41, p. 365-369, 1957.

SMYTHE, E. et S. GOLDSTONE, "The Time Sense : a Normative Genetic Study of the Development of Time Perception", *Perceptual and Motor Skills*, vol. 7, p. 49-59, 1957.

Quatrième partie

MOYENS D'ÉVALUATION
DU DÉVELOPPEMENT PSYCHOMOTEUR
DE L'ENFANT

PLAN

4.4 *Perception*

4.4.1 Test du développement de la perception visuelle, Frostig (1964)

4.4.2 Épreuves graphiques d'organisation perceptive, Santucci, Pêcheux (Zazzo, 1969)

4.4.3 Tests visuels de Monroe (Ilg et Ames, 1972)

4.5 *Les échelles de développement moteur*

4.5.1 L'inventaire de développement, Gesell (1955)

4.5.2 Tests moteurs, Ozeretzki (1956)

4.5.3 Profil psychomoteur, Picq et Vayer (1971)

4.6 *Orientation temporelle*

4.6.1 Épreuves de rythme, Stambak (Zazzo, 1969)

4.6.2 Évaluation des talents musicaux, Seashore (1960)

4.7 *L'efficience motrice*

4.7.1 Zazzo (1969)

4.7.2 Fraisse (1963)

4.7.3 Fleishman (1964)

4.7.4 Autres épreuves

5. MATÉRIEL DIDACTIQUE D'ÉDUCATION ET DE RÉÉDUCATION

5.1 *Éducation perceptivo-motrice, Leclercq-Régnier (1971)*

5.1.1 Entraînement à l'organisation spatiale

5.1.2 Entraînement à l'observation visuelle

5.1.3 Développement de la mémoire perceptive

5.2 *Exercices d'analyse perceptive et d'orientation spatiale Bucher (1972)*

5.2.1 Discrimination perceptive

5.2.2 Orientation spatiale

Les travaux de Binet et Simon, au début de siècle, ont ouvert la voie aux moyens d'évaluation du comportement humain en général. Effectuer un recensement des différents tests utilisés de nos jours constituerait un travail extrêmement difficile, compte tenu de la diversité et du grand nombre de ces tests. De façon générale, un consensus existe quant à leur classification en tests d'efficience et en tests de personnalité, les premiers possédant un haut degré d'objectivité, les seconds étant fondés davantage sur l'interprétation du comportement de l'enfant par le praticien et constituant ainsi une approche clinique. Ceux-ci relèvent surtout de spécialistes et seuls les tests de la première catégorie qui concernent la psychomotricité feront l'objet de cette étude.

1 - NÉCESSITÉ D'UNE ÉVALUATION DU DÉVELOPPEMENT PSYCHOMOTEUR DE L'ENFANT

En ce qui concerne les apprentissages scolaires, une partie relativement importante de la population enfantine présente des difficultés d'acquisition, qu'il s'agisse de la lecture, de l'écriture ou des mathématiques. Le titulaire de la classe, très souvent, réfère ces enfants à des personnes spécialisées dans les troubles d'apprentissage, lorsque les troubles sont déjà importants. Il est certain que les diverses responsabilités du titulaire de classe ne lui permettent pas de disposer du temps nécessaire pour faire passer toute une batterie de tests à tous les enfants. Cela a pour conséquence que des difficultés mineures se transforment rapidement en troubles d'apprentissage, si des mesures de rééducation ne sont pas entreprises assez tôt.

L'évaluation du développement psychomoteur de l'enfant permet deux choses :

- le dépistage précoce d'enfants qui pourraient présenter des troubles ;

- la connaissance précise du retard ou des troubles qui se manifestent chez un ou plusieurs enfants.

À partir des résultats des observations, il est possible de mettre sur pied différents plans de rééducation qui s'appuient sur le postulat qu'il existe une relation entre la psychomotricité et les apprentissages scolaires.

2 - PRÉCISIONS SÉMANTIQUES

Plusieurs termes sont d'usage courant pour désigner les moyens d'évaluation, et il serait utile de les préciser avant de continuer.

2.1 *Le test*

Le test est une épreuve déterminée permettant la mesure, chez un individu, d'une caractéristique précise en la comparant aux résultats obtenus par d'autres personnes (ex. : test de tremblement, de force, etc.). Le test doit présenter des qualités spécifiques qui seront précisées plus loin.

2.2 *L'épreuve*

De façon générale, l'épreuve désigne un ensemble d'activités caractéristiques d'un âge donné. On admet son appartenance à un âge déterminé lorsqu'elle est réussie par 75 % des enfants normaux de cet âge. Elle permet de déterminer l'avance ou l'arriération psychomotrice d'un enfant selon qu'il réussit ou échoue à l'épreuve située avant ou après son âge chronologique (ex.: épreuve d'orientation droite-gauche Piaget-Head). À partir d'un certain âge l'épreuve n'est plus discriminative entre les sujets.

2.3 *Le bilan*

Le bilan comprend un ensemble d'épreuves utilisées pour déterminer le développement maximum atteint par un enfant dans tout un ensemble d'habiletés incluant coordination motrice, motricité fine, équilibre statique et dynamique, latéralité, orientation droite-gauche, dissociation, schéma corporel, espace, temps, tonus musculaire. À partir des résultats d'un bilan, on peut déterminer un niveau d'âge atteint par l'enfant ou le fonctionnement de son équipement neurologique, d'après les difficultés rencontrées (ex. : bilan psychomoteur de Vayer).

2.4 *La batterie*

La batterie désigne un ensemble de tests ou d'épreuves complémentaires utilisées en vue d'évaluer plusieurs aspects ou la totalité de la personnalité d'un sujet.

2.5 *L'échelle de développement*

Une échelle de développement comprend un ensemble d'épreuves très diverses et de difficulté graduée conduisant à l'exploration minutieuse de différents secteurs du développement. Leur application à un sujet permet d'évaluer son niveau de développement moteur, en tenant compte de ses réussites et de ses échecs, et en se référant à des normes établies par l'auteur de l'échelle. Ces échelles reposent sur le postulat que le développement se fait dans le même ordre pour tous les enfants (ex. : échelle de développement de Gesell, Brunet-Lézine ; échelle motrice d'Ozeretzki).

2.6 *Le profil*

Le profil consiste en une reproduction graphique des résultats obtenus à plusieurs tests analytiques d'efficience censés évaluer plusieurs dimensions bien déterminées de l'efficience motrice d'un sujet. Cette représentation graphique des résultats permet une comparaison simple et rapide des différents aspects de l'efficience motrice générale et une mise en évidence immédiate des points forts et des points faibles du sujet (ex. : profil psychomoteur de Vayer).

Tests et batterie de tests permettent de déterminer l'efficience d'un sujet à une ou plusieurs tâches ; épreuves et échelles de développement situent le sujet dans une ou plusieurs activités par rapport à l'ensemble de la population normale de son âge. Les premiers donne une performance absolue, les autres une performance relative.

3 - QUALITÉS FONDAMENTALES D'UN TEST

La valeur d'un test repose essentiellement sur les critères qui suivent.

3.1 *Fidélité*

Le test présenté une deuxième fois au même sujet dans un intervalle de temps pouvant aller de quelques heures à un ou deux jours redonne des résultats identiques à ceux obtenus la première fois.

3.2 *Validité*

Le test mesure effectivement ce qu'il est censé mesurer. Ce critère est un des plus fondamentaux et il existe différentes façons de le vérifer. Lorsqu'une personne prend un dynamomètre dans sa main et le serre le plus fort possible, il y a de grandes chances pour que ce test mesure la force manuelle. Par contre, lorsque l'enfant doit résoudre des opérations mathématiques, qu'est-ce qui se trouve être exactement mesuré : sa mémoire ? sa compréhension ? sa capacité d'abstraction ? son intelligence ?

3.3 *Sensibilité*

Le test fait apparaître de faibles différences entre les individus. Si à une épreuve de pointillage où il faut faire un point dans de petits cercles en chronométrant le temps nécessaire pour accomplir la tâche, il n'y a que 5 cercles, il sera beaucoup plus difficile de différencier les sujets que s'il y a 100 cercles.

3.4 *Objectivité*

Le test repose sur des mesures objectives (de temps, d'espace, de nombre d'erreurs, etc.) et non sur l'interprétation des résultats par un examinateur. Les variations à l'intérieur des résultats proviennent des sujets et non de l'expérimentateur.

4 - ÉNUMÉRATION DE QUELQUES MOYENS D'ÉVALUATION UTILISÉS EN PSYCHOMOTRICITÉ

La plupart des tests ou batteries énumérés ci-après ont été retenus en fonction de leur facilité d'utilisation et de leur relation avec les apprentissages scolaires. Ils peuvent fournir suffisamment de renseignements pour établir un plan de rééducation réalisable en classe, qui évitera une aggravation des troubles.

4.1 *Orientation droite-gauche*

Les résultats de plusieurs recherches ont permis de conclure qu'il existe une relation entre les difficultés d'apprentissage en lecture et des troubles dans l'orientation droite-gauche. L'orientation droite-gauche qui est la possibilité de distinguer la droite de la gauche, et constitue donc un fait cognitif, est à dissocier de la latéralité qui, elle, désigne la prédominance de l'un des deux côtés symétriques du corps.

4.1.1. Test d'orientation droite-gauche Piaget-Head (Zazzo, 1969)

Ce test, mis au point par Galifret-Granjon à partir des travaux de Piaget et de ceux de Head, permet d'évaluer la connaissance qu'a l'enfant des notions droite-gauche sur lui-même, sur autrui et au niveau des objets.

Deux des épreuves de ce test ne mesurent pas à proprement parler les notions droite et gauche, au niveau verbal. En effet, dans les épreuves où le sujet doit reproduire des gestes effectués par l'expérimentateur ou dessinés sur des plaquettes, c'est beaucoup plus des notions de réversibilité qui entrent en ligne de compte plutôt que la connaissance droite-gauche. Quant à la validité du test, il faudrait retenir l'épreuve de Piaget et l'épreuve 2 de Head.

4.1.2 Test de discrimination droite-gauche de Benton (1968)

Tous les items composant le test font appel aux notions droite-gauche et apprécient cinq dimensions de l'orientation droite-gauche : identification de parties de son corps ("montre-moi ta main gauche"), exécution de mouvements doubles non croisés, puis croisés ("touche ton oreille gauche avec ta main gauche" ; "touche ton oeil droit avec ta main gauche"), identification de parties du corps de l'examinateur ("montre-moi mon bras droit"), exécution de mouvements faisant intervenir l'orientation sur soi et sur autrui ("avec ta main droite, touche mon oeil droit").

4.1.3 Épreuve de discrimination droite-gauche des mains, Rey (1968)

L'auteur, par l'intermédiaire de cette épreuve cherche à étudier un des aspects de l'orientation droite-gauche chez l'enfant. Comment l'enfant reconnaît-il la main avec laquelle écriraient des personnages dessinés dans diverses positions (de face, de dos, de profil) et distingue-t-il leur main droite de leur main gauche ? Le test comprend 6 paires d'images, sur lesquelles l'enfant doit indiquer avec quelle main écrirait le petit garçon qui est dessiné. L'épreuve est discriminative de 6 à 9 ans.

Ces trois épreuves d'orientation droite-gauche ne mesurent pas le temps que prend l'enfant pour répondre. Le degré de connaissance ou de maîtrise de ces notions ne se trouve donc pas évalué, ce qui peut biaiser les résultats dans des comparaisons précises.

4.2 *Latéralité*

Les tests de latéralité permettent de déterminer dans chaque partie symétrique du corps, celle qui domine. Harris (1967) présente un ensemble d'actions que doit accomplir l'enfant, à la suite desquelles on détermine les dominances manuelles, visuelles, et celles des pieds. Picq et Vayer (1971) et Zazzo (1964) reprennent dans leurs batteries d'évaluation du développement psychomoteur de l'enfant certaines des épreuves proposées par Harris.

En ce qui concerne la préférence manuelle, il existe d'autres questionnaires de préférence manuelle plus complets (Humphrey, 1951; Provins et Cunlife, 1972). Ces tests s'appuient sur l'utilisation préférentielle d'une main dans des activités résultant le moins possible d'un apprentissage. À partir des résultats obtenus, on peut classer les personnes en droitiers, gauchers ou ambidextres. L'extension de ces tests aux parties symétriques du corps (yeux, oreilles, pieds) permet de déterminer si un sujet a une latéralité homogène (très rare) ou croisée. Bien qu'il soit parfois affirmé qu'il existe une relation entre une mauvaise latéralisation et les difficultés rencontrées au niveau des apprentissages scolaires, peu de recherches suivies appuient ce fait.

4.3 *Schéma corporel*

La difficulté à définir clairement ce que recouvre la notion de schéma corporel en rend la mesure difficile. Pour étudier de façon précise son niveau de maturation chez un enfant il faudrait pouvoir apprécier :

- la connaissance topologique des différentes parties de son propre corps et de celui de l'opérateur ;
- la possibilité de prendre des postures et d'effectuer des mouvements correspondant à des modèles ou à des ordres ;
- la précision avec laquelle l'enfant évalue les dimensions de son corps ;
- la connaissance de la droite et de la gauche sur soi et dans le milieu environnant.

Les tests utilisés se regroupent en techniques projectives, réponses verbales et mesures objectives.

4.3.1. Dessin du bonhomme, Goodenough (1957)

Cette épreuve est basée sur la représentation graphique, par l'enfant, de son propre corps. Le décalage existant entre les possibilités graphiques de l'enfant et sa connaissance des parties du corps empêche de conclure avec certitude sur la validité de ce test.

4.3.2 Test d'imitation de gestes, Bergès-Lézine (1963)

Ce test mesure la possibilité de l'enfant à reproduire des gestes réalisés par l'expérimentateur avec ses mains ou ses bras. Ces gestes simples intéressent essentiellement la première enfance, de 3 à 6 ans, et font intervenir des facteurs d'ordre perceptif et des facteurs d'ordre praxique. Les premiers conduisent à une prise de conscience du geste à accomplir qui peut se réaliser par l'intervention des seconds. Les auteurs comparent également les résultats obtenus à ce test aux résultats obtenus à des tests de notion droite-gauche, de connaissance des parties du corps et de représentation du corps sur le plan graphique.

4.3.3 Test de schéma corporel, Daurat-Hmeljak (1966)

L'enfant doit reconstruire un corps humain à partir de pièces détachées représentant chacune une partie du corps. Ses capacités à reconstruire un corps vu de face ou de profil se trouvent ainsi évaluées en mesurant le niveau de connaissance que le sujet a des rapports entre les différentes parties du corps.

Ces différentes épreuves mesurent essentiellement la connaissance topographique, statique que l'enfant a de son schéma corporel. Mais celui-ci est également corps en action. Des épreuves dynamiques d'habiletés motrices devraient être mises au point pour évaluer cette composante.

4.4 *Perception*

4.4.1 Test du développement de la perception visuelle, Frostig (1964)

La discrimination des formes est un élément indispensable dans la distinction des lettres, pour la lecture. Cet ensemble d'épreuves détermine le niveau atteint par l'enfant dans ses possibilités de reconnaissance des formes et indique s'il est prêt, ou non, pour l'apprentissage de la lecture. Le test évalue la coordination oculo-manuelle, la perception de la constance de la forme, la perception de la position dans l'espace et la perception des relations spatiales. Des tables de conversion sont proposées qui permettent de transformer les scores bruts en un quotient de perception.

4.4.2 Épreuves graphiques d'organisation perceptive, Santucci, Pêcheux (Zazzo, 1969)

Ces épreuves constituent une adaptation du test de Bender (1938, 1946). Elles consistent à rechercher chez les enfants présentant des difficultés scolaires un déficit possible de l'organisation grapho-perceptive, par l'utilisation de copies de figures géométriques. L'interprétation des résultats est relativement longue et demande une certaine habitude de la part de l'expérimentateur.

4.4.3 Tests visuels de Monroe (Ilg et Ames, 1972)

Les possibilités de l'enfant à différencier des formes ou des lettres à partir de leur orientation se trouvent évaluées dans ce test de mesure du niveau de préparation de l'enfant aux apprentissages scolaires.

4.5 *Les échelles de développement moteur*

4.5.1 L'inventaire de développement, Gesell (1955)

Cet inventaire concerne l'enfant entre 0 et 6 ans. Le développement moteur de l'enfant a été noté par Gesell à partir de très nombreuses observations d'enfants, et les éléments caractéristiques des différentes étapes ont été mis en relief. Il suffit de prendre les feuilles de notation du test et d'observer si l'enfant réalise les épreuves qui y sont mentionnées pour son âge. On conclut à un développement moteur normal ou retardé.

4.5.2 Tests moteurs, Ozeretzki (1956)

Ces tests comportent tout un ensemble d'épreuves pour enfants de 6 à 14 ans. A chaque âge on évalue la coordination statique, la coordination dynamique des mains, la coordination dynamique générale, la rapidité des mouvements, les mouvements simultanés et l'absence de syncinésies. De nombreux auteurs ont emprunté des épreuves à cette batterie.

4.5.3 Profil psychomoteur, Picq et Vayer (1971)

Ce test est utilisable avec des enfants de 2 à 11 ans; plusieurs des épreuves sont fondées sur l'observation, par l'expérimentateur, du comportement de l'enfant. La représentation graphique des résultats permet une lecture immédiate des faiblesses de l'enfant. Les différentes épreuves présentées permettent d'évaluer : la coordination des mains, la coordination dynamique générale, l'équilibration, la rapidité, l'organisation de l'espace, la structuration spatio-temporelle, la latéralité, les syncinésies et paratonies, la tenue respiratoire, l'adaptation au rythme.

4.6 *Orientation temporelle*

Les tests dont nous disposons au niveau scolaire ne permettent d'apprécier que certaines des composantes de l'orientation temporelle.

4.6.1 Épreuves de rythme, Stambak (dans Zazzo, 1969)

Ces épreuves évaluent un des aspects de la structuration temporelle et s'adressent à des enfants pouvant présenter des difficultés de lecture (dyslexiques). Il existerait en effet, selon l'auteur, une relation entre les résultats de ces épreuves de rythme et les difficultés éprouvées par des enfants dyslexiques. Tempo spontané, reproduction de structures rythmiques et compréhension du symbolisme des structures rythmiques et leur reproduction composent fondamentalement cette batterie d'étude du rythme.

Parmi les structures que l'enfant doit reproduire, peu d'entre elles mesurent à notre avis le rythme, si l'on entend par celui-ci la répétition, de façon régulière, de structures identiques.

4.6.2 Évaluation des talents musicaux, Seashore (1960)

La mesure des aptitudes musicales constitue le but premier de ce test. Il évalue l'intensité, la tonalité, le rythme, la durée, le timbre et la mémoire tonale. Contrairement au test de Stambak, les résultats au test de Seashore sont obtenus de façon objective : l'enfant doit comparer deux structures et indiquer si elles sont identiques ou non. Le test a été étalonné pour des enfants, ou adultes, à partir de 9 ans.

4.7 *L'efficience motrice*

Les objectifs d'une étude particulière peuvent conduire à désirer évaluer l'habileté réelle des sujets pour pouvoir les comparer entre eux ou établir des relations avec une autre variable et ne pas se limiter uniquement à déterminer si le développement de l'enfant est normal ou non. La dextérité manuelle ne peut s'apprécier que par l'utilisation d'une batterie de tests incluant obligatoirement des tests de rapidité et de précision. Le domaine de l'apprentissage moteur ne manque pas de telles épreuves et seuls certains ouvrages fondamentaux, auxquels pourront se référer les étudiants pour de plus amples informations, seront énumérés ci-après.

4.7.1 Zazzo (1969)

M. Stambak y propose quatre épreuves d'habileté motrice :

- pointillage (épreuve de rapidité),
- découpage (épreuve de précision),
- construction de tours (épreuve de précision),
- manipulation de billes (Ricossay) (épreuve de précision).

À partir des résultats de ces épreuves, il est possible de calculer une note globale d'habileté manuelle.

Ces épreuves sont simples et facilement utilisables.

4.7.2 Fraisse (1963) (p. 61-78)

Parmi toutes les épreuves proposées dans ce livre quelques-unes concernent spécifiquement certaines composantes de la psychomotricité. L'auteur y mentionne tous les renseignements nécessaires à la conduite de l'expérimentation. Les épreuves indiquées permettent d'évaluer : le "tempo" spontané, la vitesse de frappe, la précision du tracé, la précision de la visée et l'amplitude des mouvements involontaires, l'habileté motrice et l'efficience manuelle (force, endurance et test de barrage).

4.7.3 Fleishman (1964)

Les tests présentés dans ce livre ont été administrés à un grand nombre de sujets et, à partir d'une analyse statistique particulière (analyse factorielle), ils ont été regroupés en fonction des facteurs qu'ils mesurent. Les critiques des résultats, par l'auteur, apportent des limites à l'utilisation inconditionnelle de certaines épreuves. En plus de tests classiques d'efficience physique, l'auteur fournit une liste d'épreuves mesurant la motricité fine (dextérité manuelle et digitale, stabilité de la main et du bras, rapidité des mouvements du poignet, visée, etc.) et les temps de réaction.

4.7.4 Autres épreuves

Il existe également des tests susceptibles d'évaluer un des aspects de l'habileté manuelle :

- test de dextérité avec pièces minuscules (Crawford) (mesure de la coordination fine oculo-manuelle),
- *Minnesota Rate of Manipulation Test* (mesure l'aptitude aux travaux de manipulation),
- Test de dextérité de Stromberg (mesure de la manipulation : précision et rapidité),
- *Purdue Pegboard* (mesure de la dextérité digitale).

5 - MATÉRIEL DIDACTIQUE D'ÉDUCATION ET DE RÉÉDUCATION

La détermination de déficits dans le développement moteur de l'enfant doit nécessairement conduire à la rééducation des troubles. Pour des déficits légers, les exercices proposés par LeBoulch (1972) et Picq et Vayer (1971) conviennent très bien. Le traitement de déficits graves exige la présence de personnes spécialisées en rééducation mais, de façon générale de tels enfants ne fréquentent pas les écoles régulières.

Il existe également une grande quantité de matériel didactique utilisable en classe. Nous citerons ci-après, quelques méthodes en indiquant les principaux points qu'elles tendent à développer.

5.1 *Éducation perceptivo-motrice, Leclercq-Régnier (1971)*

Cette méthode développe fondamentalement les aspects qui suivent.

5.1.1 Entraînement à l'organisation spatiale

Placement, sur ordre oral, de jetons colorés ou de formes faisant intervenir les notions spatiales de superposition, juxtaposition et coordination.

5.1.2 Entraînement à l'observation visuelle

Placement de jetons, distinction de couleurs simples et combinées, position dans l'espace, reconnaissance de formes.

5.1.3 Développement de la mémoire perceptive

Discrimination de formes voisines, de leur position relative et de leur orientation, du rythme de leur reproduction.

Parmi les exercices présentés, mentionnons des exercices

1 - d'exécution d'ordres verbaux (déplacements),

2 - de rythme de couleurs, de formes et de grandeurs,

3 - de reconnaissance de formes et de couleurs variées présentées en lignes horizontales, en colonne, en désordre,

4 - de reproduction de formes complexes,

5 - d'identification d'objets, de scènes ou situations par compréhension d'une désignation, d'une description ou d'une narration,

6 - de reconstitution de personnage dans une attitude donnée,

7 - d'attention, de finesse et de mémoire perceptive,

8 - de coordination entre la connaissance (formes, notion d'ordre, de position, d'orientation...) et l'exécution d'une consigne faisant appel à cette connaissance,

9 - d'appréciation des rapports de grandeurs (les chiens et leur niche),

10 - de réalisation d'un dessin géométrique par exécution d'ordres successifs.

5.2 *Exercices d'analyse perceptive et d'orientation spatiale, Bucher (1972)*

5.2.1 Discrimination perceptive

Rapports spatiaux de contiguïté, alternance, séparation, ordre, succession, enveloppement.

5.2.2 Orientation spatiale

La démarche, dans ces exercices, s'effectue selon trois étapes successives. L'enfant apprend d'abord le code avec verbalisation et symbolisation

(◨ D = droite ; ⬒ H = haut ; ◧ G = gauche ; ⬓ B = bas).

On lui présente ensuite une grille comportant les lettres D, H, G, B ; l'enfant doit déchiffrer le code et remplacer la lettre par sa couleur correspondante. Dans une dernière étape l'enfant effectue des transpositions (remplacer un symbole par son opposé).

5.3 *Schéma corporel. Habiletés sensorimotrices, Schmoll (1973)*

Des exercices très simples d'imitation de gestes sont utilisés pour développer la conscience de soi et les habiletés sensorimotrices. Un enfant vu de dos, de face, d'angles variés ou travaillant avec un autre enfant effectue des gestes symétriques, unilatéraux, bilatéraux ou croisant la ligne médiane. L'imitation de ces gestes développe : la connaissance des parties du corps, la latéralité, la direction, la notion d'espace, l'équilibre, l'agilité, la souplesse.

L'intérêt pour ces exercices diminue très vite chez l'enfant, ce qui constitue une limite de cette méthode.

5.4 *Exercices de préparation visuelle, Maney (1964)*

Toute une série d'exercices sont présentés à l'enfant sur feuille ; ces exercices sont censés développer :

- la coordination oculo-manuelle (dessiner avec des limites),
- la visualisation (trouver le chemin dans un labyrinthe),
- les relations spatiales : compléter un modèle (blocs de lettres, modèles abstraits, etc.),
- les relations partie-tout (espace et signification, espace et forme),
- la discrimination visuelle (associer des objets, des lettres, etc.),
- les relations figure-fond (noter des détails dans des dessins, etc.),
- la mémoire visuelle (se souvenir de modèles présentés).

5.5 *Exercices perceptivo-moteurs, Frostig (1972)*

Le programme proposé par Frostig intéresse essentiellement la perception visuelle. Les capacités perceptives ayant des répercussions directes sur l'apprentissage de l'enfant retiennent particulièrement l'attention et constituent l'objet de toute une série d'exercices. Parmi ces capacités perceptives, citons :

1 - la coordination oculo-motrice,

2 - la perception figure-fond,

3 - la constance perceptive,

4 - la perception de la position spatiale,

5 - la perception de la relation spatiale.

L'accent est placé sur ces composantes car, selon l'auteur, des dérèglements perceptifs se produisent très souvent chez les jeunes enfants. Un bon programme de perception éviterait de tels troubles. Les résultats les plus positifs se trouvent dépendants de l'intégration de cet entraînement à celui du langage, des habiletés sensitivo-motrices et des mécanismes généraux de la pensée.

Les relations entre ce programme perceptif et les apprentissages scolaires font l'objet d'une attention toute particulière.

CONCLUSION

La connaissance d'épreuves d'évaluation du développement moteur de l'enfant peut permettre de prévenir les difficultés d'apprentissage scolaire des enfants, s'ils passent régulièrement ces épreuves.

Lorsqu'on constate qu'un enfant a des difficultés en classe, le fait de lui faire passer des épreuves en motricité peut aider à déterminer la cause des troubles. À partir de là, l'élaboration d'un programme de rééducation est beaucoup plus aisée.

Beaucoup d'épreuves utilisées en motricité font appel à l'interprétation du comportement de l'enfant, par l'observateur. Ces résultats, bien qu'approximatifs, permettent toutefois une certaine action auprès des enfants. Mais si l'on désire effectuer une étude sérieuse, l'utilisation de tests objectifs valides et fidèles s'impose.

Les programmes de rééducation, ou d'éducation, permettent essentiellement à l'enfant d'atteindre le degré de maturation nécessaire à l'entreprise des apprentissages scolaires.

BIBLIOGRAPHIE

BENDER, L. "A Visual Motor Gestalt Test and its Clinical Use", *Amer. Orthopsych. Ass.*, 1938, p. 3.

BENDER, L., *Instructions for the Use of Visual Motor Gestalt Test*, New York, American Orthopsychological Association, 1946.

BENTON, A. L., "Right-Left Discrimination", *Pediatric Clinics of North America*, 1968, vol. 15, p. 747-758.

BERGÈS, J. et I. LÉZINE, *Test d'imitation de gestes. Techniques d'exploration du schéma corporel et des praxies chez l'enfant de 3 à 6 ans*, Paris, Masson, 1963.

BUCHER, H., *Exercices d'analyse perceptive et d'orientation spatiale*, Paris, F. Nathan, 1972.

- *Troubles psychomoteurs chez l'enfant ; pratique de la rééducation psychomotrice*, 2e éd., Paris, Masson, 1972.

DAURAT-HMELJAK, C., C. BERGÈS et M. STAMBAK, *Test de schéma corporel. Une épreuve de connaissance et de construction de l'image du corps*, Paris, Editions du Centre de psychologie appliquée, 1966.

FLEISHMAN, E. A., *The Structure and Measurement of Physical Fitness*, Englewood cliffs, N.J., Prentice-Hall, Inc., 1964.

FRAISSE, P., *Manuel pratique de psychologie expérimentale*, Paris, P.U.F., 1963.

FROSTIG, M. *et al.*, "The Marianne Frostig Developmental Test of Visual Perception", *Perceptual and Motor Skills*, 1964, vol. 19, p. 463-499.

- *Images et modèles*, Montréal, McGraw-Hill, 1972.

GESELL, A., *Inventaire de développement*, Paris, Editions du Centre de psychologie appliquée, 1955.

GOODENOUGH, F. L., *l'Intelligence d'après le dessin*, Paris, P.U.F., 1957.

HARRIS, A. J., *Tests of Laterality*, New York, Psychological Corporation, 1947.

HUMPHREY, M. A., "Consistency of Hand Usage : a Preliminary Enquiry", *British Journal of Educational Psychology*, 1951, vol. 21, n° 3, p. 214-225.

ILG, F. L. et L. B. AMES, *School Readiness. Behavior Tests used at the Gesell Institute*, New York, Harper and Row, 1972.

LEBOULCH, J., *l'Éducation par le mouvement : la méthode psycho-cinétique*, 9e éd., Paris, E. S. F., 1972.

LECLERCQ, H. et P. REGNIER, *l'Education perceptivo-motrice*, Paris, Nathan, "Pédagogie préscolaire", 1971.

MANEY, E. S., *Visual Readiness Skills*, Pasadena, Calif., The Continental Press Inc., 1964.

MOOR, L. *la Pratique des tests mentaux en psychiatrie infantile*, Paris, Masson, 1967.

OZERETZKI, *Tests moteurs*, Issy-les-Moulineaux, Editions scientifiques et psychotechniques, 1956.

PICQ, L. et P. VAYER, *Éducation psychomotrice et arriération mentale*, 3e éd., Paris, Doin, 1971.

PROVINS, K. A. et P. CUNLIFE, "Motor Performance Tests of Handedness and Motivation", *Perceptual and Motor Skills*, 1972, vol. 35, p. 143-150.

REY, A., *Epreuves d'intelligence pratique et de psychomotricité*, Neuchâtel, Delachaux et Niestlé, 1968.

SCHMOLL, R. R., *Body Position Cards. Motor Training Program*, Boston, Teaching Resources Corporation, 1973.

SEASHORE, C. E., D. LEWIS et J. G. SAETVEIT, *Seashore Measures of Musical Talents*, New York, The Psychological Corporation, 1960, Second Revision.

ZAZZO, R., *Manuel pour l'examen psychologique de l'enfant*, Neuchâtel, 3e éd., Delachaux et Niestlé, 1969.

CONCLUSION GÉNÉRALE

L'observation du développement général de l'enfant fait apparaître l'importance du vécu corporel comme moyen d'accession au mode de la pensée opératoire. En effet, la diversité des situations didactiques vécues par l'enfant lui permet d'élaborer des schèmes à partir desquels se forment les concepts. L'utilisation systématisée du mouvement pourrait donc se révéler très fructueuse en apportant des bases concrètes aux formes de raisonnement spécifiques aux différentes disciplines, tout en agissant directement sur la coordination perceptivo-motrice que l'on retrouve par exemple dans l'écriture.

La réussite d'un enfant, dans ses études, dépend, dans une large mesure, de son degré de développement physiologique qui détermine le moment où il est prêt à aborder les apprentissages scolaires avec un rendement optimal. Parmi les divers indices qui permettent de déceler le niveau de maturation atteint par l'enfant, l'efficience motrice apparaît comme le plus révélateur.

En résumé, l'éducation motrice agirait davantage sur l'actualisation des potentialités de l'enfant que sur l'augmentation directe de son niveau intellectuel.

René Paoletti

Robert Rigal

Achevé d'imprimer
le 18 décembre 1974